University of New Brunswick
in Saint John

Ward Chipman Library

PQ

WITHDRAWN
- [ ] DESELECTED
- [ ] LOST
- [ ] DAMAGED
- [ ] MISSING (INV.)
- [ ] OTHER

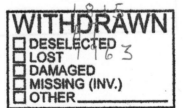

Il est interdit d'exporter le présent ouvrage au Canada, sous peine des sanctions prévues par la loi et par nos contrats.

LA ROCHEFOUCAULD,

d'après un dessin ancien. (Bibl. Nat., cabinet des Estampes.)

CLASSIQUES LAROUSSE

Fondés par
FÉLIX GUIRAND
Agrégé des Lettres

Dirigés par
LÉON LEJEALLE
Agrégé des Lettres

LA ROCHEFOUCAULD

MAXIMES

SUIVIES D'EXTRAITS
DES MORALISTES DU XVIIᴱ SIÈCLE

avec une Notice biographique, une Notice historique
et littéraire, des Notes explicatives, des Jugements,
un Questionnaire et des Sujets de devoirs,

par

J.-ROGER CHARBONNEL

Agrégé des Lettres
Professeur de première au Lycée Michelet, Docteur ès Lettres

LIBRAIRIE LAROUSSE • PARIS VI

17, rue du Montparnasse, et boulevard Raspail, 114
Succursale : 58, rue des Écoles (Sorbonne)

III SAINT JOHN

PQ
1815
A7
1963

RÉSUMÉ CHRONOLOGIQUE
DE LA VIE DE LA ROCHEFOUCAULD
(1613-1680)

15 décembre 1613. — François VI — d'abord appelé prince de Marcillac, puis, à la mort de son père, duc de La Rochefoucauld — naît à Paris, d'une très ancienne et noble famille de l'Angoumois.

1620-1628. — Il reçoit l'éducation d'un fils de grand seigneur, plus que celle d'un humaniste.

1628. — Il épouse Andrée de Vivonne (morte en 1670), qui lui donnera huit enfants.

1629. — Maître de camp du régiment d'Auvergne; premières armes en Italie.

1635-1636. — Il va combattre en Flandre.

1637. — De retour à la Cour, il se mêle, de concert avec Madame de Chevreuse, aux intrigues d'Anne d'Autriche contre Richelieu.

Juin 1639. — Il retourne aux armées où sa belle conduite lui vaut des offres flatteuses de la part du Cardinal. Mais il reste dans l'opposition; il est compromis dans le complot de Cinq-Mars.

1642-1643. — Mazarin, qui a pris un grand ascendant sur Anne d'Autriche, s'emploie très habilement à tromper, à user peu à peu Marcillac, avide d'honneurs, qui, après avoir décliné bien des propositions, obtient, pour tout avantage, la permission d'acheter — fort cher —, en 1646, la charge de gouverneur du Poitou.

13 août 1646. — Ayant rejoint en Flandre, comme volontaire, l'armée du duc d'Enghien, il reçoit, au siège de Mardick, trois coups de mousquet.

Décembre 1648. — Furieux de s'être vu refuser le droit de porter, avant la mort de son père, le titre de duc, excité par Mme de Longueville, La Rochefoucauld, qui a participé aux cabales des Importants, devient lieutenant général de l'armée rebelle. Derechef, il est blessé, assez grièvement.

Mars 1649. — Signature de l'amnistie.

Janvier 1650. — Après l'arrestation des princes, La Rochefoucauld se retire en Poitou, gagné à la nouvelle Fronde.

8 février 1650. — Décès de son père, aux obsèques duquel il tente de soulever contre le roi la noblesse de la province, avant de soutenir, à Bordeaux, l'insurrection démagogique de l'Ormée et de s'allier, comme Condé, aux Espagnols.

1650-1652. — Par ordre du Cardinal, son château de Verteuil est rasé. Combats de Bléneau et du faubourg Saint-Antoine, où le duc reçoit en plein visage une décharge de mousquet.

Octobre 1652. — Nouvelle amnistie. Désabusé et las, La Rochefoucauld se retire dans ses terres, où il commence la rédaction de ses *Mémoires*.

1659. — Il obtient du roi une pension de 8 600 livres. Il se convertit de plus en plus aux Lettres.

1662. — Il est promu à l'ordre du Saint-Esprit.

1663-1665. — Il fréquente les salons de Mlle de Scudéry, de Mlle de Montpensier, et surtout celui de Mme de Sablé.

1665. — Tendre liaison avec Mme de La Fayette. Publication des *Maximes*.

4 mai 1672. — Mort de la mère du duc, qui est lui-même torturé par la maladie, et dont le quatrième fils va être tué au passage du Rhin.

1679. — Son petit-fils épouse la fille de Louvois.

Nuit du 16 au 17 mars 1680. — La Rochefoucauld expire entre les bras de Bossuet.

La Rochefoucauld avait sept ans de moins que Corneille, quinze ans de moins que Voiture, dix-sept ans de moins que Balzac et Descartes; un an de plus que Retz, huit ans de plus que La Fontaine, dix ans de plus que Pascal, treize ans de plus que Mme de Sévigné, quatorze ans de plus que Bossuet, dix-neuf ans de plus que Bourdaloue, vingt-deux ans de plus que Mme de Maintenon, vingt-trois ans de plus que Boileau, vingt-six ans de plus que Racine, trente-deux ans de plus que La Bruyère.

LIBRARY
UNIVERSITY OF NEW BRUNSWICK
IN SAINT JOHN

MAXIMES
1665

NOTICE

Ce qui se passait en 1665. — EN POLITIQUE. *L'Angleterre déclare la guerre aux Hollandais. 3 juin : bataille de Solway. Octobre : ouverture des Grands jours d'Auvergne. La Grande peste à Londres. Charles II, roi d'Espagne.*

EN LITTÉRATURE. *Molière,* Don Juan. *Boileau,* Satires III *et* V. *La Fontaine,* Contes *(1er livre). Racine,* Alexandre. *Bossuet,* Carême de Saint-Thomas du Louvre, Avent du Louvre.

DANS LES SCIENCES. *Fondation du* Journal des savants. *Newton,* Traité *des* fluxions.

DANS LES ARTS. *Nicolas Poussin meurt.*

Composition et publication des « Maximes ». — Les *Maximes* — genre littéraire fort à la mode dans la société « précieuse » — ont été composées, après discussions et retouches, soit à l'hôtel de Liancourt, habité par le duc, soit, plus souvent encore, dans le salon de Mme de Sablé, dès 1659. La Rochefoucauld fut un des « greffiers » des sentences préparées dans ce cercle choisi, qu'il consulta avant de publier, chez Barbin, en 1665, son propre recueil. Mais, l'année précédente, la librairie Stencker, de La Haye, avait déjà édité l'ouvrage. Sous l'influence de la tendre et indulgente Mme de La Fayette, La Rochefoucauld atténua quelque peu le caractère trop absolu[1] ou l'excessive amertume de ses *Maximes*, dont il s'appliquait, en même temps, à polir et à condenser la forme. C'est à ce double effort que nous assistons en suivant les diverses éditions[2] du livre, jusqu'à celle de 1678, la dernière qui ait paru du vivant de l'auteur : comme elle donne, évidemment, l'ultime état de la pensée du moraliste, nous en avons reproduit le texte, mais en classant par « sujets » les sentences les plus significatives que, du propre aveu de La Rochefoucauld, le recueil présente *sans ordre*. Nous avons indiqué : *a)* les variantes les plus curieuses ; *b)* par la lettre *P*, les maximes posthumes, tirées d'un manuscrit autographe, conservé au château de la Rocheguyon, du tome II des Portefeuilles de Vallant et d'un supplément publié

1. Tantôt en les corrigeant, tantôt en ajoutant « presque », « le plus souvent », « la plupart »...;
2. Voici la liste de celles qui se sont succédé après celle de 1665, dont il y eut trois contrefaçons : Paris, 1666 et 1671 [Rouen, chez Lucas, 1672 ; Lyon, chez Taillandier, même date] ; Paris, 1675. [La Haye, *la sphère*, 1676] ; Paris, 1678. De 317 maximes, ce dernier recueil était passé à 504 ; Les éditions entre crochets sont celles que La Rochefoucauld n'a pas revues.

en 1693, chez Claude Barbin; *c*) par la lettre *S*, les maximes que
La Rochefoucauld a lui-même peu à peu supprimées et qui, après
avoir été réunies par l'abbé Brotier (1789), par le marquis de For-
tia (1792 et 1802), par Aimé Martin (1822) et par Duplessis (1853),
figurent, au nombre de soixante-dix-neuf, dans l'édition des
grands écrivains (Gilbert, Hachette). Le manuscrit cité plus haut
contenait douze *Réflexions* diverses, en sus des sept déjà fournies
par une compilation anonyme, datant de 1731, et dont certains
avaient, à tort, contesté l'authenticité. On trouvera ici les plus
intéressantes, qui sont comme le développement nuancé de telle
ou telle maxime.

La thèse du livre. — Cette thèse, dont, malgré certaines pré-
cautions de forme, le sens et la portée n'ont guère changé, est,
on le sait, foncièrement *pessimiste*. Il n'y a pas de véritable vertu :
tout, dans la conduite des hommes, est subordonné à l'amour-
propre, c'est-à-dire à l'égoïsme et à l'intérêt personnel. Voilà
le secret inspirateur qui se dissimule sous les masques les plus
divers. Les belles actions ne sont que de beaux dehors. Les vices
entrent dans la composition des vertus, comme les poisons dans
la composition des remèdes. Grattez le vernis des sentiments
en apparence les plus nobles : vous découvrirez tout au fond —
plus ou moins conscient — un calcul. Et l'auteur d'appliquer son
impitoyable analyse à l'amitié, à la compassion, à l'humilité,
à la générosité, à la magnanimité, à l'héroïsme même. Dans l'ac-
complissement du bien nous n'apportons aucune spontanéité.
D'ailleurs, comment nous flatter de choisir notre nature et notre
destinée ?... Nous sommes des comédiens qui, poussés par le Sort
dans une certaine direction, tâchent de donner le change et de se
« débrouiller » au mieux, fût-ce en dupant autrui.

Que « la tendance à persévérer dans l'être » soit la condition même
de notre existence physique et morale, nul ne songe à le contester !...
Mais n'est-on pas obligé de constater, si l'on considère impartialement les *faits*, que l'explication proposée par La Rochefoucauld
constitue un paradoxe, parce qu'elle tente de ramener la complexité
psychologique à une formule rigide, superficielle et courte ?
Puisque, chez des êtres imparfaits et « finis », que pressent des
nécessités vitales, la vertu ne peut être *absolue*, ce qui importe,
c'est d'établir une *hiérarchie* entre les motifs ou les mobiles qui
suscitent notre activité; c'est d'apprécier exactement leur valeur
selon une échelle de degrés, à laquelle se proportionne notre mérite;
c'est, par exemple, de placer bien au-dessus des petites combinai-
sons de la vanité ou de la cupidité tout ce qui implique un risque,
un sacrifice ou un effort pour se dépasser soi-même. S'il est plus
que discutable de mettre sur le même plan la soif sordide de l'or
et l'amour de la gloire, il est injuste de ramener systématiquement
la charité à l'étalage d'une bonté ostentatoire, la pitié à l'affectation

morale ; il professe une sorte de *déterminisme* d'après lequel vertus et vices sont le produit direct à la fois de l'*humeur* (ou du tempérament) et du *hasard*[1], nettement substitué à ce finalisme providentiel[2] sur lequel théologiens et prédicateurs d'alors insistent à l'envi.

Voilà le fondement philosophique de son système. Quoi d'étonnant, si l'on songe qu'il fut en relations suivies, non seulement avec Condé[3] et la Palatine (*avant* leur conversion), mais avec le sceptique Méré pour lequel la religion n'avait « aucun sens », et que, s'il ne connut pas les ouvrages des libertins italiens, il en retrouva la substance chez un Gabriel Naudé et chez un La Mothe Le Vayer ? Ne disait-il pas, en présence de Méré[4] : « Nous devons quelque chose aux coutumes des lieux où nous vivons, pour ne pas choquer la révérence publique, quoique ces coutumes soient mauvaises ; mais nous ne leur devons que l'*apparence ;* il faut les en payer et se bien garder de les approuver dans son cœur, de peur d'offenser la *raison universelle* qui les condamne. » Concession, assez cartésienne, à la Prudence, alors opportune, mais qui ne l'empêchait pas de déclarer[5] : « Je serais assez de l'avis d'Épicure, et je crois qu'on pourrait faire une maxime que la vertu mal entendue n'est guère moins incommode que le vice bien ménagé... Sénèque était un hypocrite et Épicure un saint... Je ne sais si, pour vivre content et comme un honnête homme du monde, il ne vaudrait pas mieux être Alcibiade et Phédon qu'Aristide ou Socrate[6]. » Qu'après cela, il soit mort avec dignité, « avec bienséance », comme un sage déjà résigné à la souffrance puis à l'Inévitable, mais de façon bien moins « édifiante » que Montaigne lui-même[7], en quoi pareille attitude changerait-elle l'inspiration et la signification de son livre ?

Le « moi » de l'écrivain. — Au risque de déplaire à l'auteur, qui était fort susceptible, Mme de Sablé, d'accord avec la princesse de Guéméné, affirmait que les *Maximes* étaient inspirées par l'humeur d'un homme jugeant tout le monde d'après lui-même. Il y a, dans cette appréciation, une bonne part de vérité. A travers telle ou telle formule qui affecte un tour général, transparaissent des souvenirs personnels : mariage sans amour ; mauvais génie de Mme de Chevreuse qui le jeta dans les aventures ; déboires de son orgueil et de son ambition dont se joua Mazarin ; insuccès dus à son irrésolution ; intrigues et coquetteries de Mme de Longueville (notamment avec Nemours, pendant le voyage de Berry en Guyenne) ; manèges de l'intérêt et de la vanité dans les salons qu'il fréquenta, etc., etc. Grand seigneur aigri et désabusé, La Rochefoucauld n'est pas sans rappeler Salluste se consacrant à l'histoire. Son œuvre est, dans une large mesure, l'écho de sa vie. Elle est une confidence stylisée et transposée sur le plan de

1. Cf. les premières sections des Maximes ; 2. Cf. notamment Bossuet, Bourdaloue et Fénelon ; 3. Comme La Fontaine, Condé fréquenta le salon de madame de La Fayette ; 4. Lettre du chevalier de Méré ; 5. *Ibidem ;* 6. Même thèse chez Saint-Évremond ; 7. *Lettres* d'Étienne Pasquier (I, XVIII, 19).

l'universel. Elle porte l'empreinte de la Fronde où se mêlèrent si curieusement l'esprit chevaleresque et l'absence de scrupules. Elle respire la sourde rancœur du vaincu. Elle n'est nullement un traité morcelé sur la nature déchue que, seule, peut purifier et sauver le secours divin; elle est, en revanche, construite sur des thèmes familiers à tous les libertins (et le XVIIIe siècle ne s'y est pas trompé[1]). Quant à la tendance pessimiste[2] qui y domine, il est possible que l'atmosphère janséniste du salon de Mme de Sablé[3] l'ait *favorisée ; mais elle ne l'a sûrement pas créée ;* elle résulte très logiquement du « positivisme » psychologique de l'auteur, de la sécheresse hautaine d'une âme que ne réchauffe aucune foi, que ne console aucune illusion. Et de même que, chez Lucrèce, elle s'allie au plus franc matérialisme, elle s'intègre, chez La Rochefoucauld, dans un ensemble de vues et de conceptions qui, en dehors du christianisme, et en accord avec le néo-épicurisme de l'époque, garde toute sa cohérence intime.

L'art et la forme. — Une maxime étant une sorte de gageure ou de réussite, un miracle de simplification et de condensation, La Rochefoucauld — cela va de soi — n'a pas toujours été égal à lui-même. Il n'a pas toujours évité ces deux écueils : la banalité et l'obscurité[4]. Mais, le plus souvent, la finesse de son analyse se traduit en une langue ferme, dépouillée, nerveuse et limpide, éclairée — assez exceptionnellement — de métaphores vives et brèves, et, qui vise surtout à la concision et au trait. Le tour, vigoureux et incisif, se grave aisément dans la mémoire. Il est conforme au goût *classique*, issu du rationalisme de Malherbe et poli par les élégances de la mondanité. Assez rares y sont les traces de l'influence de la préciosité (jeux de mots[5], antithèses artificielles[6], alliances de termes trop recherchées et inattendues, images ou comparaisons trop peu naturelles[7]). Parfois subtilement « balancées », ces maximes, délicatement ciselées au prix de nombreuses retouches, attestent le patient labeur de l'artiste qui vingt fois sur le métier remit son ouvrage, afin de nous léguer l'expressif testament d'une pensée et surtout d'une époque. En un sens, La Rochefoucauld, qui ignorait le grec et qui dut le plus souvent recourir à des traductions, — est un attique. Plus abstrait, moins apte au pittoresque, donc, au « portrait », que La Bruyère ou même que Vauvenargues, il suggérera à l'un et à l'autre — par influence directe et, en certains cas, par réaction — quelques-unes de leurs formules les plus heureuses et les plus définitives. A leur tour, Stendhal, Nietzsche, bien d'autres encore emprunteront des joyaux à son brillant écrin.

---

1. Tandis que Bossuet déclare à Mme de Maisonfort — à propos de la maxime 216, sur les effets de l'absence — (1701) : « Vous citez là un *mauvais* auteur », Mme Du Deffand qualifie La Rochefoucauld « d'esprit fort » (*Lettre à Horace Walpole*, 1777); Frédéric II de Prusse — et pour cause — l'estimait beaucoup; 2. Cf. Vinet (*essais de philosophie morale*, 1887); 3. Le duc y rencontrait Mesdames de Maure, de Guéméné, de La Fayette, de Schomberg, l'abbé Esprit, etc.; 4. Cf. Mme de Sévigné (*Lettre à Mme de Grignan*, en lui adressant l'édition de 1672). Et Brunetière (*op. cit.*); 5. Maximes 78 et 175; 6. Maximes 115 et 355; 7. Maximes 26, 75 et 211.

PORTRAIT DU DUC DE LA ROCHEFOUCAULD
PAR LE CARDINAL DE RETZ

(Extraits)

Il y a toujours eu du je ne sais quoi[1] en M. de La Rochefoucauld. Il a voulu se mêler d'intrigues dès son enfance, et en un temps où il ne sentait pas les petits intérêts, qui n'ont jamais été son faible, et où il ne connaissait pas les grands, qui d'un[2] autre sens n'ont pas été son fort[3]. Il n'a jamais été capable d'aucune affaire, et je ne sais pourquoi, car il avait des qualités qui eussent suppléé en tout autre[4] celles qu'il n'avait pas... Sa vue n'était pas assez étendue, et il ne voyait pas même tout ensemble[5] ce qui était à sa portée ; mais son bon sens, très bon dans la spéculation — joint à sa douceur, à son insinuation[6] et à sa facilité de mœurs, qui est admirable — devait récompenser[7] plus qu'il[8] n'a fait le défaut de sa pénétration. Il a toujours eu une irrésolution habituelle ; mais je ne sais même à quoi attribuer cette irrésolution : elle n'a pu venir en lui de la fécondité de son imagination qui n'est rien moins que vive *(1). Je ne la puis donner[9] à la stérilité de son jugement, car, quoi qu'il ne l'ait pas exquis[10] dans l'action, il a un bon fonds de raison. Nous voyons les effets de cette irrésolution, quoique nous n'en connaissions pas la cause...

1. Cf. Bossuet : « Un je ne sais quoi qui n'a de nom dans aucune langue. » Ici : un cas psychologique assez déconcertant ; **2.** *D'un :* en un ; **3.** Noter la double antithèse : « Petits... grands ; faible..., fort » ; **4.** Chez tout autre ; **5.** De façon synthétique. Il s'attachait trop au détail ; **6.** Souplesse (image reprise par l'emploi latin de « facilité ») : il ne heurtait personne de front ; il savait s'adapter aux diverses mentalités, aux diverses circonstances ; il avait un caractère malléable ; **7.** Compenser ; **8.** Représente le « bon sens » ; **9.** Attribuer ; **10.** Latinisme. : de choix. — A son tour, La Rochefoucauld fit le portrait de son ennemi, le cardinal de Retz, qui a paru, pour la première fois, dans l'édition des *Lettres de la marquise de Sévigné*, en 1754 (t. III, p. 60 et sq.).

* Les chiffres en caractères gras, et précédés d'un astérisque, renvoient aux questions finales invitant à la réflexion, à la recherche personnelle, et complétant le commentaire.

PORTRAIT DU DUC DE LA ROCHEFOUCAULD
PAR LUI-MÊME

Imprimé en 1659, dans le *Recueil des portraits et éloges en vers*, dédié a Mlle de Montpensier.

Je suis d'une taille médiocre, libre et bien proportionnée. J'ai le teint brun, mais assez uni; le front élevé et d'une raisonnable grandeur; les yeux noirs, petits et enfoncés, et les sourcils noirs et épais, mais bien tournés. Je serais fort empêché de dire de quelle sorte j'ai le nez fait, car il n'est ni camus[1], ni aquilin[2], ni gros, ni pointu, au moins à ce que je crois : tout ce que je sais, c'est qu'il est plutôt grand que petit, et qu'il descend un peu trop bas. J'ai la bouche grande et les lèvres assez rouges d'ordinaire, et ni bien ni mal taillées. J'ai les dents blanches et passablement bien rangées. On m'a dit autrefois que j'avais un peu trop de menton : je viens de me regarder dans le miroir pour savoir ce qu'il en est, et je ne sais pas trop bien qu'en juger[3]. Pour le tour du visage, je l'ai ou carré, ou en ovale; lequel des deux, il me serait fort difficile de le dire. J'ai les cheveux noirs, naturellement frisés, et avec cela épais et assez longs pour pouvoir prétendre en belle tête[4].

J'ai quelque chose de chagrin[5] et de fier dans la mine : cela fait croire à la plupart des gens que je suis méprisant, quoique je ne le sois point du tout. J'ai l'action[6] fort aisée, et même un peu trop, et jusqu'à faire beaucoup de gestes en parlant. Voilà naïvement comme je pense que je suis fait au dehors, et l'on trouvera, je crois, que ce que je pense de moi là-dessus n'est pas fort éloigné de ce qui en est. J'en userai avec la même fidélité[7] dans ce qui me reste à faire de mon portrait; car je me suis assez étudié pour me bien connaître, et je ne manquerai ni d'assurance pour dire librement ce que je puis avoir de bonnes qualités, ni de sincérité pour avouer franchement ce que j'ai de défauts.

Premièrement, pour parler de mon humeur[8], je suis mélancolique*(2), et je le suis à un point que, depuis trois ou quatre ans, à peine m'a-t-on vu rire trois ou quatre fois. J'aurais pourtant, ce me semble, une mélancolie assez supportable et assez douce,

---

1. Court et plat; 2. Recourbé en bec d'aigle (cf. au contraire, le portrait de Condé); 3. *Que (quid)* : à quel jugement m'arrêter. En ce qui concerne la forme du visage, La Rochefoucauld exagère un peu son incertitude.. ; 4. *En* marque le but : à avoir une belle coiffure; 5. Qualificatif, identique au substantif correspondant (cf. colère); 6. désigne, chez un orateur, le débit et les gestes; 7. Exactitude; 8. Disposition d'esprit habituelle.

si je n'en avais point d'autre que celle qui me vient de mon tempérament; mais il m'en vient tant d'ailleurs, et ce qui m'en vient me remplit de telle sorte l'imagination et m'occupe si fort l'esprit, que la plupart du temps, ou je rêve sans dire mot, ou je n'ai presque point d'attache à ce que je dis. Je suis fort resserré[1] avec ceux que je ne connais pas, et je ne suis pas même extrêmement ouvert avec la plupart de ceux que je connais. C'est un défaut, je le sais bien, et je ne négligerai rien pour m'en corriger; mais, comme un certain air sombre que j'ai dans le visage contribue à me faire paraître encore plus réservé que je ne le suis, et qu'il n'est pas en notre pouvoir de nous défaire d'un méchant air[2] qui nous vient de la disposition naturelle des traits, je pense qu'après m'être corrigé au dedans, il me laissera pas de me demeurer toujours de mauvaises marques[3] au dehors.

J'ai de l'esprit, et je ne fais point de difficulté de le dire, car, à quoi bon façonner[4] là-dessus? Tant biaiser[5] et tant apporter d'adoucissement[6] pour dire les avantages que l'on a, c'est, ce me semble, cacher un peu de vanité sous une modestie apparente, et se servir[7] d'une manière bien adroite pour faire croire de soi beaucoup plus de bien que l'on n'en dit*(3). Pour moi, je suis content qu'on ne me croie ni plus beau que je me fais, ni de meilleure humeur que je me dépeins, ni plus spirituel et plus raisonnable que je le suis. J'ai donc de l'esprit, encore une fois, mais un esprit que la mélancolie gâte; car, encore que je possède assez bien ma langue, que j'aie la mémoire heureuse, et que je ne pense pas les choses fort confusément, j'ai pourtant une si forte application à mon chagrin[8], que souvent j'explique assez mal ce que je veux dire.

La conversation des honnêtes gens[9] est un des plaisirs qui me touchent le plus. J'aime qu'elle soit sérieuse, et que la morale[10] en fasse la plus grande partie. Cependant, je sais la goûter aussi lorsqu'elle est enjouée; et si je ne dis pas beaucoup de petites choses pour rire, ce n'est pas du moins que je ne connaisse pas ce que valent les bagatelles[11] bien dites, et que je ne trouve fort divertissante cette manière de badiner, où il y a certains esprits prompts et aisés qui réussissent si bien[12]. J'écris bien en prose, je fais bien[13] en vers; et si j'étais sensible à la gloire qui vient de ce côté-là, je pense qu'avec un peu de travail je pourrais m'acquérir assez de réputation[14].

---

1. Peu communicatif; **2.** *Méchant*, de mé-choir (qui tombe mal); donc, ici, désagréable (contraire : *avenant*); **3.** Une expression fâcheuse; **4.** Faire des façons. Cf. *façonnier*, dans *Tartuffe ;* **5.** Prendre des chemins détournés; **6.** Atténuer, estomper l'éloge; **7.** Agir dans son propre intérêt; **8.** Sens fort (fréquent à l'époque classique) : tristesse, mélancolie; **9.** Cf. les *Maximes* et les *Réflexions* consacrées à l'honnêteté; **10** L'analyse des caractères et des mœurs; **11.** De l'italien : *bagatella* (petite balle de sureau qu'escamotent les prestidigitateurs) : acte ou parole futile, sans portée; **12.** Cf. par exemple, Voiture. **13.** Je réussis; **14.** Cependant, il ne signa point son livre et refusa de se présenter à l'Académie, plutôt d'ailleurs par dédain que par modestie...

J'aime la lecture, en général; celle où il se trouve quelque chose qui peut façonner[1] l'esprit et fortifier l'âme est celle que j'aime le plus. Surtout, j'ai une extrême satisfaction à lire avec une personne d'esprit ★(4); car, de cette sorte, on réfléchit à tout moment sur ce qu'on lit; et des réflexions que l'on fait, il se forme une conversation la plus agréable du monde et la plus utile.

Je juge assez bien des ouvrages de vers et de prose que l'on me montre; mais j'en dis peut-être mon sentiment avec un peu trop de liberté. Ce qu'il y a encore de mal en moi, c'est que j'ai quelquefois une délicatesse[2] trop scrupuleuse, et une critique trop sévère. Je ne hais pas entendre disputer, et souvent aussi je me mêle assez volontiers dans la dispute : mais je soutiens d'ordinaire mon opinion avec trop de chaleur; et lorsqu'on défend un parti injuste contre moi, quelquefois, à force de me passionner pour la raison, je deviens moi-même fort peu raisonnable★(5).

J'ai les sentiments vertueux, les inclinations belles, et une si forte envie d'être tout à fait honnête homme, que mes amis ne me sauraient faire un plus grand plaisir que de m'avertir sincèrement de mes défauts. Ceux qui me connaissent un peu particulièrement et qui ont eu la bonté de me donner quelquefois des avis là-dessus savent que je les ai toujours reçus avec toute la joie imaginable et toute la soumission d'esprit que l'on saurait désirer.

J'ai toutes les passions assez douces et assez réglées : on ne m'a presque jamais vu en colère, et je n'ai jamais eu de haine pour personne. Je ne suis pas pourtant incapable de me venger, si l'on m'avait offensé, et qu'il y allât[3] de mon honneur à me ressentir de l'injure qu'on m'aurait faite. Au contraire, je suis assuré que le devoir ferait si bien en moi l'office de la haine que je poursuivrais ma vengeance avec encore plus de vigueur qu'un autre.

L'ambition ne me travaille point[4] ★(6). Je ne crains guère de choses, et ne crains aucunement la mort[5]. Je suis peu sensible à la pitié, et je voudrais ne l'y être point du tout[6]. Cependant il n'est rien que je ne fisse pour le soulagement d'une personne affligée; et je crois effectivement que l'on doit tout faire, jusqu'à lui témoigner même beaucoup de compassion de son mal; car les misérables[7] sont si sots, que cela leur fait le plus grand bien du monde : mais je tiens aussi qu'il faut se contenter d'en témoigner et se garder soigneusement d'en avoir. C'est une passion[8] qui n'est bonne à rien au dedans d'une âme bien faite, qui ne sert qu'à affaiblir le cœur, et qu'on doit laisser au peuple, qui, n'exécutant jamais rien par raison, a besoin de passions pour le porter à faire les choses.

1. Former; 2. Tendance à me montrer difficile; 3. S'il y allait : si mon honneur était engagé; 4. Tourmente; 5. Cf. plus loin, une longue *maxime* sur la crainte de la mort; 6. On connaît les belles pages de Schopenhauer sur la pitié. Cf. plus loin, une maxime (*Vertus et Vices*); 7. Les malheureux; 8. Un état émotif (sens cartésien). Bossuet la définissait : « Un mouvement de l'âme qui, touchée du plaisir ressenti ou imaginé dans un objet, s'en approche ou s'en éloigne. » Descartes en comptait six principales; Bossuet, onze.

J'aime mes amis; et je les aime d'une façon[1] que je ne balancerais[2] pas un moment à sacrifier mes intérêts aux leurs ⋆(7). J'ai de la condescendance[3] pour eux; je souffre patiemment leurs mauvaises humeurs : seulement je ne leur fais pas beaucoup de caresses, et je n'ai pas non plus de grandes inquiétudes en leur absence.

J'ai naturellement fort peu de curiosité pour la plus grande partie de tout ce qui en donne aux autres gens. Je suis fort secret[4], et j'ai moins de difficulté que personne à taire ce qu'on m'a dit en confidence. Je suis extrêmement régulier à[5] ma parole; je n'y manque jamais, de quelque conséquence que puisse être ce que j'ai promis; et je m'en suis fait toute ma vie une loi indispensable. J'ai une civilité[6] fort exacte parmi les femmes; et je ne crois pas avoir rien dit devant elles qui leur ait pu faire de la peine. Quand elles ont l'esprit bien fait, j'aime mieux leur conversation que celle des hommes; on y trouve une certaine douceur qui ne se rencontre point parmi nous; il me semble, outre cela, qu'elles s'expliquent avec plus de netteté, et qu'elles donnent un tour plus agréable aux choses qu'elles disent. Pour galant, je l'ai été un peu autrefois; présentement je ne le suis plus, quelque jeune que je sois. J'ai renoncé aux fleurettes[7]; et je m'étonne seulement de ce qu'il y a encore tant d'honnêtes gens qui s'occupent à en débiter ⋆(8).

J'approuve extrêmement les belles passions; elles marquent la grandeur de l'âme[8] : et, quoique dans les inquiétudes qu'elles donnent, il y ait quelque chose de contraire à la sévère sagesse elles s'accommodent si bien d'ailleurs avec la plus austère vertu que je crois qu'on ne les saurait condamner avec justice ⋆(9). Moi qui connais tout ce qu'il y a de délicat et de fort dans les grands sentiments de l'amour, si jamais je viens à aimer ce sera assurément de cette sorte; mais de la façon dont je suis, je ne crois pas que cette connaissance que j'ai me passe jamais de l'esprit au cœur[9].

1. D'une telle façon que; 2. Hésiterais; 3. Tendance à leur faire des concessions; 4. Réservé (Bossuet emploie cet adjectif dans le même sens); 5. Réglé dans mes paroles; 6. Politesse scrupuleuse; 7. Propos galants (cf : conter fleurette); 8. Elles témoignent de la grandeur, de l'élévation de l'âme (cf. les *Maximes*). La Rochefoucauld dédaigne tout ce qui est médiocre. Sur ce point, Vauvenargues est pleinement d'accord avec lui. (Cf. notre édition, *intégrale et critique*, des *Maximes* de ce moraliste. Paris. Croville, 1934. Pour la facilité des rapprochements avec La Rochefoucauld et les autres écrivains, on y trouvera une table des maximes classées par sujets. — (Toutes nos références à Pascal se rapportent, sauf avis contraire, à la 8e *édition des Pensées* par M. Brunschvicg [Paris, Hachette, col. classique]; celles de la Bruyère reproduisent la pagination de la 16e édition Servois-Rébelliau. Hachette, 1923); 9. A cette époque, La Rochefoucauld n'avait pas encore été conquis, sans doute, par une profonde et ardente tendresse, comme celle qui l'unit, dès 1665 à Madame de La Fayette.

MAXIMES*

I. — L'AMOUR-PROPRE *(10)

2. L'amour-propre est le plus grand de tous les flatteurs.

3. Quelque découverte que l'on ait faite dans le pays de l'amour-propre, il y reste encore bien des terres inconnues.

4. L'amour-propre est plus habile que le plus habile homme du monde.

13. Notre amour-propre souffre plus impatiemment la condamnation de nos goûts que de nos opinions.

46. L'attachement ou l'indifférence que les philosophes avaient pour la vie n'était qu'un goût de leur amour-propre, dont on ne doit non plus[1] disputer que du goût de la langue ou du choix des couleurs.

88. L'amour-propre nous[2] augmente ou nous diminue les bonnes qualités de nos amis à proportion de la satisfaction que nous avons d'eux, et nous jugeons de leur mérite par la manière dont ils vivent avec nous.

---

* Édition de 1678.

1. Pas plus. — Cf. le proverbe : « Des goûts et des couleurs on ne discute point » ; **2.** A nos yeux. — Nous donnons ici, malgré sa longueur, et à titre d'exemple et de sujet d'étude, une *variante* (éd. de 1665), qui permettra de saisir sur le vif le travail de condensation opéré par l'auteur, entre 1665 et 1678 : « Comme si ce n'était pas assez pour l'amour-propre d'avoir la vertu de se transformer lui-même, il a encore celle de transformer les objets ; ce qu'il fait d'une manière fort étonnante : car non seulement il les déguise si bien qu'il y est lui-même trompé, mais il change aussi l'état et la nature des choses. En effet, lorsqu'une personne nous est contraire, et qu'elle tourne sa haine et sa persécution contre nous, c'est avec toute la sévérité de la justice que l'amour-propre juge ses actions ; il donne à ses défauts une étendue qui les rend énormes, et il met ses bonnes qualités dans un jour si désavantageux qu'elles deviennent plus dégoûtantes que ses défauts. Cependant, dès que cette même personne nous devient favorable, ou que quelqu'un de nos intérêts la réconcilie avec nous, notre seule satisfaction rend aussitôt à son mérite le lustre que notre aversion venait de lui ôter ; les mauvaises qualités s'effacent, et les bonnes paraissent avec plus d'avantage qu'auparavant ; nous rappelons même toute notre indulgence pour la forcer à justifier la guerre qu'elle nous a faite. Quoique toutes les passions montrent cette vérité, l'amour la fait voir plus clairement que les autres : car nous voyons un amoureux, agité de la rage où l'a mis l'oubli ou l'infidélité de ce qu'il aime, méditer pour sa vengeance tout ce que cette passion inspire de plus violent ; néanmoins, aussitôt que sa vue a calmé la fureur de ses mouvements, son ravissement rend cette beauté innocente, il n'accuse plus que lui-même, il condamne ses condamnations, et, par cette vertu miraculeuse de l'amour-propre, il ôte la noirceur aux mauvaises actions de sa maîtresse et en sépare le crime pour s'en charger lui-même. »

261. L'éducation que l'on donne d'ordinaire aux jeunes gens est un second amour-propre qu'on leur inspire.

236. Il semble que l'amour-propre soit la dupe de la bonté, et qu'il s'oublie lui-même lorsque nous travaillons pour l'avantage des autres. Cependant c'est prendre le chemin le plus assuré pour arriver à ses fins, c'est prêter à usure sous prétexte de donner, c'est enfin s'acquérir tout le monde par un moyen subtil et délicat[1].

25. Le premier mouvement de joie que nous avons du bonheur de nos amis ne vient ni de la bonté de notre naturel, ni de l'amitié que nous avons pour eux : c'est un effet de l'amour-propre, qui nous flatte de l'espérance d'être heureux à notre tour, ou de retirer quelque utilité de leur bonne fortune.

494. Ce qui fait voir que les hommes connaissent mieux leurs fautes qu'on ne pense, c'est qu'ils n'ont jamais tort quand on les entend parler de leur conduite : le même amour-propre qui les aveugle d'ordinaire les éclaire alors, et leur donne des vues si justes, qu'il leur fait supprimer ou déguiser les moindres choses qui peuvent être condamnées.

S. La férocité naturelle fait moins de cruels que l'amour-propre.

S. L'amour-propre est l'amour de soi-même[2], et de toutes choses pour soi; il rend les hommes idolâtres d'eux-mêmes, et les rendrait les tyrans des autres si la fortune leur en donnait les moyens : il ne se repose jamais hors de soi, et ne s'arrête dans les sujets étrangers que comme les abeilles sur les fleurs ★(11), pour en tirer ce qui lui est propre. Rien de si impétueux que ses désirs, rien de si caché que ses desseins, rien de si habile que ses conduites : ses souplesses ne se peuvent représenter; ses transformations passent[3] celles des métamorphoses[4], et ses raffine-

---

1. *Var.* (éd. 1665) : « Qui considérera superficiellement tous les effets de la bonté, qui nous fait sortir hors de nous-mêmes, et qui nous immole continuellement à l'avantage de tout le monde, sera tenté de croire que, lorsqu'elle agit, l'amour-propre s'oublie et s'abandonne lui-même, ou se laisse dépouiller et appauvrir sans s'en apercevoir; de sorte qu'il semble que l'amour-propre soit la dupe de la bonté. Cependant c'est le plus utile de tous les moyens dont l'amour-propre se sert pour arriver à ses fins, c'est un chemin dérobé par où il revient à lui-même plus riche et plus abondant, c'est un désintéressement qu'il met à une furieuse usure, c'est enfin un ressort délicat avec lequel il réunit, il dispose et tourne tous les hommes en sa faveur; 2. Morceau placé en tête du *Supplément*, publié en 1693 par Barbin, et qui comprend 27 fragments; 3. Dépassent; 4. Cf. le célèbre ouvrage d'Ovide ; le personnage fabuleux de Protée, sans parler de la métempsycose (dans la religion égyptienne, chez les pythagoriciens, etc.).

ments ceux de la chimie. On ne peut sonder la profondeur
ni percer les ténèbres de ses abîmes. Là, il est à couvert
des yeux les plus pénétrants; il y fait mille insensibles
tours et retours. Là, il est souvent invisible à lui-même;
il y conçoit, il y nourrit et il y élève[1], sans le savoir,
un grand nombre d'affections et de haines; il en forme de si
monstrueuses que, lorsqu'il les a mises au jour, il les mécon-
naît ou il ne peut se résoudre à les avouer. De cette nuit
qui le couvre, naissent les ridicules persuasions[2] qu'il a de
lui-même; de là viennent ses erreurs, ses ignorances, ses
grossièretés[3] et ses niaiseries sur son sujet; de là vient qu'il
croit que ses sentiments sont morts lorsqu'ils ne sont qu'en-
dormis, qu'il s'imagine n'avoir plus envie de courir dès
qu'il se repose, et qu'il pense avoir perdu tous les goûts
qu'il a rassasiés[4] : mais cette obscurité épaisse, qui le cache
à lui-même, n'empêche pas qu'il ne voie parfaitement ce
qui est hors de lui; en quoi il est semblable à nos yeux, qui
découvrent tout, et sont aveugles seulement pour eux-
mêmes. En effet, dans ses plus grands intérêts et dans ses
plus importantes affaires, où la violence de ses souhaits
appelle toute son attention, il voit, il sent, il entend, il imagine, il soupçonne, il pénètre, il devine tout, de sorte qu'on
est tenté de croire que chacune de ses passions a une magie
qui lui est propre. Rien n'est si intime et si fort que ses
attachements, qu'il essaye de rompre inutilement à la vue
des malheurs extrêmes qui le menacent. Cependant il fait
quelquefois, en peu de temps et sans aucun effort, ce qu'il
n'a pu faire avec tous ceux dont il est capable dans le cours
de plusieurs années; d'où l'on pourrait conclure assez vrai-
semblablement que c'est par lui-même que ses désirs sont
allumés, plutôt que par la beauté et par le mérite de ses
objets; que son goût est le prix qui les relève et le fard qui
les embellit; que c'est après lui-même qu'il court, et qu'il
suit son gré, lorsqu'il suit les choses qui sont à son gré.
Il est de tous les contraires[5], il est impérieux et obéissant,
sincère et dissimulé, miséricordieux et cruel, timide et audacieux : il a différentes inclinations, selon la diversité des
tempéraments qui le tournent et le dévouent[6] tantôt à la

---

1. Noter la progression; 2. Il s'en fait accroire, de façon ridicule; il s'attribue des qualités
qu'il ne possède pas· 3. Ses jugements obtus sur lui-même; 4. Pleinement satisfaits; 5. Il renferme en lui tous les contraires (Pascal dirait : les contrariétés); 6. Consacrent son activité
(latinisme).

gloire, tantôt aux richesses, et tantôt aux plaisirs. Il en
change selon le changement de nos âges, de nos fortunes
et de nos expériences : mais il lui est indifférent d'en avoir
plusieurs, ou de n'en avoir qu'une, parce qu'il se partage
en plusieurs, et se ramasse[1] en une quand il le faut, et comme
il lui plaît. Il est inconstant, et, outre les changements qui
viennent des causes étrangères, il y en a une infinité qui
naissent de lui et de son propre fonds. Il est capricieux,
et on le voit quelquefois travailler avec le dernier[2] empressement et avec des travaux[3] incroyables à obtenir des choses
qui ne lui sont point avantageuses, et qui même lui sont
nuisibles, mais qu'il poursuit parce qu'il les veut. Il est
bizarre[4] et met souvent toute son application dans les
emplois les plus frivoles; il trouve tout son plaisir dans les
plus fades et conserve toute sa fierté dans les plus misérables. Il est dans[5] tous les états[6] de la vie et dans toutes
les conditions; il vit partout et il vit de tout; il vit de rien;
il s'accommode des choses et de leur privation; il passe
même dans le parti des gens qui lui font la guerre; il entre
dans leurs desseins; et, ce qui est admirable, il se hait lui-
même avec eux, il conjure[7] sa perte, il travaille lui-même
à sa ruine; enfin il ne se soucie que d'être *(12), et pourvu
qu'il soit, il veut bien être son ennemi. Il ne faut donc pas
s'étonner s'il se joint quelquefois à la plus rude austérité,
et s'il entre si hardiment en société avec elle pour se détruire,
parce que, dans le même temps qu'il se ruine en un endroit,
il se rétablit en un autre. Quand on pense qu'il quitte son
plaisir, il ne fait que le suspendre ou le changer, et, lors
même qu'il est vaincu et qu'on croit en être défait, on le
retrouve qui triomphe dans sa propre défaite. Voilà la pein-
ture de l'amour-propre, dont toute la vie n'est qu'une grande
et longue agitation. La mer en est une image sensible, et
l'amour-propre trouve dans le flux et le reflux de ses vagues
une fidèle expression de la succession turbulente de ses
pensées et de ses éternels mouvements *(13).

1. Concentre ses forces; 2. Avec sens de superlatif. Cf. *le Misanthrope* (I, 1); ici, témoigner pour lui les dernières tendresses; 3. Sens fréquent de *labor* : peine, fatigue; 4. Fantasque, extravagant. Cf. La Bruyère : « Les plus sages sont souvent menés par les plus fous et les plus bizarres »; 5. Il accompagne; 6. Situations; 7. Latinisme : complote. — Cf. la réplique de Vauvenargues (Introd. II, c. 24; Maximes 290-295, dans notre édition, Croville, Paris).

II. — INTÉRÊT, HABILETÉ, SAVOIR-FAIRE

39. L'intérêt parle toutes sortes de langues et joue toutes sortes de personnages[1], même celui de désintéressé.

40. L'intérêt, qui aveugle les uns, fait la lumière des autres.

85. Nous nous persuadons souvent d'aimer les gens plus puissants que nous, et néanmoins c'est l'intérêt seul qui produit notre amitié; nous ne nous donnons pas à eux pour le bien que nous leur voulons faire, mais pour celui que nous voulons en recevoir.

144. On n'aime point à louer et on ne loue jamais personne sans intérêt. La louange est une flatterie habile, cachée et délicate, qui satisfait différemment celui qui la donne et celui qui la reçoit : l'un la prend comme une récompense de son mérite, l'autre la donne pour faire remarquer son équité et son discernement.

232. Quelque prétexte que nous donnions à nos afflictions, ce n'est souvent que l'intérêt et la vanité qui les causent.

Il y a, dans les afflictions, diverses sortes d'hypocrisie. Dans l'une, sous prétexte de pleurer la perte d'une personne qui nous est chère, nous nous pleurons nous-mêmes; nous regrettons la bonne opinion qu'on avait de nous; nous pleurons la diminution de notre bien, de notre plaisir, de notre considération[2]. Ainsi les morts ont l'honneur des larmes qui ne coulent que pour les vivants. Je dis que c'est une espèce d'hypocrisie, parce que, dans ces sortes d'afflictions, on se trompe soi-même. Il y a une autre hypocrisie qui n'est pas si innocente, parce qu'elle impose à tout le monde : c'est l'affliction de certaines personnes qui aspirent à la gloire d'une belle et immortelle douleur. Après que le temps, qui consume tout, a fait cesser celle qu'elles avaient en effet, elles ne laissent pas d'opiniâtrer[3] leurs pleurs, leurs plaintes et leurs soupirs; elles prennent un personnage[4] lugubre, et travaillent à persuader, par toutes leurs actions, que leur déplaisir ne finira qu'avec leur vie. Cette triste et fatigante vanité se trouve d'ordinaire dans[5]

1. Latinisme : rôles (*personas*); 2. Celle qu'on a pour nous; 3. Faire durer avec obstination; 4. Cf. note 1 : masque de théâtre, ici tragique; 5. Chez.

les femmes ambitieuses. Comme leur sexe leur ferme *(14) tous les chemins qui mènent à la gloire, elles s'efforcent de se rendre célèbres par la montre[1] d'une inconsolable affliction. Il y a encore une autre espèce de larmes qui n'ont que de petites sources, qui coulent et se tarissent facilement : on pleure pour être plaint; on pleure pour être pleuré; enfin on pleure pour éviter la honte de ne pleurer pas.

253. L'intérêt met en œuvre toutes sortes de vertus et de vices.

275. Le bon naturel, qui se vante d'être si sensible, est souvent étouffé par le moindre intérêt.

305. L'intérêt, que l'on accuse de tous nos crimes, mérite souvent d'être loué de nos bonnes actions *(15).

S. On ne blâme le vice et on ne loue la vertu que par intérêt.

P. L'intérêt est l'âme de l'amour-propre, de sorte que comme le corps, privé de son âme, est sans vue, sans ouïe, sans connaissance, sans sentiment et sans mouvement, de même, l'amour-propre séparé, s'il le faut dire ainsi, de son intérêt, ne voit, n'entend, ne sent et ne se remue plus. De là vient qu'un même homme, qui court la terre et les mers pour son intérêt, devient soudainement paralytique pour l'intérêt des autres; de là vient ce soudain assoupissement et cette mort[2] que nous causons à tous ceux à qui nous contons nos affaires; de là vient leur prompte résurrection[3] lorsque, dans notre narration, nous y mêlons quelque chose qui les regarde; de sorte que nous voyons, dans nos conversations et dans nos traités, que, dans un même moment, un homme perd connaissance et revient à soi, selon que son propre intérêt s'approche de lui, ou qu'il s'en retire.

162. L'art de savoir bien mettre en œuvre de médiocres qualités dérobe[4] l'estime et donne souvent plus de réputation que le véritable mérite.

170. Il est difficile de démêler si un procédé net, sincère et honnête est un effet de probité ou d'habileté.

244. La souveraine habileté consiste à bien connaître le prix des choses *(16).

---

1. L'étalage; 2. Apathie qui offre les apparences de la mort; 3. Ils se redressent soudain, comme s'ils sortaient du sommeil de la mort; 4. Capte indûment. — Sur l'habileté, Cf. Vauvenargues, Max., 94 et sq.

245. C'est une grande habileté que de savoir cacher son habileté[1] *(**17**).

S. La plus grande habileté des moins habiles est de savoir se soumettre à la bonne conduite d'autrui.

124. Les plus habiles affectent toute leur vie de blâmer les finesses, pour s'en servir en quelque grande occasion et pour quelque grand intérêt.

126. Les finesses et les trahisons ne viennent que de manque d'habileté.

127. Le vrai moyen d'être trompé, c'est de se croire plus fin que les autres *(**18**).

350. Ce qui nous donne tant d'aigreur contre ceux qui nous font des finesses, c'est qu'ils croient être plus habiles que nous[2].

394. On peut être plus fin qu'un autre, mais non pas plus fin que tous les autres.

407. Il s'en faut bien que ceux qui s'attrapent à[3] nos finesses ne nous paraissent aussi ridicules que nous nous le paraissons à nous-mêmes quand les finesses des autres nous ont attrapés[4].

III. — LA RAISON ET L'HUMEUR

43. L'homme croit souvent se conduire lorsqu'il est conduit; et pendant que par son esprit il tend à un but, son cœur[5] l'entraîne insensiblement à un autre.

44. La force et la faiblesse de l'esprit sont mal nommées; elles ne sont en effet que la bonne ou la mauvaise disposition des organes du corps[6].

1. Cf. La Bruyère (16e éd. Servois-Rébelliau, Hachette, 1923), p. 231 : « ... La finesse est l'occasion prochaine de la fourberie; de l'une à l'autre le pas est glissant... »; 2. Rivalité en machiavélisme; 3. Comme à un piège; 4. La Bruyère estime que, parfois, on feint d'être dupe (op. cit., 141), que les dupes font les fourbes (302), que l'homme, né menteur, veut du spécieux, de l'ornement, par goût de la fiction et de la fable (483). Avant lui, La Mothe Le Vayer avait analysé cette habitude du mensonge (*Petits traités*); 5. Sa sensibilité; 6. Montaigne et Descartes, après Lucrèce, ont beaucoup insisté sur les étroits rapports du physique et du moral. Cf. aussi le *Tableau des passions* (1640-1662) de Cureau de La Chambre, médecin et protégé du chancelier Séguier. Non content d'établir une division en passions simples ou mixtes, et de rattacher les premières, selon la tradition de l'école, soit à l'appétit concupiscible, soit à l'appétit irascible, il s'appesantissait sur l'importance capitale des facteurs *physiologiques* (cf. *De la nature des animaux. Des différences entre le corps et les mœurs des divers peuples. Des tempéraments et des effets qu'ils causent. De la connexion entre les passions et les habitudes. Du mouvement dans les esprits (animaux) et les humeurs*).

297. Les humeurs du corps ont un cours ordinaire et réglé qui meut et qui tourne imperceptiblement notre volonté; elles roulent ensemble et exercent successivement un empire secret en nous, de sorte qu'elles ont une part considérable à toutes nos actions sans que nous le puissions connaître[1].

45. Le caprice de notre humeur est encore plus bizarre que celui de la fortune.

435. La fortune et l'humeur gouvernent le monde *(**19**).

61. Le bonheur et le malheur des hommes ne dépendent pas moins de leur humeur que de la fortune.

47. Notre humeur met le prix[2] à tout ce qui nous vient de la fortune.

469. On ne souhaite jamais ardemment ce qu'on ne souhaite que par raison.

325. Nous nous consolons souvent par faiblesse des maux dont la raison n'a pas la force de nous consoler.

42. Nous n'avons pas assez de force pour suivre toute notre raison[3].

231. C'est une grande folie de vouloir être sage tout seul.

207. La folie nous suit dans tous les temps de la vie. Si quelqu'un paraît sage, c'est seulement parce que ses folies sont proportionnées à son âge et à sa fortune *(**20**).

209. Qui vit sans folie n'est pas si sage qu'il le croit[4].

489. Quelque méchants que soient les hommes, ils n'oseraient paraître ennemis de la vertu; et lorsqu'ils la veulent persécuter, ils feignent de croire qu'elle est fausse, ou ils lui supposent des crimes.

318. On trouve des moyens pour guérir de la folie, mais on n'en trouve point pour redresser un esprit de travers.

271. La jeunesse est un ivresse continuelle; c'est la fièvre de la raison[5] *(**21**).

300. Il y a des folies qui se prennent comme les maladies contagieuses[6].

---

1. Cf. Pascal, *Pensées* (8e éd. Brunschvicg, Hachette), pensée 106; **2.** *Ibid.* Selon Pascal, c'est l'imagination qui fixe à nos yeux la valeur des choses. Cf. aussi, Montaigne, III, 8); **3.** Maxime retournée par Mme de Grignan (*Lettres*, VI, 527) : « Nous n'avons pas assez de raison pour employer toute notre force »; **4.** Cf. Pascal. *Ibid*, Pensée 414. Et aussi, Antonio Pérez, d'après Amelot de La Houssaye; **5.** *Var.* (1665) : « C'est la fièvre de la santé; c'est la folie de la raison »; **6.** *Var.* (manuscrit): « ... Comme les *rhumes* et les maladies contagieuses. » On sait qu'Horace s'est amusé à développer le paradoxal « lieu commun » cher aux stoïciens et à certaines écoles de rhétorique : « Tout homme est fou (πᾶς ἄνθρωπος μαίνεται)... à sa manière. »

IV. — LA FORTUNE

53. Quelques[1] grands avantages que la nature donne, ce n'est pas elle seule, mais la fortune avec elle, qui fait les héros[2].

153. La nature fait le mérite, et la fortune le met en œuvre.

154. La fortune nous corrige de plusieurs défauts que la raison ne saurait corriger.

57. Quoique les hommes se flattent de leurs grandes actions, elles ne sont pas souvent les effets d'un grand dessein, mais les effets du hasard.

60. La fortune tourne tout à l'avantage de ceux qu'elle favorise.

25. Il faut de plus grandes vertus pour soutenir[3] la bonne fortune que la mauvaise.

449. Lorsque la fortune nous surprend en nous donnant une grande place, sans nous y avoir conduits par degrés, ou sans que nous y soyons élevés par nos espérances, il est presque impossible de s'y bien soutenir[4] et de paraître digne de l'occuper ★(22).

343. Pour être un grand homme il faut savoir profiter de toute sa fortune.

344. La plupart des hommes ont, comme les plantes, des propriétés cachées que le hasard fait découvrir.

323. Notre sagesse n'est pas moins à la merci de la fortune que nos biens.

391. La fortune ne paraît jamais si aveugle qu'à ceux à qui elle ne fait pas de bien.

392. Il faut gouverner la fortune comme la santé; en jouir quand elle est bonne, prendre patience quand elle est mauvaise, et ne faire[5] jamais de grands remèdes sans un extrême besoin.

1. Quoique précédant un adjectif, *quelques* est ici lui-même adjectif et non adverbe; il porte sur *avantages*, non sur *grands*, ce qui explique l'accord; 2. Cf. La Bruyère (page 374); 3. Supporter, sans en être ébloui ni grisé; 4. Y garder bonne contenance. On attendrait, de préférence : « Il *nous* est impossible de *nous* y maintenir. » — (Cf. note 2, page 43); 5. Cf. Charron (*De la sagesse*) : « Notre raison n'est qu'un point d'équilibre instable... Des événements fortuits peuvent l'ébranler »; 5. User de. — Sur la Fortune, cf. Vauvenargues, *Réfl. div.*, 29 et 31.

380. La fortune fait paraître[1] nos vertus et nos vices, comme la lumière fait paraître les objets.

50. Ceux qui croient avoir du mérite se font un honneur d'être malheureux, pour persuader aux autres et à eux-mêmes qu'ils sont dignes d'être en butte à la fortune.

52. Quelque différence qu'il paraisse entre les fortunes, il y a une certaine compensation de biens et de maux qui les rend égales.

48. La félicité est dans le goût et non pas dans les choses; et c'est par avoir[2] ce qu'on aime qu'on est heureux, non par avoir ce que les autres trouvent aimable.

49. On n'est jamais si heureux ni si malheureux qu'on se l'imagine[3].

V. — LE JUGEMENT, L'ESPRIT ET LE CŒUR *(23)

97. On s'est trompé lorsqu'on a cru que l'esprit et le jugement étaient deux choses : le jugement n'est que la grandeur de la lumière de l'esprit[4]; cette lumière pénètre le fond des choses; elle y remarque tout ce qu'il faut remarquer, et aperçoit celles qui semblent imperceptibles. Ainsi il faut demeurer d'accord que c'est l'étendue de la lumière de l'esprit qui produit tous les effets qu'on attribue au jugement *(24).

98. Chacun dit du bien de son cœur, et personne n'en ose dire de son esprit.

99. La politesse de l'esprit consiste à penser des choses honnêtes et délicates.

100. La galanterie de l'esprit est de dire des choses flatteuses d'une manière agréable[5].

101. Il arrive souvent que des choses se présentent plus achevées à notre esprit[6] qu'il ne les pourrait faire avec beaucoup d'art.

---

1. Met en pleine lumière (même emploi chez Bossuet et chez Pascal); 2. Par ce qu'on possède; 3. La Bruyère (p. 237-238). Il parle d'une « espèce de compensation » entre les biens et les maux; 4. La Bruyère (p. 130); 5. La Bruyère (p. 136); 6. Nous construirions de préférence ainsi : « ... Se présentent à notre esprit plus achevées qu'il ne les pourrait faire. » *Var.* (1665): « Il y a de jolies choses que l'esprit ne cherche point et qu'il trouve tout achevées en lui-même; il semble qu'elles y soient comme l'or et les diamants dans le sein de la terre. » Cette fois, à notre avis, la rédaction était meilleure que celle de l'édition de 1678.

102. L'esprit est toujours la dupe du cœur.

103. Tous ceux qui connaissent leur esprit ne connaissent pas leur cœur.

140. Un homme d'esprit serait souvent bien embarrassé sans la compagnie des sots ★(**25**).

456. On est quelquefois un sot avec de l'esprit; mais on ne l'est jamais avec du jugement ★(**26**).

502. Peu d'esprit avec de la droiture ennuie moins, à la longue, que beaucoup d'esprit avec du travers[2].

128. La trop grande subtilité est une fausse délicatesse, et la véritable délicatesse est une solide subtilité.

377. Le plus grand défaut de la pénétration n'est pas de n'aller point jusqu'au bout, c'est de le passer[3].

425. La pénétration a un air de deviner qui flatte plus notre vanité que toutes les autres qualités de l'esprit.

108. L'esprit ne saurait jouer longtemps le personnage[4] du cœur.

265. La petitesse de l'esprit fait l'opiniâtreté[5] : nous ne croyons pas aisément ce qui est au-delà de ce que nous voyons ★(**27**).

415. L'esprit nous sert quelquefois à faire hardiment des sottises.

487. Nous avons plus de paresse dans l'esprit que dans le corps ★(**28**).

VI. — LES PASSIONS

S. Toutes les passions ne sont autre chose que les divers degrés de la chaleur ou de la froideur du sang[6].

5. La durée de nos passions ne dépend pas plus de nous que la durée de notre vie.

6. La passion fait souvent un fou du plus habile homme, et rend souvent habiles les plus sots.

---

1. La Bruyère (p. 363-364); **2.** Un esprit de travers est, pour La Rochefoucauld, un esprit mal conformé, un esprit faux. Cf. maxime 448. Et La Bruyère (p. 139); **3.** Dépasser (*ne quid nimis !*); **4.** Latinisme : le rôle (Cf. p. 21); **5.** La Bruyère (p.343); **6.** Dans une maxime *posthume*, il dit : « Les passions ne sont que les divers goûts de l'amour-propre ». Cf. Vauvenargues Introd. II, et Max. passim.

7. Ces grandes et éclatantes actions qui éblouissent les yeux sont représentées par les politiques comme les effets des grands desseins, au lieu que ce sont d'ordinaire les effets de l'humeur et des passions. Ainsi la guerre d'Auguste et d'Antoine, qu'on rapporte à l'ambition qu'ils avaient de se rendre maîtres du monde, n'était peut-être qu'un effet de jalousie[1].

8. Les passions sont les seuls orateurs qui persuadent toujours. Elles sont comme un art de la nature ; et l'homme le plus simple qui a de la passion persuade mieux que le plus éloquent qui n'en a point ★(**29**).

9. Les passions ont une injustice et un intérêt propre, qui fait qu'il est dangereux de les suivre, et qu'on s'en doit défier lors même qu'elles paraissent le plus raisonnables.

10. Il y a dans le cœur humain une génération perpétuelle de passions, de sorte que la ruine de l'une est presque toujours l'établissement d'une autre[2].

11. Les passions en engendrent souvent qui leur sont contraires : l'avarice produit quelquefois la prodigalité, et la prodigalité l'avarice ; on est souvent ferme par faiblesse et audacieux par timidité.

12. Quelque soin[3] que l'on prenne de couvrir ses passions par des apparences de piété ★(**30**) et d'honneur, elles paraissent toujours au travers de ces voiles.

122. Si nous résistons à nos passions, c'est plus par leur faiblesse que par notre force.

188. La santé de l'âme n'est pas plus assurée que celle du corps ; et, quoique l'on paraisse éloigné des passions, on n'est pas moins en danger de s'y laisser emporter que de tomber malade quand on se porte bien[4].

---

1. Octave et Antoine formèrent avec Lépide le second triumvirat. Ils paraissaient ainsi maîtres du monde. Mais Antoine immola son ambition à son amour pour Cléopâtre, reine d'Égypte (cf. la fameuse pensée de Pascal [162-163], et le sonnet de Hérédia, dans *les Trophées*). Vaincu par Octave à Actium (31 avant J.-C.), il se retira dans Alexandrie. Assiégé par son rival, il mourut dans l'abandon. **2.** 1665 : « Toujours. » ; *Etablissement* : l'avènement ; **3.** *Var.* (ms. et 1665) : « Quelque industrie que l'on ait à cacher sa passion sous le voile de la piété et de l'honneur, il y en a toujours quelque endroit qui se montre » ; **4.** Cf. Pascal (104 et 106). La Bruyère (109, 119, 120, 168). Et aussi le *Tableau des passions* de Nicolas Coëffeteau (1574-1623), qui fut réputé surtout comme prédicateur et comme historien ; l'*Usage des passions* (1641), de l'oratorien Senault, maître de Massillon, auteur de nombreux panégyriques ; les *Peintures morales* (1643) du jésuite Le Moyne, qui toucha hardiment à tous les genres, même à l'épopée, et dont Pascal, dans la XIᵉ Provinciale, raille « le ton profane ». Assez mal écrits, assez confus, tous ces ouvrages pourront cependant fournir de curieux rapprochements.

266. C'est se tromper que de croire qu'il n'y ait que les violentes passions, comme l'ambition et l'amour, qui puissent triompher des autres. La paresse, toute languissante qu'elle est, ne laisse pas d'en être souvent la maîtresse; elle usurpe sur tous les desseins et sur toutes les actions de la vie, elle y détruit et y consume insensiblement les passions et les vertus.

S. De toutes les passions, celle qui est la plus inconnue à nous-mêmes, c'est la paresse; elle est la plus ardente et la plus maligne de toutes, quoique sa violence soit insensible et que les dommages qu'elle cause soient très cachés. Si nous considérons attentivement son pouvoir, nous verrons qu'elle se rend en toutes rencontres maîtresse de nos sentiments, de nos intérêts et de nos plaisirs; c'est le rémora[1] qui a la force d'arrêter les plus grands vaisseaux, c'est une bonace plus dangereuse aux plus importantes affaires que les écueils et que les plus grandes tempêtes; le repos de la paresse est un charme secret[2] de l'âme qui suspend soudainement les plus ardentes poursuites et les plus opiniâtres résolutions. Pour donner enfin la véritable idée de cette passion, il faut dire que la paresse est comme une béatitude de l'âme[3], qui la console de toutes ses pertes et qui lui tient lieu de tous les biens.

276. L'absence diminue les médiocres passions ★(**31**), et augmente les grandes, comme le vent éteint les bougies et allume le feu.

S. Les grandes âmes ne sont pas celles qui ont moins de passions et plus de vertus que les âmes communes; mais celles seulement qui ont de plus grands desseins ★(**32**).

48. Comme il y a de bonnes viandes[4] qui affadissent le cœur, il y a un mérite fade, et des personnes qui dégoûtent avec des qualités bonnes et estimables.

---

1. Cf. Montaigne (II, xii). Le rémora : petit poisson qui, d'après la légende, avait la propriété, en s'y attachant, d'arrêter les vaisseaux ou de retarder (latin : *remorari*) leur marche. La Mothe Le Vayer se moque de cette légende (*Lettre* LXXII. *Essai sur l'habitation des villes*); **2.** Cf. La Fontaine (*le Songe d'un habitant du Mogol*) : « Solitude où je sens une douceur *secrète.* » *Bonace :* calme plat; **3.** On recherchera, dans l'œuvre de J.-J. Rousseau, des pages où se trouve analysé avec délectation un "état d'âme" fort voisin de celui-là, et qui s'accompagne de molles rêveries. On marquera l'éveil de la « note romantique »; **4.** Au sens étymologique et large de « mets ».

VII. — ORGUEIL ET VANITÉ

30. Les philosophes, et Sénèque surtout, n'ont point ôté[1] les crimes par leurs préceptes : ils n'ont fait que les employer au bâtiment[2] de l'orgueil ★(**33**).

34. Si nous n'avions point d'orgueil, nous ne nous plaindrions pas de celui des autres[3].

35. L'orgueil est égal dans tous les hommes, et il n'y a de différence qu'aux moyens et à la manière de le mettre au jour.

36. Il semble que la nature, qui a si sagement disposé les organes de notre corps pour nous rendre heureux, nous ait aussi donné l'orgueil pour nous épargner la douleur de connaître nos imperfections[4].

37. L'orgueil a plus de part que la bonté aux remontrances que nous faisons à ceux qui commettent des fautes; et nous ne les reprenons pas tant pour les en corriger, que pour leur persuader que nous en sommes exempts ★(**34**).

146. On ne loue d'ordinaire que pour être loué.

147. Peu de gens sont assez sages pour préférer le blâme qui leur est utile à la louange qui les trahit.

148. Il y a des reproches qui louent, et des louanges qui médisent ★(**35**).

149. Le refus de la louange[5] est un désir d'être loué deux fois.

150. Le désir de mériter les louanges qu'on nous donne fortifie notre vertu[6]; et celles qu'on donne à l'esprit, à la valeur et à la beauté, contribuent à les augmenter.

158. La flatterie est une fausse monnaie qui n'a cours que par notre vanité.

228. L'orgueil ne veut pas devoir, et l'amour-propre ne veut pas payer.

---

1. Supprimé (même emploi chez Pascal et chez Bossuet; **2.** A élever l'édifice de…; **3.** La Bruyère (p. 314); **4.** Pascal (pensée 405) : « L'orgueil contrepèse toutes les misères. Ou il les cache… » 406 : « Voilà un étrange monstre… » Et Bossuet, *Traité de la concupiscence* (XXIII); **5.** La Bruyère (p. 99 et 312); **6.** La Bruyère (p. 311).

294. Nous aimons toujours ceux qui nous admirent, et nous n'aimons pas toujours ceux que nous admirons[1] ★(**36**).

303. Quelque bien qu'on nous dise de nous, on ne nous apprend rien de nouveau.

388. Si la vanité ne renverse pas entièrement les vertus, du moins elle les ébranle toutes.

389. Ce qui nous rend la vanité des autres insupportable[2], c'est qu'elle blesse la nôtre.

462. Le même orgueil qui nous fait blâmer les défauts dont nous nous croyons exempts nous porte à mépriser les bonnes qualités que nous n'avons pas[3] (★**37**).

463. Il y a souvent plus d'orgueil que de bonté à plaindre les malheurs de nos ennemis; c'est pour leur faire sentir que nous sommes au-dessus d'eux, que nous leur donnons des marques de compassion.

80. Rien ne nous plaît tant que la confiance des grands et des personnes considérables par leurs emplois, par leur esprit ou par leur mérite. Elle nous fait un plaisir exquis; elle élève merveilleusement notre orgueil, parce que nous la regardons comme un effet de notre fidélité ★(**38**). Cependant nous serions remplis de confusion si nous considérions l'imperfection et la bassesse de sa naissance. Elle vient de la vanité, de l'envie de parler et de l'impuissance de retenir le secret : de sorte qu'on peut dire que la confiance est comme un relâchement de l'âme causé par le nombre et par le poids des choses dont elle est pleine[4].

33. L'orgueil se dédommage toujours et ne perd rien, lors même qu'il renonce à la vanité.

450. Notre orgueil s'augmente souvent de ce que nous retranchons de nos autres défauts.

1. Pascal (150); **2.** La Bruyère (p. 369); **3.** Montaigne (III, 8). La Mothe Le Vayer : De l'humilité et de l'orgueil (*Petits traités*). Nicole, *Essais de morale, passim.* La Bruyère (373); **4.** Combinaison de deux maximes (éd. de 1665 et éd. de 1678). Cf. La Bruyère (110-111), sur la vanité, la présomption ou l'orgueil, cf. Vauvenargues (*Réfl. div.* ; *Essai sur quelques caractères* ; *Maximes, passim*). L'orgueil n'est pas toujours la soif de dominer; il est parfois le sentiment, à un degré intense, de la dignité personnelle, donc une garantie de haute moralité.

VIII. — L'ENVIE ET LA JALOUSIE

27. On fait souvent vanité des passions même les plus criminelles; mais l'envie est une passion timide et honteuse que l'on n'ose jamais avouer.

55. La haine pour les favoris ★(**39**) n'est autre chose que l'amour de la faveur. Le dépit de ne la pas posséder se console et s'adoucit par le mépris que l'on témoigne de ceux qui la possèdent; et nous leur refusons nos hommages, ne pouvant pas leur ôter ce qui leur attire ceux de tout le monde.

328. L'envie est plus irrémédiable que la haine[1].

376. L'envie est détruite par la véritable amitié, et la coquetterie par le véritable amour.

433. La plus véritable marque d'être né avec de grandes qualités, c'est d'être né sans envie ★(**40**).

476. Notre envie dure toujours plus longtemps que le bonheur de ceux que nous envions.

28. La jalousie est en quelque manière, juste et raisonnable, puisqu'elle ne tend qu'à conserver un bien qui nous appartient ou que nous croyons nous appartenir; au lieu que l'envie est une fureur qui ne peut souffrir le bien des autres ★(**41**).

32. La jalousie se nourrit dans les doutes; elle devient fureur[2], ou elle finit sitôt qu'on passe du doute à la certitude ★(**42**).

361. La jalousie naît toujours avec l'amour; mais elle ne meurt pas toujours avec lui.

503. La jalousie est le plus grand de tous les maux, et celui qui fait le moins de pitié aux personnes qui le causent[3].

324. Il y a dans la jalousie plus d'amour-propre que d'amour ★(**43**).

446. Ce qui rend les douleurs de la honte et de la jalousie si aiguës, c'est que la vanité ne peut servir à les supporter.

P. Le remède de la jalousie est la certitude de ce qu'on a craint, parce qu'elle cause la fin de la vie ou la fin de

---

1. La Bruyère (301 et 318); 2. Latinisme : démence (cf. Horace); 3. La Bruyère (111).

l'amour; c'est un cruel remède, mais il est plus doux que le doute et les soupçons.

IX. — L'AMOUR DE LA GLOIRE

213. L'amour de la gloire, la crainte de la honte, le dessein de faire fortune, le désir de rendre notre vie commode et agréable, et l'envie d'abaisser les autres, sont souvent les causes de cette valeur si célèbre parmi les hommes *(44).

214. La valeur est, dans[1] les simples soldats, un métier périlleux qu'ils ont pris pour gagner leur vie.

215. La parfaite valeur et la poltronnerie complète sont deux extrémités où l'on arrive rarement. L'espace qui est entre deux est vaste, et contient toutes les autres espèces de courage. Il n'y a pas moins de différence entre elles qu'entre les visages et les humeurs. Il y a des hommes qui s'exposent volontiers au commencement d'une action, et qui se relâchent et se heurtent aisément par sa durée. Il y en a qui sont contents quand ils ont satisfait à l'honneur du monde[2] et qui font fort peu de chose au delà.

157. La gloire des hommes se doit toujours mesurer aux moyens dont ils se sont servis pour l'acquérir *(45).

221. On ne veut point perdre la vie, et on veut acquérir de la gloire; ce qui fait que les braves ont plus d'adresse et d'esprit pour éviter la mort que les gens de chicane[3] n'en ont pour conserver leur bien.

291. Le mérite des hommes a sa saison[4], aussi bien que les fruits.

198. Nous élevons la gloire des uns pour abaisser celle des autres : et quelquefois on louerait moins M. le Prince et M. de Turenne si on ne les voulait point blâmer tous deux *(46).

307. Il est aussi honnête d'être glorieux avec soi-même qu'il est ridicule de l'être avec les autres[5] *(47).

---

1. Chez. Sur la guerre, sur l'héroïsme militaire, cf. La Bruyère (81-82; 263-264); l'*Oraison funèbre de Condé*, par Bossuet (cf. notre édition, collection Larousse); Vauvenargues, (introduction, II, 27, III, 45; *Discours sur la gloire ; Maximes*, passim); *Servitude et grandeur militaires*, d'Alfred de Vigny; **2.** Cf. le très beau sermon de Bossuet qui porte ce titre; **3.** Les amateurs de procès (cf. *les Plaideurs*, de Racine); **4.** Arrive à maturité à un certain moment; **5.** La Rochefoucauld joue sur le double sens de « glorieux ». S'il blâme les hâbleurs, les vantards (cf. La Bruyère, p. 75, la pièce de Destouches (1732) et le *Dictionnaire philosophique* de Voltaire), il approuve le noble sentiment de la dignité personnelle.

X. — LES VICES ET LES VERTUS

171. Les vertus se perdent dans l'intérêt, comme les fleuves se perdent dans la mer[1].

182. Les vices entrent dans la composition des vertus, comme les poisons entrent dans la composition des remèdes. La prudence les assemble et les tempère, et elle s'en sert utilement contre les maux de la vie.

1. Ce que nous prenons pour des vertus n'est souvent qu'un assemblage de diverses actions et de divers intérêts que la fortune ou notre industrie[2] savent arranger; et ce n'est pas toujours par valeur et par chasteté que les hommes sont vaillants et que les femmes sont chastes.

S. On peut dire de toutes nos vertus ce qu'un poète italien a dit de l'honnêteté des femmes, que ce n'est souvent autre chose qu'un art de paraître honnête.

S. Ce que le monde nomme vertu n'est d'ordinaire qu'un fantôme formé par nos passions, à qui on donne un nom honnête, pour faire impunément ce qu'on veut.

218. L'hypocrisie est un hommage que le vice rend[3] à la vertu ★(**48**).

186. On ne méprise pas tous ceux qui ont des vices; mais on méprise tous ceux qui n'ont aucune vertu[4].

187. Le nom de la vertu sert à l'intérêt aussi utilement que les vices.

189. Il semble que la nature ait[5] prescrit à chaque homme, dès sa naissance, des bornes pour les vertus et pour les vices.

195. Ce qui nous empêche souvent de nous abandonner à un seul vice est que nous en avons plusieurs.

20. La *constance* des sages n'est que l'art de renfermer leur agitation dans leur cœur ★(**49**).

21. Ceux qu'on condamne au supplice affectent quelquefois une constance et un mépris de la mort qui n'est

---

1. *Var.* (1665) : « *Toutes* les vertus »; 2. Latinisme : habileté; 3. Manuscrit : « ... Se *croit forcé* de rendre »; 4. Cette rédaction définitive — après de légères retouches — date de 1675 (4ᵉ éd.); 5. « A *presque* prescrit » (1665).

en effet que la crainte de l'envisager[1]; de sorte qu'on peut dire que cette constance et ce mépris sont à leur esprit ce que le bandeau[2] est à leurs yeux.

22. La philosophie triomphe aisément des maux passés et des maux à venir; mais les maux présents triomphent d'elle.

132. Il est plus aisé d'être sage pour les autres que de l'être pour soi-même.

180. Notre *repentir* n'est pas tant un regret du mal que nous avons fait, qu'une crainte de celui qui nous en peut arriver.

246. Ce qui paraît *générosité* n'est souvent qu'une ambition déguisée, qui méprise de petits intérêts pour aller à de plus grands.

247. La *fidélité* qui paraît en la plupart des hommes n'est qu'une invention de l'amour-propre[3] pour attirer la confiance; c'est un moyen de nous élever au-dessus des autres et de nous rendre dépositaires des choses les plus importantes.

248. La *magnanimité* méprise tout pour avoir tout.

285. La magnanimité[4] est assez bien définie par son nom même : néanmoins on pourrait dire que c'est le bon sens de l'orgueil et la voie la plus noble pour recevoir des louanges ★(**50**).

177. La *persévérance* n'est digne ni de blâme ni de louange, parce qu'elle n'est que la durée des goûts et des sentiments qu'on ne s'ôte et qu'on ne se donne point.

178. Ce qui nous fait aimer les nouvelles connaissances n'est pas tant la lassitude que nous avons des vieilles ou le plaisir de les changer, que le dégoût de n'être pas assez admirés de ceux qui nous connaissent trop, et l'espérance de l'être davantage de ceux qui ne nous connaissent pas tant.

289. La *simplicité* affectée est une imposture[5] délicate.

---

1. Manuscrit et édition de 1665 : « ... Pour s'étourdir. » Cf. La Bruyère (306-307); **2.** Manuscrit : « mouchoir »; **3.** 1665 : « ... De tous ses trafics, c'est celui où il fait le moins d'avances et le plus de profits; c'est un raffinement de sa politique »; **4.** Dans ses *Conversations morales*, Mlle de Scudéry distingue la magnanimité de la générosité. Elle indique, dans le portrait de Sapho (c'est-à-dire d'elle-même, cf. *le Grand Cyrus*, X) l'importance qu'elle attache à cette vertu; **5.** Duperie. Pour La Bruyère (232), « il y a des cas où la simplicité est le *meilleur manège* du monde ».

264. La *pitié* est souvent un sentiment de nos propres maux dans les maux d'autrui[1]. C'est une habile prévoyance des malheurs où nous pouvons tomber. Nous donnons du secours aux autres pour les engager à nous en donner en de semblables occasions, et ces services que nous leur rendons sont, à proprement parler, un bien que nous nous faisons à nous-mêmes par avance.

18. La modération est une crainte de tomber dans l'envie et dans le mépris que méritent ceux qui s'enivrent de leur bonheur; c'est une vaine ostentation de la force de notre esprit; enfin la modération des hommes dans leur plus haute élévation est un désir de paraître plus grands que leur fortune.

17. La *modération* des personnes heureuses vient du calme que la bonne fortune donne à leur humeur.

308. On a fait une vertu de la modération pour borner l'ambition des grands hommes, et pour consoler les gens médiocres de leur peu de fortune et de leur peu de mérite[2].

237. Nul ne mérite d'être loué de sa *bonté* s'il n'a pas la force d'être méchant : toute autre bonté n'est le plus souvent que paresse ou impuissance de la volonté.

481. Rien n'est plus rare que la véritable bonté : ceux mêmes qui croient en avoir, n'ont d'ordinaire que de la complaisance ou de la faiblesse[3].

15. La *clémence* des princes n'est souvent qu'une politique pour gagner l'affection des peuples ★(**51**).

16. Cette clémence, dont on fait une vertu, se pratique tantôt par vanité, quelquefois par paresse, souvent par crainte, et presque toujours par toutes les trois ensemble.

19. Nous avons tous assez de force pour supporter les maux d'autrui.

420. Nous croyons souvent avoir de la constance dans les malheurs, lorsque nous n'avons que de l'abattement; et nous les souffrons sans oser les regarder, comme les poltrons se laissent tuer de peur de se défendre.

479. Il n'y a que les personnes qui ont de la *fermeté* qui puissent avoir une véritable douceur; celles qui paraissent

---

1. La Bruyère (316); *contra* Vauvenargues, Introduction II, 38; *Réflexions div.*, XXXIX;
2. La Bruyère (384); **3.** La Bruyère (298).

douces n'ont d'ordinaire que de la faiblesse, qui se convertit aisément en aigreur.

254. L'*humilité* n'est souvent qu'une feinte soumission dont on se sert pour soumettre les autres : c'est un artifice de l'orgueil qui s'abaisse pour s'élever; et, bien qu'il se transforme en mille manières, il n'est jamais mieux déguisé et plus capable de tromper que lorsqu'il se cache sous la figure de l'humilité[1] *(52)*.

78. L'amour de la *justice* n'est, en la plupart des hommes, que la crainte de souffrir de l'injustice.

S. La justice n'est qu'une vive appréhension qu'on ne nous ôte ce qui nous appartient; de là vient cette considération et ce respect pour tous les intérêts du prochain, et cette scrupuleuse application à ne lui faire aucun préjudice. Cette crainte retient l'homme dans les bornes des biens que la naissance ou la fortune lui ont donnés; et sans cette crainte, il ferait courses[2] continuelles sur les autres.

263. Ce qu'on nomme *libéralité* n'est le plus souvent que la vanité de donner, que nous aimons mieux que ce que nous donnons[3].

23. Peu de gens connaissent la mort; on ne la souffre pas ordinairement par résolution, mais par stupidité et par coutume; et la plupart des hommes meurent parce qu'on ne peut s'empêcher de mourir[4].

24. Lorsque les grands hommes se laissent abattre par la longueur de leurs infortunes, ils font voir qu'ils ne les soutenaient que par la force de leur ambition, non par celle de leur âme; et qu'à une grande vanité près, les héros sont faits comme les autres hommes[5].

1. La Bruyère (312 et 315). Selon lui, « la vraie humilité est une vertu surnaturelle... L'homme, de sa nature, pense hautement et superbement de lui-même ». *Var.* (éd. de 1665) : « L'humilité n'est souvent qu'une feinte soumission que nous employons pour soumettre effectivement tout le monde; c'est un mouvement de l'orgueil, par lequel il s'abaisse devant les hommes pour s'élever sur eux; c'est un déguisement et son premier stratagème. Mais, quoique ses changements soient presque infinis et qu'il soit admirable sous toutes sortes de figures, il faut avouer néanmoins qu'il n'est jamais si rare ni si extraordinaire que lorsqu'il se cache sous la forme et sous l'habit de l'humilité : car alors on le voit les yeux baissés, dans une contenance modeste et reposée; toutes ses paroles sont douces et respectueuses, pleines d'estime pour les autres et de dédain pour lui-même. Si on l'en veut croire, il est indigne de tous les honneurs, il n'est capable d'aucun emploi, il ne reçoit les charges où on l'élève qu'une effet de la bonté des hommes et de la faveur aveugle de la fortune. C'est l'orgueil qui joue tous ces personnages que l'on prend pour l'humilité; 2. Des « incursions » agressives dans les biens d'autrui; 3. La Bruyère (114); 4. Montaigne (I, XIX, XL et II, VI); 5. Ce ne sont plus des demi-dieux, comme dans la mythologie!... Rappelons ici le magnifique mouvement oratoire de Bossuet : « Loin de nous les héros sans humanité... » (*Oraison funèbre de Condé*).

504. Après avoir parlé de la fausseté de tant de vertus apparentes, il est raisonnable de dire quelque chose de la fausseté du *mépris de la mort*. J'entends parler de ce mépris de la mort que les païens se vantent de tirer de leurs propres forces[1] ★(**53**), sans l'espérance d'une meilleure vie[2]. Il y a de la différence entre souffrir la mort constamment[3] et la mépriser. Le premier est assez ordinaire, mais je crois que l'autre n'est jamais sincère. On a écrit néanmoins tout ce qui peut le plus persuader que la mort n'est point un mal ; et les hommes les plus faibles, aussi bien que les héros, ont donné mille exemples célèbres pour établir cette opinion. Cependant je doute que personne de bon sens l'ait jamais cru ; et la peine que l'on prend pour le persuader aux autres et à soi-même, fait assez voir que cette entreprise n'est pas aisée. On peut avoir divers sujets de dégoût dans la vie ; mais on n'a jamais raison de mépriser la mort. Ceux mêmes qui se la donnent volontairement ne la comptent pas pour si peu de chose ; et ils s'étonnent et la rejettent comme les autres lorsqu'elle vient à eux par une autre voie que celle qu'ils ont choisie. L'inégalité que l'on remarque dans le courage d'un nombre infini de vaillants hommes, vient de ce que la mort se découvre différemment à leur imagination, et y paraît plus présente en un temps qu'en un autre. Ainsi il arrive qu'après avoir méprisé ce qu'ils ne connaissent pas, ils craignent enfin ce qu'ils connaissent. Il faut éviter de l'envisager avec toutes ses circonstances si on ne veut pas croire qu'elle soit le plus grand de tous les maux. Les plus habiles et les plus braves sont ceux qui prennent de plus honnêtes prétextes pour s'empêcher de la considérer : mais tout homme qui la sait voir telle qu'elle est, trouve que c'est une chose épouvantable. La nécessité de mourir faisait toute la constance[4] des philosophes. Ils croyaient qu'il fallait aller de bonne grâce où l'on ne saurait s'empêcher d'aller[5] ; et, ne pouvant

1. Leur énergie morale. Allusion aux stoïciens ; 2. Cf. La Bruyère (488) ; 3. Avec constance. Cf. Méré (maxime 76, traduite de *Publius Syrus*) et Pascal, pensées 166 et 168 ; 4. Le ferme courage. Cf. les traités portant ce titre, de Juste Lipse (Anvers 1585 ; traduction française, 1594) et de Guillaume Du Vair. Ce dernier ouvrage fait suite à la *Philosophie morale des stoïques* (1592 et 1603), de même que celui de Juste Lipse précède la *Manuductio ad stoicam philosophiam* (1604) du même auteur. Sur le mouvement néo-stoïcien au XVIIᵉ siècle, cf. outre les thèses de M. Radouant et de Mˡˡᵉ Zanta, le *Pascal et son temps*, de M. Strowski, et notre étude sur la *Pensée italienne et le courant libertin*. p. 2-8) ; 5. Tel est, notamment, l'avis du sceptique La Mothe Le Vayer qui, à ce sujet, se rappelle les conseils de Montaigne : « Il n'y a rien d'agréable dans la vie, écrit-il, pour ceux qui ne se sont pas rendu douce et familière la pensée de la mort. »

éterniser leur vie, il n'y avait rien qu'ils ne fissent pour éterniser leur réputation et sauver du naufrage ce qui en peut
être garanti. Contentons-nous, pour faire bonne mine, de
ne nous pas dire à nous-mêmes tout ce que nous en pensons, et espérons plus de notre tempérament que de ces
faibles raisonnements qui nous font croire que nous pouvons nous approcher de la mort avec indifférence ★(54).
La gloire de mourir avec fermeté, l'espérance d'être regretté,
le désir de laisser une belle réputation, l'assurance d'être
affranchi des misères de la vie et de ne dépendre plus des
caprices de la fortune, sont des remèdes qu'on ne doit pas
rejeter. Mais on ne doit pas croire aussi qu'ils soient infail-
libles. Ils font, pour nous assurer[1], ce qu'une simple haie
fait souvent à la guerre pour assurer ceux qui doivent approcher d'un lieu d'où l'on tire. Quand on en est éloigné, on
s'imagine qu'elle peut mettre à couvert; mais quand on en
est proche, on trouve que c'est un faible secours. C'est nous
flatter de croire que la mort nous paraisse de près ce que
nous en avons jugé de loin, et que nos sentiments, qui ne
sont que faiblesse, soient d'une trempe assez forte pour
ne point souffrir d'atteinte par la plus rude de toutes
les épreuves ★(55). C'est aussi mal connaître les effets
de l'amour-propre, que de penser qu'ils puissent nous
aider à compter pour rien ce qui le doit nécessairement
détruire[2] ★(56) : et la raison dans laquelle on croit trouver
tant de ressources est trop faible en cette rencontre pour
nous persuader ce que nous voulons. C'est elle au contraire
qui nous trahit le plus souvent, et qui, au lieu de nous
inspirer le mépris de la mort, sert à nous découvrir ce qu'elle
a d'affreux et de terrible. Tout ce qu'elle peut faire pour
nous, est de nous conseiller d'en détourner les yeux pour
les arrêter sur d'autres objets. Caton et Brutus[3] en choi-
sirent d'illustres. Un laquais se contenta, il y a quelque
temps, de danser sur l'échafaud où il allait être roué.
Aussi, bien que les motifs soient différents, ils produisent
les mêmes effets; de sorte qu'il est vrai que, quelque dis-
proportion qu'il y ait entre les grands hommes et les gens
du commun, on a vu mille fois les uns et les autres recevoir

---

1. Offrir des garanties contre le danger; 2. Car, en détruisant l'être, la mort supprime évidemment cet amour de soi qui se traduisait par la tendance à persévérer dans l'existence l
3. Caton d'Utique, partisan de Pompée, ne voulant pas survivre à sa défaite, se tua, après
avoir relu le *Phédon* de Platon. Brutus, fils adoptif et meurtrier de César, se perça de son épée
après le désastre de Philippes.

la mort d'un[1] même visage : mais ç'a toujours été avec cette différence, que dans le mépris que les grands hommes font paraître pour la mort, c'est l'amour de la gloire[2] qui leur en ôte la vue; et dans les gens du commun, ce n'est qu'un effet de leur peu de lumière qui les empêche de connaître la grandeur de leur mal et leur laisse la liberté de penser à autre chose.

XI. — LES QUALITÉS ET LES DÉFAUTS

409. Nous aurions souvent honte de nos plus belles actions si le monde voyait les motifs qui les produisent.

159. Ce n'est pas assez d'avoir de grandes qualités; il en faut avoir l'économie[3].

190. Il n'appartient qu'aux grands hommes d'avoir de grands défauts.

200. La vertu n'irait pas si loin si la vanité[4] ne lui tenait compagnie.

365. Il y a de bonnes qualités qui dégénèrent en défauts, quand elles sont naturelles, et d'autres qui ne sont jamais parfaites, quand elles sont acquises. Il faut, par exemple, que la raison nous rende ménagers de notre bien et de notre confiance, et il faut au contraire que la nature nous donne la bonté et la valeur.

411. On n'a guère de défauts qui ne soient plus pardonnables que les moyens dont on se sert pour les cacher.

424. Nous nous faisons honneur des défauts opposés à ceux que nous avons; quand nous sommes faibles, nous nous vantons d'être opiniâtres *(**57**).

498. Il y a des personnes si légères et si frivoles, qu'elles sont aussi éloignées d'avoir de véritables défauts que des qualités solides.

93. Il y a des personnes à qui les défauts siéent bien, et d'autres qui sont disgraciées avec leurs bonnes qualités *(**58**).

62. La sincérité est une ouverture de cœur. On la trouve en fort peu de gens; et celle que l'on voit d'ordinaire n'est

1. Avec; 2. Cf. *supra*, et aussi, Montaigne (II, xvi); Pascal (404); 3. Emploi sage et judicieux; 4. Il s'agirait de définir d'abord ce mot-là. Les « mobiles » qu'il englobe sont-ils tous d'égale valeur?

qu'une fine dissimulation pour attirer la confiance des autres.

63. L'aversion du mensonge est souvent une imperceptible ambition de rendre nos témoignages considérables, et d'attirer à nos paroles un respect de religion[1].

64. La vérité ne fait pas autant de bien dans le monde que ses apparences y font de mal[2].

366. Quelque défiance que nous ayons de la sincérité de ceux qui nous parlent, nous croyons toujours qu'ils nous disent plus vrai qu'aux autres.

383. L'envie de parler de nous et de faire voir nos défauts du côté que nous voulons bien les montrer, fait une grande partie de notre sincérité.

457. Nous gagnerions plus de[3] nous laisser voir tels que nous sommes, que d'essayer de paraître ce que nous ne sommes pas.

267. La promptitude à croire le mal, sans l'avoir assez examiné, est un effet de l'orgueil et de la paresse. On veut trouver des coupables et l'on ne veut pas se donner la peine d'examiner les crimes.

482. L'esprit s'attache par paresse et par constance[4] à ce qui lui est facile ou agréable : cette habitude met toujours des bornes à nos connaissances, et jamais personne[5] ne s'est donné la peine d'étendre et de conduire son esprit aussi loin qu'il pouvait aller.

398. De tous nos défauts, celui dont nous demeurons le plus aisément d'accord, c'est la paresse ★(**59**). Nous nous persuadons qu'elle tient à toutes les vertus paisibles, et que sans détruire entièrement les autres, elle en suspend seulement les fonctions.

452. Il n'y a point d'homme qui se croie en chacune de ses qualités au-dessous de l'homme du monde qu'il estime le plus[6].

---

1 Un respect analogue à celui que méritent les choses de la religion; 2. Car elles préparent de cruelles déceptions dont l'effet est démoralisant; 3. Aujourd'hui, on écrirait : « Nous gagnerions plus à... »; au XVIIᵉ siècle, la préposition *de* avait un emploi plus étendu qu'aujourd'hui; 4. Amour de la stabilité, crainte du changement. Cf. La Bruyère (312-313); 5. Exagération manifeste ! Cf. chez les philosophes, Descartes, Spinoza; chez les savants, Pasteur; 6. Cf. *Réflexions sur les défauts d'autrui* (1691) par l'abbé Pierre de Villiers (1648-1728), prieur de Saint-Taurin, raillé par Boileau sous le nom de « Matamore de Cluny », mais lui ne manquait pas de verve satirique.

XII. — LA RECONNAISSANCE

223. Il en est de la reconnaissance comme de la bonne foi des marchands : elle entretient le commerce; et souvent nous ne payons pas parce qu'il est juste de nous acquitter, mais pour trouver plus facilement des gens qui nous prêtent.

225. Ce qui fait le mécompte dans la reconnaissance qu'on attend des grâces que l'on a faites, c'est que l'orgueil de celui qui donne et l'orgueil de celui qui reçoit ne peuvent convenir[1] du prix du bienfait.

298. La reconnaissance, dans la plupart des hommes, n'est qu'une forte et secrète envie de recevoir de plus grands bienfaits.

438. Il y a une certaine reconnaissance vive qui ne nous acquitte pas seulement des bienfaits que nous avons reçus, mais qui fait même que nos amis nous doivent[2] en leur payant ce que nous leur devons.

299. Presque tout le monde prend plaisir à s'acquitter des petites obligations : beaucoup de gens ont de la reconnaissance pour les médiocres; mais il n'y a presque personne qui n'ait de l'ingratitude pour les grandes.

306. On ne trouve guère d'ingrats tant qu'on est en état de faire du bien *(**60**).

317. Ce n'est pas un grand malheur d'obliger des ingrats, mais c'en est un insupportable d'être obligé à un malhonnête homme.

S. On donne plus souvent[3] des bornes à sa reconnaissance qu'à ses désirs et à ses espérances.

---

1. Tomber d'accord pour reconnaître; 2. Restent nos débiteurs, alors que nous leur payons... Au XVIIᵉ siècle, on rencontre assez fréquemment ce rapport du gérondif au complément indirect du verbe; 3. *Var.* : plus aisément. Selon La Bruyère, « il n'y a guère au monde un plus bel excès que celui de la reconnaissance » (120); mais « on ne conserve que par gratitude le portrait de son bienfaiteur qui, à la vérité, a passé du cabinet à l'antichambre : il pouvait aller au garde-meubles! » (163). Sur le fond, cf. La Mothe Le Vayer : « Si l'on ne s'acquitte que par crainte de passer pour un ingrat, c'est être bien avant dans le vice... Il faut prendre plaisir à payer cette sorte de dette pour en *mériter* la remise. » Selon Nicole (*op. cit.*), la gratitude doit, à travers les hommes, simples « instruments », remonter à Dieu, source de tous les biens.

XIII. — L'AMITIÉ *(61)

80. Ce qui nous rend si changeants dans nos amitiés, c'est qu'il est difficile de connaître les qualités de l'âme, et facile de connaître celles de l'esprit.

81. L'amitié la plus désintéressée n'est qu'un commerce[1] où notre amour-propre se propose toujours quelque chose à gagner.

82. La réconciliation avec nos ennemis n'est qu'un désir de rendre notre condition meilleure, une lassitude de la guerre, et une crainte de quelque mauvais événement.

84. Il est plus honteux de se défier de ses amis que d'en être trompé.

S. C'est une preuve de peu d'amitié, de ne s'apercevoir pas du refroidissement de celle de nos amis.

114. On ne peut se consoler d'être trompé de ses ennemis et trahi par ses amis, et l'on est souvent satisfait de l'être par soi-même.

179. Nous nous plaignons quelquefois légèrement de nos amis pour justifier par avance notre légèreté.

235. Nous nous consolons aisément des disgrâces de nos amis lorsqu'elles servent à signaler notre tendresse pour eux.

296. Il est difficile d'aimer ceux que nous n'estimons point; mais il ne l'est pas moins d'aimer ceux que nous estimons beaucoup plus que nous *(62).

410. Le plus grand effort de l'amitié n'est pas de montrer nos défauts à un ami, c'est de lui faire voir les siens.

434. Quand nos amis nous ont trompés, on[2] ne doit que de l'indifférence aux marques de leur amitié; mais on doit toujours de la sensibilité à leurs malheurs.

---

1. Manuscrit et 1665 : trafic, à base de calcul. Contra : Pascal, *Discours sur les passions de l'amour* et pensée 155. La Bruyère estime que l'amitié doit être désintéressée (115), tout en naissant souvent de la reconnaissance (110); qu'elle implique la confiance; qu'elle est à la fois plus rare que l'amour (108-111) et inaccessible aux médiocres (108). Cf. aussi : *De l'amitié*, poème satirique publié en 1692, par l'abbé Pierre de Villiers, sans parler des extraits des moralistes (Seconde partie de cet opuscule); 2. *Nous* ne devons... (Il y a, chez La Rochefoucauld, une extrême liberté dans l'emploi des pronoms et des possessifs. Pareilles discordances se rencontrent aussi chez Bossuet et chez les autres classiques du XVIIe siècle.)

S. Nous ne regrettons pas la perte de nos amis selon leur mérite, mais selon nos besoins et selon l'opinion que nous croyons leur avoir donnée de ce que nous valons ★(**63**).

P. Les amitiés renouées demandent plus de soins que celles qui n'ont jamais été rompues.

440. Ce qui fait que la plupart des femmes sont peu touchées de l'amitié, c'est qu'elle est fade quand on a senti de l'amour.

441. Dans l'amitié, comme dans l'amour, on est souvent plus heureux par les choses qu'on ignore que par celles que l'on sait.

279. Quand nous exagérons la tendresse que nos amis ont pour nous, c'est souvent moins par reconnaissance que par le désir de faire juger de notre mérite.

XIV. — L'AMOUR

74. Il n'y a que d'une sorte d'amour, mais il y en a mille différentes copies.

75. L'amour, aussi bien que le feu, ne peut subsister sans un mouvement continuel, et il cesse de vivre dès qu'il cesse d'espérer ou de craindre.

638. La plus juste comparaison qu'on puisse faire de l'amour, c'est celle de la fièvre : nous n'avons non plus de pouvoir sur l'un que sur l'autre[1], soit pour sa violence ou pour sa durée.

259. Le plaisir de l'amour est d'aimer, et l'on est plus heureux par la passion que l'on a que par celle que l'on donne[2] ★(**64**).

262. Il n'y a point de passion où l'amour de soi-même règne si puissamment que dans l'amour, et l'on est souvent plus disposé à sacrifier le repos de ce qu'on aime qu'à perdre le sien.

70. Il n'y a point de déguisement qui puisse longtemps cacher l'amour où il est, ni le feindre où il n'est pas ★(**65**).

1. Dans la maxime 459, La Rochefoucauld confesse qu'il existe plusieurs remèdes; mais aucun, dit-il, n'est infaillible; 2. Cf. Pascal, *Discours sur les passions de l'amour*, Vauvenargues Introduction, II, 35,36.

72. Si on juge l'amour par la plupart de ses effets[1], il ressemble plus à la haine qu'à l'amitié *(66)

76. Il en est du véritable amour comme de l'apparition des esprits : tout le monde en parle, mais peu de gens en ont vu.

77. L'amour prête son nom à un nombre infini de commerces qu'on lui attribue, et où il n'a non plus de part que le doge à ce qui se fait à Venise.

S. Quand nous sommes las d'aimer, nous sommes bien aises qu'on nous devienne infidèle pour nous dégager de notre fidélité[2].

111. Plus on aime une maîtresse et plus on est près de la haïr.

136. Il y a des gens qui n'auraient jamais été amoureux s'ils n'avaient jamais entendu parler de l'amour.

176. Il y a deux sortes de constances en amour : l'une vient de ce que l'on trouve sans cesse dans la personne que l'on aime de nouveaux sujets d'aimer, et l'autre vient de ce qu'on se fait un honneur[3] d'être constant.

286. Il est impossible d'aimer une seconde fois ce qu'on a véritablement cessé d'aimer[4] *(67).

330. On pardonne tant que l'on aime *(68).

348. Quand on aime, on doute souvent de ce qu'on croit le plus.

349. Le plus grand miracle de l'amour, c'est de guérir de la coquetterie[5].

359. Les infidélités devraient éteindre l'amour, et il ne faudrait point être jaloux quand on a sujet de l'être. Il n'y a que les personnes qui évitent de donner de la jalousie qui soient dignes qu'on en ait pour elles *(69).

369. Les violences qu'on se fait pour s'empêcher d'aimer sont souvent plus cruelles que les rigueurs de ce qu'on aime.

---

1. Pascal, pensée 162; 2. La Bruyère (p. 111); 3. Un point d'honneur; 4. La Bruyère (p. 111); 5. *Contra*, maxime 334 : « Les femmes peuvent moins surmonter leur coquetterie que leur passion ».

490. On passe souvent de l'amour à l'ambition; mais on ne revient guère de l'ambition à l'amour[1] *(**70**).

S. N'aimer guère en amour est un moyen assuré pour être aimé *(**71**).

S. La sincérité que se demandent les amants et les maîtresses, pour savoir l'un et l'autre quand ils cesseront de s'aimer, est bien moins pour vouloir être avertis quand on ne les aimera plus que pour être mieux assurés qu'on les aime lorsque l'on ne dit pas le contraire[2].

XV. — LES FEMMES ET LA COQUETTERIE

204. La sévérité des femmes est un ajustement et un fard qu'elles ajoutent à leur beauté.

220. La vanité, la honte et surtout le tempérament, font souvent la valeur des hommes et la vertu des femmes[3].

241. La coquetterie est le fond de l'humeur des femmes[4]; mais toutes ne la mettent pas en pratique, parce que la coquetterie de quelques-unes est retenue par la crainte ou par la raison.

340. L'esprit de la plupart des femmes sert plus à fortifier leur folie que leur raison.

277. Les femmes croient souvent aimer, encore qu'elles n'aiment pas : l'occupation d'une intrigue, l'émotion d'esprit que donne la galanterie, la pente naturelle au plaisir d'être aimées, et la peine de refuser leur persuadent qu'elles ont de la passion lorsqu'elles n'ont que de la coquetterie.

362. La plupart des femmes ne pleurent pas tant la mort de leurs amants pour les avoir aimés que pour paraître plus dignes d'être aimées.

---

1. La Bruyère dit que « l'ambition suspend les autres passions, donne les apparences de toutes les vertus, s'ajoute à l'amour, et même, subsiste après lui » (168, 102, 119). Sur les diverses sortes d'amour, cf. saint François de Sales (*Introduction à la vie dévote*, I, 13), Descartes, (*Traité des passions*, 2e partie, art. 81-83); 2. Il faut reconnaître que la construction de cette phrase est plutôt enchevêtrée, défaut rare chez La Rochefoucauld! 3. « ... font toute la valeur des hommes et la chasteté des femmes, dont chacun mène tant de bruit. » (Manuscrit); « ... font la valeur des hommes » (1665); « ... font en plusieurs la valeur des hommes et la vertu des femmes» (1666, 1671, 1675); 4. La Bruyère (94-95); Montesquieu (*Extraits*, par Jullian, p. 275-276): Vauvenargues, maxime 705.

346. Il ne peut y avoir de règle dans l'esprit ni dans le cœur des femmes, si le tempérament n'en est d'accord ★(**72**).

107. C'est une espèce de coquetterie de faire remarquer qu'on n'en fait jamais.

406. Les coquettes se font honneur d'être jalouses de leurs amants, pour cacher qu'elles sont envieuses des autres femmes.

376. L'envie est détruite par la véritable amitié, et la coquetterie par le véritable amour[1].

XVI. — LA CONVERSATION

115. Il n'y a pas moins d'éloquence dans le ton de la voix que dans le choix des paroles★(**73**).

116. Il y a une éloquence dans les yeux et dans l'air de la personne[2] qui ne persuade pas moins que celle de la parole.

250. La véritable éloquence consiste à dire tout ce qu'il faut, et à ne dire que ce qu'il faut★(**74**).

142. Comme c'est le caractère des grands esprits de faire entendre en peu de paroles beaucoup de choses[3], les petits esprits, au contraire, ont le don de beaucoup parler et de ne rien dire[4]★(**75**).

139. Une des choses qui font que l'on trouve si peu de gens qui paraissent raisonnables et agréables dans la conversation, c'est qu'il n'y a presque personne qui ne pense plutôt à ce qu'il veut dire qu'à répondre précisément à ce qu'on lui dit[5]. Les plus habiles et les plus complaisants se contentent de montrer seulement une mine attentive, en même temps que l'on voit dans leurs yeux et dans leur esprit un égarement[6] pour ce qu'on leur dit et une précipitation pour retourner à ce qu'ils veulent dire ; au lieu

---

1. A opposer : maximes 328 et 334; à rapprocher, maxime 349; 2. Ces deux maximes sont fondues en une seule, dans l'édition 1678. Les anciens — Cicéron, entre autres — attachaient, dans l'art oratoire, une grande importance à l'*habitus corporis*. Platon déjà avait beaucoup insisté sur l'éloquence suggestive du regard; 3. Par exemple, Tacite, Pascal, et l'auteur des *Maximes* lui-même ; 4. « Cf. certains personnages verbeux d'Alphonse Daudet, comme Numa Roumestan; 5. Défaut signalé par Pellisson, dans un *Discours sur les œuvres de Sarasin* ; 6. Leur esprit *vagabonde* loin du sujet traité.

de considérer que c'est un mauvais moyen de plaire aux autres ou de les persuader, que de chercher si fort à se plaire à soi-même, et que bien écouter ★(**76**) et bien répondre est une des plus grandes perfections qu'on puisse avoir dans la conversation.

421. La confiance fournit plus à la conversation que l'esprit[1].

XVII. — L'HONNÊTE HOMME ★(**77**)

353. Un honnête homme peut être amoureux comme un fou, mais non pas comme un sot.

202. Les faux honnêtes gens sont ceux qui déguisent leurs défauts aux autres et à eux-mêmes. Les vrais honnêtes gens sont ceux qui les connaissent parfaitement et les confessent.

203. Le vrai honnête homme est celui qui ne se pique de rien[2].

206. C'est véritablement être honnête homme que de vouloir être toujours exposé à la vue des honnêtes gens.

447. La bienséance est la moindre de toutes les lois et la plus suivie ★(**78**).

372. La plupart des jeunes gens croient être naturels lorsqu'ils ne sont que mal polis et grossiers ★(**79**).

260. La civilité est un désir d'en recevoir et d'être estimé poli[3].

---

1. Cf. La Bruyère (*De la société et de la conversation*) : « Le caractère de l'honnête homme jure pour lui, donne créance à ses paroles, et lui attire toute sorte de confiance. » Cf. plus loin, la réflexion sur la « Conversation ». A rapprocher du chapitre de Montaigne (III, VIII) sur l'*art de conférer*, et de nombreux passages de Méré, du P. Bouhours, etc.; 2. Se vante de rien. Bussy, dans une lettre à Corbinelli (6 mars 1679), déclare : « L'honnête homme est un homme poli et qui sait vivre. » Goût, discrétion, tact, modestie, indulgence, culture générale, mépris du vain pédantisme et de l'érudition trop spécialisée, voilà, au XVIIᵉ siècle, les vertus de l'honnête homme. Dès 1606, le *Dictionnaire* de Nicot le définit : *bellus homo, urbanus, civilis*. Mais dans la première édition du *Dictionnaire de l'Académie* (1694), l'expression implique l'idée de vertus morales aussi bien que celle de qualités agréables dans la vie civile. Pascal et La Bruyère ont fortement contribué à enrichir la substance de ce « type » qui, jusqu'à eux, valait surtout par les attraits de la galanterie et de la conversation; 3. Vauvenargues, *Réflexions diverses*, 37.

XVIII. — DÉVOTION ET RELIGION ★(80)

P. L'humilité est l'autel sur lequel Dieu veut qu'on lui offre des sacrifices.

P. Les véritables mortifications sont celles qui ne sont point connues; la vanité rend les autres faciles ★(81).

P. Force gens veulent être dévots, mais personne ne veut être humble[1].

S. Quelque incertitude et quelque variété qui paraisse dans le monde, on y remarque néanmoins un certain enchaînement secret, et un ordre réglé de tout temps par la Providence, qui fait que chaque chose marche en son rang et suit le cours de sa destinée[2].

XIX. — PENSÉES DIVERSES

436. Il est plus facile de connaître l'homme en général que de connaître un homme en particulier[3] ★(82).

133. Les seules bonnes copies sont celles qui nous font voir le ridicule des méchants originaux[4].

387. Un sot n'a pas assez d'étoffe pour être bon[5].

174. Il vaut mieux employer notre esprit à supporter les infortunes qui nous arrivent qu'à prévoir celles qui nous peuvent arriver.

211. Il y a des gens qui ressemblent aux vaudevilles[6], qu'on ne chante qu'un certain temps.

212. La plupart des gens ne jugent des hommes que par la vogue qu'ils ont, ou par leur fortune.

164. Il est plus facile de paraître digne des emplois qu'on n'a pas que de ceux qu'on exerce.

1. Cf. Bourdaloue, *Pensées sur divers sujets de religion et de morale.* Contra: l'*Ethique* de Spinoza. 2. Cf. Bossuet, *Sermon sur la Providence ; Histoire universelle, les Empires ; Oraisons funèbres, passim ;* 3. Est-il exact de dire que les classiques n'étudient, ne dépeignent que « l'homme universel »? Ne nous ont-ils pas également laissé des « types » très individualisés et marqués d'un cachet très original?; 4. « Des excellents originaux » (1666); 5. « ... Pas assez de force, ni pour être méchant, ni pour être bon » (manuscrit); 6. Chanson de circonstance; air facile à retenir, qui court la ville un certain temps. « Le Français, né malin, créa le vaudeville » (Boileau, *Art poétique,* v, 182.) Plus tard, seulement, ce mot désigna une comédie un peu superficielle, mais à péripéties divertissantes.

165. Notre mérite nous attire l'estime des honnêtes gens, et notre étoile celle du public.

166. Le monde récompense plus souvent les apparences du mérite que le mérite même.

115. Il est aussi facile de se tromper soi-même sans s'en apercevoir qu'il est difficile de tromper les autres sans qu'ils s'en aperçoivent.

118. L'intention de ne jamais tromper nous expose à être souvent trompés.

120. On fait plus souvent des trahisons par faiblesse que par un dessein bien formé de trahir.

113. Il y a de bons mariages, mais il n'y en a point de délicieux.

172. Si on examine bien les divers effets de l'ennui, on trouvera qu'il fait manquer à plus de devoirs que l'intérêt[1].

352. On s'ennuie presque toujours avec les gens avec qui il n'est pas permis de s'ennuyer[2].

304. Nous pardonnons souvent à ceux qui nous ennuient; mais nous ne pouvons pardonner à ceux que nous ennuyons *(83).

145. Nous choisissons souvent des louanges empoisonnées, qui font voir par contre-coup, en ceux que nous louons, des défauts que nous n'osons découvrir d'une autre sorte.

152. Si nous ne nous flattions point nous-mêmes, la flatterie des autres ne nous pourrait nuire.

167. L'avarice est plus opposée à l'économie que la libéralité *(84).

399. Il y a une élévation qui ne dépend point de la fortune : c'est un certain air qui nous distingue et qui semble nous destiner aux grandes choses; c'est un prix que nous

1. Cf. Pascal (131) : « *Ennui*. — Rien n'est si insupportable à l'homme que d'être dans un plein repos, sans passions, sans affaire, sans divertissement, sans application. Il sent alors son néant, son abandon, son insuffisance, sa dépendance, son impuissance, son vide. Incontinent il sortira du fond de son âme l'ennui, la noirceur, la tristesse, le chagrin, le dépit, le désespoir »;
   A comparer avec Montaigne (*Apologie*), Bossuet (*Traité de la concupiscence*, XI) et Mlle de Scudéry (*Conversations morales*); 2. Maxime posthume : « ... Avec ceux que l'on ennuie ».

nous donnons imperceptiblement à nous-mêmes; c'est par cette qualité que nous usurpons les déférences[1] des autres hommes; et c'est elle d'ordinaire qui nous met plus au-dessus d'eux que la naissance, les dignités et le mérite même.

400. Il y a du mérite sans élévation; mais il n'y a point d'élévation sans quelque mérite *(**85**).

173. Il y a diverses sortes de curiosité; l'une d'intérêt, qui nous porte à désirer d'apprendre ce qui nous peut être utile; et l'autre d'orgueil, qui vient du désir de savoir ce que les autres ignorent[2].

S. Il y a des crimes qui deviennent innocents et même glorieux[3] par leur éclat, leur nombre et leurs excès. De là vient que les voleries publiques sont des habiletés[4] et que prendre des provinces[5] injustement s'appelle faire des conquêtes.

S. On ne trouve point dans l'homme le bien ni le mal dans l'excès[6].

S. Ceux qui sont incapables de commettre de grands crimes n'en soupçonnent pas facilement les autres.

S. On aime bien à deviner les autres, mais l'on n'aime pas être deviné.

S. C'est une ennuyeuse maladie que de conserver sa santé par un trop grand régime[7].

342. L'accent du pays où l'on est né demeure dans l'esprit et dans le cœur comme dans le langage[8].

S. La sobriété est l'amour de la santé, ou l'impuissance de manger beaucoup.

---

1. Le respect; **2.** « La curiosité n'est pas, comme l'on croit, un simple amour de la nouveauté; il y en a une d'intérêt, qui fait que nous voulons savoir les choses pour nous en prévaloir; il y en a une autre d'orgueil, qui nous donne envie d'être au-dessus de ceux qui ignorent les choses et de n'être pas au-dessous de ceux qui les savent » (1665); **3.** Qui ont un air de grandeur; **4.** Songe-t-il à Fouquet? **5.** Ici reparaît l'ancien « féodal », dressé contre le pouvoir royal (cf. résumé biographique); **6.** Chose piquante : l'optimiste Vauvenargues exprime la même pensée. en réplique à Pascal; **7.** Que savez-vous des « cures » thermales de Montaigne et de Boileau? **8.** Retrouve-t-on « l'accent charentais » chez le duc? Du moins, au sens *psychologique* de l'expression? ...Brève comparaison avec Guez de Balzac, originaire de la même région. Comment Taine a-t-il introduit pareille notion dans l'explication du génie de La Fontaine?

RÉFLEXIONS DIVERSES

I. DES GOUTS

Il y a des personnes qui ont plus d'esprit que de goût et d'autres qui ont plus de goût que d'esprit. Il y a plus de variété et de caprice dans le goût que dans l'esprit.

Ce terme de *goût* a diverses significations, et il est aisé de s'y méprendre. Il y a différence entre le goût qui nous porte vers les choses et le goût qui nous en fait connaître et discerner les qualités en nous attachant aux règles.

On peut aimer la comédie sans avoir le goût assez fin et assez délicat pour en bien juger : et on peut avoir le goût assez bon pour bien juger de la comédie sans l'aimer. Il y a des goûts qui nous approchent imperceptiblement de ce qui se montre à nous, et d'autres nous entraînent par leur force ou par leur durée.

Il y a des gens qui ont le goût faux en tout, d'autres ne l'ont faux qu'en de certaines choses et ils l'ont droit et juste dans tout ce qui est de[1] leur portée. D'autres ont des goûts particuliers, qu'ils connaissent mauvais et ne laissent pas de les[2] suivre. Il y en a qui ont le goût incertain; le hasard en décide : ils changent par légèreté et sont touchés de plaisir ou d'ennui sur la parole de leurs amis. D'autres sont toujours prévenus[3]; ils sont esclaves de tous leurs goûts, et les respectent en toutes choses. Il y en a qui sont sensibles à ce qui est bon, et choqués de ce qui ne l'est pas : leurs vues sont nettes et justes, et ils trouvent la raison de leur goût dans leur esprit et dans leur discernement[4].

Il y a des gens qui, par une sorte d'instinct dont ils ignorent la cause, décident de ce qui se présente à eux, et prennent toujours le bon parti. Ceux-ci font paraître plus de goût que d'esprit, parce que leur amour-propre et leur humeur ne prévalent point sur leurs lumières naturelles. Tout agit de concert[5] en eux, tout y est sur un même ton.

1. Nous écririons aujourd'hui : à leur portée; 2. La construction normale serait : « ... Qu'ils connaissent comme mauvais et que, cependant, ils ne laissent pas de suivre. » Celle qu'a employée La Rochefoucauld met peut-être plus en relief l'inconséquence de certains hommes; mais elle semble aujourd'hui peu correcte, si elle a l'avantage de la concision, et si elle se retrouve, çà et là, chez les classiques du XVIIe siècle; 3. Leur jugement est formé d'avance, modelé par des goûts étroits et tyranniques; 4. Faculté d'analyser et de distinguer les choses; 5. Il existe chez eux une sorte de symphonie morale, d'harmonie spirituelle.

Cet accord les fait juger sainement les objets et leur en forme une idée véritable : mais à parler généralement, il y a peu de gens qui aient le goût fixe et indépendant de celui des autres; ils suivent l'exemple et la coutume, et ils empruntent presque tout ce qu'ils ont de goût.

Dans toutes ces différences de goûts qu'on vient de marquer, il est très rare et presque impossible de rencontrer cette sorte de bon goût qui sait donner le prix à chaque chose, qui en connaît toute la valeur et qui se porte généralement sur tout. Nos connaissances sont trop bornées, et cette juste disposition de qualités qui font bien juger ne se maintient d'ordinaire que sur ce qui ne nous regarde pas directement.

Quand il s'agit de nous, notre goût n'a plus cette justesse si nécessaire; la préoccupation la trouble; tout ce qui a du rapport à nous paraît sous une autre figure. Personne ne voit des mêmes yeux ce qui le touche et ce qui ne le touche pas. Notre goût n'est conduit alors que par la pente[1] de l'amour-propre et de l'humeur, qui nous fournissent des vues nouvelles et nous assujettissent à un nombre infini de changements et d'incertitudes. Notre goût n'est plus à nous, nous n'en disposons plus. Il change sans notre consentement; et les mêmes objets nous paraissent par tant de côtés différents que nous méconnaissons[2] enfin ce que nous avons vu et ce que nous avons senti.

2. DE LA DIFFÉRENCE DES ESPRITS [3]

Bien que toutes les qualités de l'esprit se puissent rencontrer dans un grand génie, il y en a néanmoins qui lui sont propres et particulières; ses lumières n'ont point de bornes, il agit toujours également et avec la même activité; il discerne les objets éloignés, comme s'ils étaient présents; il comprend, il imagine les plus grandes choses; il voit et connaît les plus petites : ses pensées sont relevées, étendues, justes et intelligibles : rien n'échappe à sa pénétration et elle lui fait souvent découvrir la vérité au travers des obscurcissements[4] qui la cachent aux autres.

Un bel esprit[5] pense toujours noblement; il produit avec

---

1. Inclination; **2.** Nous reconnaissons mal; **3.** Cf. La Bruyère (66, 73, 78, 121, 122, 126, 232, 316, 364, 365); **4.** Des obscurités. Vauvenargues, Introd. I; *Essai sur quelques caractères*, 36, 37, 52, 57, 59; *Réfl. diverses*, 42, 50, 51; **5.** Sans nuance péjorative (cf. la page du P. Bouhours, 2ᵉ partie).

facilité des choses claires, agréables et naturelles; il les fait voir dans leur plus beau jour, et il les pare de tous les ornements qui lui conviennent; il entre dans le goût des autres, et retranche de ses pensées ce qui est inutile ou ce qui peut déplaire.

Un esprit adroit, facile, insinuant, sait éviter et surmonter les difficultés. Il se plie aisément à ce qu'il veut; il sait connaître l'esprit et l'humeur de ceux avec qui il traite; et, en ménageant leurs intérêts, il avance[1] et il établit[2] les siens.

Un bon esprit voit toutes choses comme elles doivent être vues; il leur donne le prix qu'elles méritent; il les fait tourner du côté qui lui est le plus avantageux, et il s'attache avec fermeté à ses pensées, parce qu'il en connaît toute la force et toute la raison.

Il y a de la différence entre un esprit utile et un esprit d'affaires; on peut entendre les affaires sans s'appliquer à son intérêt particulier : il y a des gens habiles dans tout ce qui ne les regarde pas, et très malhabiles dans tout ce qui les regarde; et il y en a d'autres au contraire qui ont une habileté bornée à ce qui les touche, et qui savent trouver leur avantage en toutes choses.

On peut avoir tout ensemble un air sérieux dans l'esprit, et dire souvent des choses agréables et enjouées. Cette sorte d'esprit convient à toutes personnes et à tous les âges de la vie. Les jeunes gens ont d'ordinaire l'esprit enjoué et moqueur, sans l'avoir sérieux, et c'est ce qui les rend souvent incommodes[3].

Rien n'est plus malaisé à soutenir que le dessein d'être toujours plaisant; et les applaudissements qu'on reçoit quelquefois, en divertissant les autres, ne valent pas que l'on s'expose à la honte de les ennuyer souvent quand ils sont de méchante humeur.

La moquerie est une des plus agréables et des plus dangereuses qualités de l'esprit. Elle plaît toujours quand elle est délicate, mais on craint aussi toujours ceux qui s'en servent trop souvent. La moquerie peut néanmoins être permise quand elle n'est mêlée d'aucune malignité[4], et quand on y fait entrer les personnes mêmes dont on parle.

Il est malaisé d'avoir un esprit de raillerie sans affecter d'être plaisant ou sans aimer à se moquer; il faut une grande

---

1. Il fait progresser; **2.** Il garantit la solidité des siens; **3.** Fâcheux; **4.** Latinisme; méchanceté.

justesse pour railler longtemps sans tomber dans l'une ou l'autre de ces extrémités.

La raillerie est un air de gaieté qui remplit l'imagination[1], et qui lui fait voir en ridicule les objets qui se présentent : l'humeur y mêle plus ou moins de douceur ou d'âpreté.

Il y a une manière de railler, délicate et flatteuse, qui touche seulement les défauts que les personnes dont on parle veulent bien avouer, qui sait déguiser les louanges qu'on leur donne sous des apparences de blâme, et qui découvre ce qu'elles ont d'aimable, en feignant de le vouloir cacher.

Un esprit fin et un esprit de finesse ⋆(**86**) sont très différents. Le premier plaît toujours ; il est délié ; il pense des choses délicates et voit les plus imperceptibles. Un esprit de finesse[2] ne va jamais droit ; il cherche des biais et des détours pour faire réussir ses desseins. Cette conduite est bientôt découverte ; elle se fait toujours craindre, et ne mène presque jamais aux grandes choses.

Il y a quelque différence entre un esprit de feu et un esprit brillant ; un esprit de feu[3] va plus loin avec plus de rapidité. Un esprit brillant a de la vivacité, de l'agrément et de la justesse.

La douceur de l'esprit est un air facile et accommodant, et qui plaît toujours quand il n'est point fade.

Un esprit de détail s'applique avec de l'ordre et de la règle à toutes les particularités des sujets qu'on lui présente. Cette application le renferme d'ordinaire à[4] de petites choses ; elle n'est pas néanmoins toujours incompatible avec de grandes vues, et quand ces deux qualités se trouvent ensemble dans un même esprit, elles l'élèvent infiniment au-dessus des autres ⋆(**87**).

On a abusé du terme de *bel-esprit*, et, bien que tout ce qu'on vient de dire des différentes qualités de l'esprit puisse convenir à un bel-esprit, néanmoins comme ce titre a été donné à un nombre infini de mauvais poètes et d'auteurs ennuyeux, on s'en sert plus souvent pour tourner les gens en ridicule que pour les louer.

Bien qu'il y ait plusieurs épithètes pour l'esprit, qui

---

1. Définition qui conviendrait fort bien à Regnard. Sur la « blague », cf. Vauvenargues (*Réflexions sur divers sujets*) ; **2.** Qui se plaît à « finasser ». — Signification analogue chez La Bruyère, très différente chez Pascal ; **3.** Par exemple Condé ; **4.** *En* de petites choses.

paraissent une même chose, le ton et la manière de les prononcer y mettent de la différence : mais comme les tons et les manières ne se peuvent écrire, je n'entrerai point dans un détail qu'il serait impossible de bien expliquer. L'usage ordinaire le fait assez entendre; et, en disant qu'un homme a de l'esprit, qu'il a beaucoup d'esprit, et qu'il a un bon esprit, il n'y a que les tons ⋆(**88**) et les manières qui puissent mettre de la différence entre ces expressions qui paraissent semblables sur le papier, et qui expriment néanmoins différentes sortes d'esprit.

On dit encore qu'un homme n'a qu'une sorte d'esprit, qu'il a de plusieurs sortes d'esprit, et qu'il a toutes sortes d'esprit.

On peut être un sot avec beaucoup d'esprit, et on peut n'être pas sot avec peu d'esprit[1].

Avoir beaucoup d'esprit est un terme équivoque. Il peut comprendre toutes les sortes d'esprit dont on vient de parler, mais il peut aussi n'en marquer aucune distinctement. On peut quelquefois faire paraître de l'esprit dans ce qu'on dit, sans en avoir dans sa conduite. On peut avoir de l'esprit et l'avoir borné. Un esprit peut être propre à de certaines choses, et ne l'être pas à d'autres ⋆(**89**) : on peut avoir beaucoup d'esprit et n'être propre à rien; et avec beaucoup d'esprit on est souvent fort incommode. Il semble néanmoins que le plus grand mérite de cette sorte d'esprit est de plaire quelquefois dans la conversation.

Bien que les productions d'esprit soient infinies, on peut, ce me semble, les distinguer de cette sorte :

Il y a des choses si belles, que tout le monde est capable d'en voir et d'en sentir la beauté.

Il y en a qui ont de la beauté, et qui ennuient.

Il y en a qui sont belles et que tout le monde sent, bien que tous n'en[2] sachent pas la raison.

Il y en a qui sont si fines et si délicates que peu de gens sont capables d'en remarquer toutes les beautés.

Il y en a d'autres qui ne sont pas parfaites, mais qui sont dites avec tant d'art, et qui sont soutenues et conduites avec tant de raison et tant de grâce qu'elles méritent d'être admirées.

---

1. Cf. *supra*, section V; **2.** La raison de leur beauté.

3. DU FAUX

On est faux en différentes manières. Il y a des hommes faux qui veulent toujours paraître[1] ce qu'ils ne sont pas. Il y en a d'autres de meilleure foi, qui sont nés faux, qui se trompent eux-mêmes, et qui ne voient jamais les choses comme elles sont. Il y en a dont l'esprit est droit et le goût faux; d'autres ont l'esprit faux et quelque droiture[2] dans le goût; il y en a qui n'ont rien de faux dans le goût ni dans l'esprit. Ceux-ci sont très rares, puisqu'à parler généralement, il n'y a personne qui n'ait de la fausseté dans quelque endroit de l'esprit ou du goût.

Ce qui fait cette fausseté si universelle, c'est que nos qualités sont incertaines et confuses, et que nos goûts le sont aussi. On ne voit point les choses précisément[3] comme elles sont : on les estime plus ou moins qu'elles ne valent, et on ne les fait point rapporter à nous[4] en[5] la manière qui leur convient, et qui convient à notre état et à nos qualités.

Ce mécompte[6] met un nombre infini de faussetés dans le goût et dans l'esprit[7]; notre amour-propre est flatté de tout ce qui se présente à nous sous les apparences du bien.

Mais comme il y a plusieurs sortes de biens qui touchent notre vanité ou notre tempérament, on les suit, parce que les autres les suivent, sans considérer qu'un même sentiment ne doit pas être également embrassé par toutes sortes de personnes, et qu'on s'y doit attacher plus ou moins fortement, selon qu'il convient plus ou moins à ceux qui le suivent.

On craint encore plus de se montrer faux par le goût que par l'esprit. Les honnêtes gens doivent approuver sans prévention ce qui mérite d'être approuvé, suivre ce qui mérite d'être suivi, et ne se piquer de rien[8]; mais il y faut une grande proportion[9] et une grande justesse[10]. Il faut savoir discerner ce qui est bon en général, ce qui nous est propre, et suivre alors avec raison la pente naturelle qui nous porte vers les choses qui nous plaisent.

---

1. Cf. *le Baron de Fæneste*, d'Agrippa d'Aubigné. Sur les types de hâbleurs et de matamores, cf. une note dans notre édition du *Joueur*; **2.** Au sens étymologique. Aujourd'hui, on remplacerait volontiers ce mot par « rectitude », en réservant « droiture » pour le caractère; **3.** Exactement; **4.** On n'en établit point le rapport avec notre personnalité; **5.** De; **6.** Cette erreur; **7.** La Bruyère (142); **8.** Cf. maxime 203 et la note; **9.** Sens de la mesure et des nuances; **10.** Vauvenargues, Introd. I, 6.

Si les hommes ne voulaient exceller que par leurs propres talents et en suivant leurs devoirs, il n'y aurait rien de faux dans leur goût et dans leur conduite : ils se montreraient tels qu'ils sont; ils jugeraient les choses par leurs lumières, et s'y attacheraient par raison. Il y aurait de la proportion dans leurs vues, dans leurs sentiments : leur goût serait vrai, il viendrait d'eux et non pas des autres : et ils suivraient par choix, et non pas par coutume et par hasard.

Si on est faux en approuvant ce qui ne doit pas être approuvé, on ne l'est pas moins le plus souvent par l'envie de se faire valoir par des qualités qui sont bonnes de soi[1], mais qui ne nous conviennent pas. Un magistrat est faux quand il se pique d'être brave, bien qu'il puisse être hardi dans de certaines rencontres. Il doit être ferme et assuré dans une sédition qu'il a droit[2] d'apaiser, sans crainte d'être faux, et il serait faux et ridicule de se battre[3] en duel.

Une femme peut aimer les sciences; mais toutes les sciences ne lui conviennent pas : et l'entêtement[4] de certaines sciences ne lui convient jamais, et est toujours faux ★(**90**).

Il faut que la raison et le bon sens mettent le prix aux choses[5], et qu'elles déterminent notre goût à leur donner le rang qu'elles méritent et qu'ils nous convient de leur donner. Mais presque tous les hommes se trompent dans ce prix[6] et dans ce rang; et il y a toujours de la fausseté dans ce mécompte[7].

4. DE L'AIR ET DES MANIÈRES

Il y a un air qui convient à la figure et aux talents de chaque personne : on perd toujours quand on le quitte pour en prendre un autre.

Il faut essayer de connaître celui qui nous est naturel, n'en point sortir, et le perfectionner autant qu'il nous est possible[8].

---

1. En soi; **2.** Nous ajouterions l'article (*le droit*); **3.** S'il se battait. Le duel était alors réservé aux nobles; **4.** Engouement; **5.** *S.* « La vérité est le fondement et la raison de la perfection et de la beauté : une chose, de quelque nature qu'elle soit, ne saurait être belle et parfaite, si elle n'est véritablement tout ce qu'elle doit être, et si elle n'a tout ce qu'elle doit avoir. » Malheureusement, il faut tenir compte de l'influence de « l'humeur » (Maxime 47, section III); **6.** Appréciation; **7.** Erreur; **8.** « Chassez le naturel, il revient au galop. » — « Ne forçons point notre talent, nous ne ferions rien avec grâce. » (La Fontaine). — « Mon verre n'est pas grand, mais je bois dans mon verre! » (Musset).

Ce qui fait que la plupart des petits enfants plaisent, c'est qu'ils sont encore renfermés dans cet air et dans ces manières que la nature leur a donnés, et qu'ils n'en connaissent point d'autres. Ils les changent et les corrompent quand ils sortent de l'enfance; ils croient qu'il faut imiter ce qu'ils voient, et ils ne le peuvent parfaitement imiter, il y a toujours quelque chose de faux et d'incertain dans cette imitation[1]. Ils n'ont rien de fixe dans leurs manières ni dans leurs sentiments; au lieu d'être en effet[2] ce qu'ils veulent paraître, ils cherchent à paraître ce qu'ils ne sont pas.

Chacun veut être un autre, et n'être plus ce qu'il est; ils cherchent une contenance hors d'eux-mêmes, et un autre esprit que le leur; ils prennent des tons et des manières au hasard; ils en font des expériences sur eux, sans considérer que ce qui convient à quelques-uns ne convient pas à tout le monde, qu'il n'y a point de règle générale pour les tons et pour les manières, et qu'il n'y a point de bonnes copies.

Deux hommes néanmoins peuvent avoir du rapport en plusieurs choses, sans être copie l'un de l'autre, si chacun suit son naturel; mais personne presque ne le suit entièrement : on aime à imiter. On imite souvent, même sans s'en apercevoir[3], et on néglige ses propres biens pour des biens étrangers qui d'ordinaire ne nous conviennent pas.

Je ne prétends pas, par ce que je dis, nous renfermer tellement en nous-mêmes que nous n'ayons pas la liberté de suivre des exemples, et de joindre à nous des qualités utiles ou nécessaires que la nature ne nous a pas données. Les arts et les sciences conviennent à la plupart de ceux qui s'en rendent capables. La bonne grâce et la politesse[4] conviennent à tout le monde; mais ces qualités acquises doivent avoir un certain rapport et une certaine union avec nos propres qualités, qui les étendent et les augmentent imperceptiblement.

Nous sommes élevés à un rang et à des dignités au-dessus de nous, nous sommes souvent engagés dans une profession nouvelle, où[5] la nature ne nous avait pas destinés. Tous ces états ont chacun un air qui leur convient, mais qui ne

---

1. M. 230. Rien n'est si contagieux que l'exemple, et nous ne faisons jamais de grands biens ni de grands maux qui n'en produisent de semblables. Nous imitons les bonnes actions par émulation, et les mauvaises par la malignité de notre nature, que la honte retenait prisonnière et que l'exemple met en liberté; **2.** Effectivement. Cf. La Bruyère (307-309); **3.** Mimétisme et panurgisme!.. Et, à ce propos, du rôle de la suggestion collective, d'après G. de Tarde **4.** Cf. La Bruyère (135 et 351); **5.** A laquelle (emploi fréquent à l'époque classique).

convient pas toujours avec notre air naturel. Ce changement de notre fortune change souvent notre air et nos manières, et y ajoute l'air de la dignité, qui est toujours faux quand il est trop marqué, et qu'il n'est pas joint et confondu[1] avec l'air que la nature nous a donné. Il faut les unir et les mêler ensemble, et faire en sorte qu'ils ne paraissent jamais séparés.

On ne parle pas de toutes choses sur un même ton et avec les mêmes manières. On ne marche pas à la tête d'un régiment comme on marche en se promenant. Mais il faut qu'un même air nous fasse dire naturellement des choses différentes, et qu'il nous fasse marcher différemment, mais toujours naturellement et comme il convient de marcher à la tête d'un régiment et à une promenade.

Il y en a qui ne se contentent pas de renoncer à leur air propre et naturel pour suivre celui du rang et des dignités où ils sont parvenus. Il y en a même qui prennent par avance l'air des dignités et du rang où[2] ils aspirent. Combien de lieutenants généraux apprennent à être maréchaux de France : combien de gens de robe répètent[3] inutilement l'air de chancelier, et combien de bourgeoises[4] se donnent l'air de duchesses!

Ce qui fait qu'on déplaît souvent, c'est que personne ne sait accorder son air et ses manières avec sa figure, ni ses tons et ses paroles avec ses pensées et ses sentiments : on s'oublie soi-même et on s'en éloigne insensiblement; tout le monde presque tombe par quelque endroit dans ce défaut; personne n'a l'oreille assez juste pour entendre parfaitement cette sorte de cadence[5].

Mille gens déplaisent avec des qualités aimables; mille gens plaisent avec de moindres talents. C'est que les uns veulent paraître ce qu'ils ne sont pas, les autres sont ce qu'ils paraissent; et enfin quelques avantages ou quelques désavantages que nous ayons reçus de la nature, on plaît à proportion de ce qu'on suit l'air, les tons, les manières et les sentiments qui conviennent à notre[6] état et à notre[6] figure, et on déplaît à proportion de ce qu'on s'en éloigne.

---

1. Harmonieusement fondu avec notre air naturel ; 2. Auxquels ; 3. Double sens : *a)* reproduisent ; *b)* s'essaient à prendre (comme des acteurs qui répètent un rôle) ; 4. Telle n'est certes pas la prétention de l'excellente Mme Jourdain! En revanche, voyez, chez Baron et Dancourt, les « bourgeoises de qualité » ; 5. Il faut, dans l'ensemble de la personne, une sorte d'eurythmie ; 6. Le sujet étant le pronom indéfini *on*, il faudrait ici *son* et *sa*. Mais La Rochefoucauld venant d'écrire : « ... Que *nous* ayons reçus... », est entraîné à employer le pronom possessif qui correspond à la première personne du pluriel. — Sur les « parvenus », cf. aussi La Bruyère (chap. des *Biens de fortune*).

5. DE LA SOCIÉTÉ

Mon dessein n'est pas de parler de l'amitié[1] en parlant de la société; bien qu'elles aient quelque rapport, elles sont néanmoins très différentes : la première a plus d'élévation et d'humilité, et le plus grand mérite de l'autre est de lui ressembler.

Je ne parlerai donc présentement que du commerce particulier que les *honnêtes gens* doivent avoir ensemble. Il serait inutile de dire combien la société est nécessaire aux hommes : tous la désirent et tous la cherchent; mais peu se servent des moyens de la rendre agréable et de la faire durer *(**91**).

Chacun veut trouver son plaisir et ses avantages aux dépens des autres. On se préfère toujours à ceux avec qui on se propose de vivre, et on leur fait presque toujours sentir cette différence; c'est ce qui trouble et ce qui détruit la société. Il faudra du moins savoir cacher ce désir de préférence, puisqu'il est trop naturel en nous pour nous en pouvoir défaire[2]. Il faudrait faire son plaisir de celui des autres, ménager leur amour-propre et ne le blesser jamais.

L'esprit a beaucoup de part à un si grand ouvrage : mais il ne suffit pas seul pour nous conduire dans les divers chemins qu'il faut tenir[3]. Le rapport qui se rencontre entre les esprits ne maintiendrait pas longtemps la société, si elle n'était réglée et soutenue par le bon sens, par l'humeur et par les égards qui doivent être entre les personnes qui veulent vivre ensemble.

S'il arrive quelquefois que des gens opposés d'humeur et d'esprit paraissent unis, ils tiennent[4] sans doute par des raisons étrangères, qui ne durent pas longtemps. On peut être aussi en société avec des personnes sur qui nous avons[5] de la supériorité par la naissance ou par les qualités personnelles; mais ceux qui ont cet avantage n'en doivent pas abuser; ils doivent rarement le faire sentir, et ne s'en servir que pour instruire les autres *(**92**). Ils doivent leur

---

1. La Bruyère (141-142) : « Le plaisir de la société entre les amis se cultive par une ressemblance de goût sur ce qui regarde les mœurs, et par quelque différence d'opinions sur les sciences : par là, ou l'on s'affermit dans ses sentiments, ou l'on s'exerce et l'on s'instruit par la dispute »; 2. Pour que nous puissions nous en défaire. (La Rochefoucauld emploie ici une construction assez fréquente au XVIIᵉ siècle); 3. Suivre fidèlement; 4. Ils se tiennent; 5. *On a* (cf. p. 43, note 2).

faire apercevoir qu'ils ont besoin d'être conduits, et les mener par la raison, en s'accommodant, autant que possible, à leurs sentiments et à leurs intérêts.

Pour rendre la société commode, il faut que chacun conserve sa *liberté*. Il ne faut point se voir, ou se voir sans sujétion[1] et pour se divertir ensemble. Il faut pouvoir se séparer sans que cette séparation apporte de changement. Il faut se pouvoir passer les uns des autres, si on ne veut pas s'exposer à embarrasser quelquefois; et on doit se souvenir qu'on incommode souvent, quand on croit ne pouvoir jamais incommoder. Il faut contribuer, autant qu'on le peut, au divertissement des personnes avec qui on veut vivre; mais il ne faut pas être toujours chargé du soin d'y contribuer.

La *complaisance* est nécessaire dans la société; mais elle doit avoir des bornes; elle devient une servitude quand elle est excessive. Il faut du moins qu'elle paraisse libre et qu'en suivant[2] le sentiment de nos amis, ils soient persuadés que c'est le nôtre aussi que nous suivons.

Il faut être *facile*[3] à excuser nos amis, quand leurs défauts sont nés avec eux et qu'ils sont moindres que leurs bonnes qualités. Il faut souvent éviter de leur faire voir qu'on les ait remarqués et qu'on en soit[4] choqué. On doit essayer de faire en sorte qu'ils puissent s'en apercevoir eux-mêmes, pour leur laisser le mérite de s'en corriger.

Il y a une sorte de *politesse* qui est nécessaire dans le commerce des honnêtes gens : elle leur fait entendre raillerie, et elle les empêche d'être choqués et de choquer les autres par de certaines façons de parler trop sèches et trop dures, qui échappent souvent sans y penser[5] quand on soutient son opinion avec chaleur.

Le commerce des honnêtes gens ne peut subsister sans une certaine sorte de *confiance ;* elle doit être commune entre eux, il faut que chacun ait un air de sûreté[6] *★(93)* et de discrétion qui ne donne jamais lieu de craindre qu'on puisse rien dire par imprudence.

Il faut de la *variété* dans l'esprit; ceux qui n'ont que d'une sorte d'esprit ne peuvent pas plaire longtemps *★(94)* : on

---

1. Sans y être contraint; 2. Tandis que nous suivons. Cf. maxime 438 (la reconnaissance); 3. Latinisme : *souple*, donc, *prompt à*; 4. Aujourd'hui, les verbes de ces deux propositions complétives se mettraient à l'indicatif; 5. Sans que l'on y pense; 6. Donne une impression de *sécurité*. Sur le *fond*, cf. Malebranche (*Traité de morale*, 2e partie, XIII), Lord Chesterfield (*l'Art de vivre heureux dans la société*, traduction 1781) et Duclos (*Considérations sur les mœurs*, III).

peut prendre des routes diverses, n'avoir pas les mêmes talents, pourvu qu'on aide au plaisir de la société et qu'on y observe la même justesse que les différentes voix et les divers instruments doivent observer dans la musique.

Comme il est malaisé que plusieurs personnes puissent avoir les mêmes intérêts, il est nécessaire, au moins pour la douceur de la société, qu'ils n'en aient pas de contraires.

On doit aller au-devant de ce qui peut plaire à ses amis, chercher les moyens de leur être utile, leur épargner des chagrins, leur faire voir qu'on les partage avec eux, quand on ne peut les détourner, les effacer insensiblement sans prétendre de[1] les arracher tout d'un coup, et mettre en la place des objets agréables, ou du moins qui les occupent. On peut leur parler de choses qui les regardent, mais ce n'est qu'autant qu'ils le permettent, et on y doit garder beaucoup de mesure. Il y a de la politesse, et quelquefois même de l'humanité, à ne pas entrer trop avant dans les replis de leur cœur; ils ont souvent de la peine à laisser voir tout ce qu'ils en connaissent, et ils en ont encore davantage quand on pénètre ce qu'ils ne connaissent pas bien. Que le commerce que les honnêtes gens ont ensemble leur donne de la familiarité, et leur fournisse un nombre infini de sujets[2] de se parler sincèrement.

Personne presque n'a assez de docilité et de bon sens pour bien recevoir plusieurs avis qui sont nécessaires pour maintenir la société. On veut être averti jusqu'à un certain point, mais on ne veut pas l'être en toutes choses et on craint de savoir toutes sortes de vérités.

Comme on doit garder des distances pour voir les objets, il en faut garder aussi pour la société; chacun a son point de vue, d'où il veut être regardé. On a raison le plus souvent de ne vouloir pas être éclairé de trop près, et il n'y a presque point d'homme qui veuille en toutes choses se laisser voir tel qu'il est[3].

---

1. Nous dirions aujourd'hui : sans prétendre les arracher; **2.** D'occasions; **3.** Cf. ce qu'en dit le *Cyrano* de Rostand : il connait ses défauts, mais il n'aime pas qu'un autre lui en parle !

6. DE LA CONVERSATION ★(95)

Ce qui fait que peu de personnes sont *agréables* dans la conversation, c'est que chacun songe plus à ce qu'il a dessein de dire qu'à ce que les autres disent, et que l'on n'écoute guère quand on a bien envie de parler.

Néanmoins, il est nécessaire d'écouter ceux qui parlent. Il faut leur donner le temps de se faire entendre et souffrir même qu'ils disent des choses inutiles. Bien loin de les contredire et de les interrompre, on doit au contraire entrer dans leur esprit et dans leur goût, montrer qu'on les entend[1], louer ce qu'ils disent autant qu'il[2] mérite d'être loué, et faire voir que c'est plutôt par choix qu'on les loue que par complaisance.

Pour *plaire* aux autres[3], il faut parler de ce qu'ils aiment et de ce qui les touche, éviter les disputes sur des choses indifférentes, leur faire rarement des questions, et ne leur laisser jamais croire qu'on prétend avoir plus de raison qu'eux.

On doit dire les choses d'un air plus ou moins sérieux et sur des sujets plus ou moins relevés, selon l'humeur et la capacité des personnes que l'on entretient et leur céder aisément l'avantage de décider[4], sans les obliger de répondre, quand ils n'ont pas envie de parler.

Après avoir satisfait de cette sorte aux devoirs de la politesse, on peut dire ses sentiments en montrant qu'on cherche à les appuyer de l'avis de ceux qui écoutent, sans marquer de présomption[5] ni d'opiniâtreté.

Évitons surtout de parler souvent de nous-mêmes, et de nous donner pour exemple. Rien n'est plus désagréable qu'un homme qui se cite lui-même à tout propos.

On ne peut apporter aussi trop d'application à connaître la pente[6] et la portée[7] de ceux à qui l'on parle, pour se joindre à[8] l'esprit de celui qui en a le plus, sans blesser l'inclination ou l'intérêt des autres par cette préférence.

---

1. Comprend; 2. Neutre : *cela* ; 3. Cf. La Bruyère (p. 130) : « L'esprit de la conversation consiste bien moins à en montrer beaucoup qu'à en faire trouver aux autres : celui qui sort de votre entretien content de soi et de son esprit l'est de vous parfaitement. Les hommes n'aiment point à vous admirer, ils veulent plaire ; ils cherchent moins à être instruits, et même réjouis, qu'à être goûtés et applaudis ; et le plaisir le plus délicat est de faire celui d'autrui ; 4. De trancher la question; 5. Opinion trop avantageuse de soi-même (cf. le chapitre de Montaigne qui porte ce titre); 6. Inclination; 7. La valeur, les moyens intellectuels. 8. S'attacher et s'adapter.

Alors on doit faire valoir toutes les raisons qu'il a dites, ajoutant modestement nos[1] propres pensées aux siennes, et lui faisant croire autant qu'il est possible que c'est de lui qu'on les prend.

Il ne faut jamais rien dire avec un air d'autorité, ni montrer aucune supériorité d'esprit. Fuyons les expressions trop recherchées, les termes durs ou forcés ★(96), et ne nous servons point de paroles plus grandes que les choses.

Il n'est point défendu de conserver ses opinions, si elles sont raisonnables. Mais il faut se rendre à la raison aussitôt qu'elle paraît, de quelque part qu'elle vienne; elle seule doit régner sur nos sentiments; mais suivons-la sans heurter les sentiments des autres et sans faire paraître du mépris de ce qu'ils ont dit.

Il est dangereux de vouloir être toujours le maître de la conversation et de pousser trop loin une bonne raison, quand on l'a trouvée. L'honnêteté veut que l'on cache quelquefois la moitié de son esprit, et qu'on ménage un opiniâtre qui se défend mal pour lui épargner la honte de céder.

On déplaît sûrement quand on parle trop longtemps et trop souvent d'une même chose, et que l'on cherche à détourner la conversation sur des sujets dont[2] on se croit plus instruit que les autres[3]. Il faut entrer indifféremment sur[4] tout ce qui leur est agréable, s'y arrêter autant qu'ils le veulent et s'éloigner de tout ce qui ne leur convient pas.

Toute sorte de conversation, quelque spirituelle qu'elle soit, n'est pas également propre à toutes sortes de gens d'esprit. Il faut choisir ce qui est de leur goût et ce qui est convenable à leur condition, à leur sexe, à leurs talents, et choisir même le temps de le dire.

Observons le lieu, l'occasion, l'humeur où se trouvent les personnes qui nous écoutent. Car s'il y a beaucoup d'art à savoir parler à propos, il n'y en a pas moins à savoir se

---

1. Le sujet étant le pronom indéfini *on*, il serait plus correct d'employer ici *ses ;* mais sans doute, La Rochefoucauld en a-t-il été dissuadé par le voisinage de *siennes,* et par la crainte d'une amphibologie; **2.** Sur lesquels; **3.** Cf. la « réflexion » qui précède. Voiture a été l'un de ceux qui ont le mieux réalisé le type, nuancé de préciosité, du « causeur » brillant, divers, sans lourdeur ni pédantisme; **4.** Plus haut, nous avons trouvé l'expression, fréquente au XVIIe siècle: « Entrer *dans* les goûts de quelqu'un. » Ici, l'emploi de la préposition *sur* évoque l'image d'une causerie qui se promène, avec liberté et souplesse, dans tous les domaines.

taire[1]. Il y a un silence éloquent qui sert à approuver et à condamner : il y a un silence de discrétion et de respect. Il y a enfin des tons, des airs et des manières, qui font tout ce qu'il y a d'agréable ou de désagréable, de délicat ou de choquant dans la conversation.

Mais le secret de s'en bien servir est donné à peu de personnes. Ceux mêmes qui en font des règles s'y méprennent souvent : et la plus sûre qu'on en puisse donner, c'est écouter beaucoup, parler peu, et ne rien dire dont on puisse avoir sujet de se repentir.

7. DE LA RETRAITE ★(97)

Je m'engagerais à[2] un trop long discours, si je rapportais ici en particulier[3] toutes les raisons naturelles qui portent les vieilles gens à se retirer du commerce du monde : le changement de leur humeur, de leur figure et l'affaiblissement des organes les conduisent insensiblement, comme la plupart des autres animaux, à s'éloigner de la fréquentation de leurs semblables.

L'orgueil, qui est inséparable de l'amour-propre[4], leur tient alors lieu de raison : ils ne peuvent plus être flattés de plusieurs choses qui flattent les autres; l'expérience leur a fait connaître le prix de tout ce que les hommes désirent dans la jeunesse, et l'impossibilité d'en jouir plus longtemps[5]; les diverses voies qui paraissent ouvertes aux jeunes gens

---

1. C'était, dit-on, l'art de Racine... On avait surnommé Molière : le Contemplateur. Dans le chapitre des Jugements, La Bruyère recommande même aux gens d'esprit, plus ou moins spécialisés en telle ou telle matière, de savoir se taire sur d'autres sujets. Autres maximes ou réflexions de l'auteur des *Caractères* sur le même thème : « L'on parle impétueusement dans les entretiens, souvent par vanité ou par humeur, rarement avec assez d'attention : tout occupé du désir de répondre à ce qu'on n'écoute point, l'on suit ses idées et on les explique sans le moindre égard pour les raisonnements d'autrui; l'on est bien éloigné de trouver ensemble la vérité, l'on n'est pas encore convenu de celle que l'on cherche. Qui pourrait écouter ces sortes de conversations et les écrire, ferait voir quelquefois de bonnes choses qui n'ont nulle suite. » « Il a régné pendant quelque temps une sorte de conversation fade et puérile, qui roulait toute sur des questions frivoles qui avaient relation au cœur et à ce qu'on appelle passion ou tendresse. La lecture de quelques romans les avait introduites parmi les plus honnêtes gens de la ville et de la cour; ils s'en sont défaits, et la bourgeoisie les a reçues, avec les pointes et les équivoques » (p. 144 et 145). Cf. aussi, *Lettre de Chapelain à Balzac ;* Somaize, *Dictionnaire* (1661, art. VIII et IX); La Mothe Le Vayer, *De la conversation et de la solitude*, et Malebranche, *Recherche de la vérité* (IV, VIII) : « Les plus complaisants et les plus raisonnables, méprisant dans leur cœur le sentiment des autres, montrent seulement une mine attentive, pendant que l'on voit dans leurs yeux qu'ils pensent à toute autre chose qu'à ce qu'on leur dit, et qu'ils ne sont occupés que de ce qu'ils veulent nous prouver, sans songer à nous répondre »; **2.** En; **3.** En détail; **4.** Cf. les sections I et VII; **5.** Maxime 430 : « Dans la vieillesse de l'amour, comme dans celle de l'âge, on vit encore pour les maux, mais on ne vit plus pour les plaisirs... » Et aussi 461 (même idée).

pour parvenir aux grandeurs, aux plaisirs, à la réputation
et à tout ce qui élève les hommes, leur sont fermées, ou par
la fortune, ou par leur conduite, ou par l'envie ou l'injustice
des autres; le chemin pour y entrer est trop long et trop
pénible, quand on s'est une fois égaré; les difficultés leur en
paraissent insurmontables, et l'âge ne leur permet plus d'y
prétendre. Ils deviennent insensibles à l'amitié, non seulement parce qu'ils n'en ont peut-être jamais trouvé de véritable, mais parce qu'ils ont vu mourir un grand nombre de
leurs amis qui n'avaient pas encore eu le temps ni les occasions de manquer à l'amitié[1], et ils se persuadent aisément
qu'ils auraient été plus fidèles que ceux qui leur restent. Ils
n'ont plus de part aux premiers biens qui ont d'abord rempli
leur imagination; ils n'ont même presque plus de part à la
gloire[2] : celle qu'ils ont acquise est déjà flétrie par le temps,
et souvent les hommes en perdent plus en vieillissant qu'ils
n'en acquièrent. Chaque jour leur ôte une portion d'eux-
mêmes[3] : ils n'ont plus assez de vie pour jouir de ce qu'ils ont
et bien moins encore pour arriver à ce qu'ils désirent; ils ne
voient plus devant eux que des chagrins, des maladies et de
l'abaissement; tout est vu[4], et rien ne peut avoir pour eux
la grâce de la nouveauté[5]; le temps les éloigne imperceptiblement du point de vue d'où il leur convient de voir les
objets, et d'où ils doivent être vus. Les plus heureux sont
encore soufferts[6], les autres sont méprisés; le seul bon parti
qu'il leur reste, c'est de cacher au monde ce qu'ils ne lui ont
peut-être que trop montré. Leur goût, détrompé par des
désirs inutiles, se tourne alors vers des objets muets et insensibles : les bâtiments, l'agriculture, l'économie[7], l'étude,
toutes ces choses sont soumises à leurs volontés; ils s'en
approchent ou s'en éloignent comme il leur plaît; ils sont
maîtres de leurs desseins et de leurs occupations; tout ce
qu'ils désirent est en leur pouvoir, et, s'étant affranchis de
la dépendance du monde, ils font tout dépendre d'eux[8].
Les plus sages[9] savent employer à leur salut le temps qu'il

---

1. Quelle amertume! Cf. sections II et XIII; 2. Cf. section IX, outre le portrait de La Rochefoucauld par lui-même; 3. Image saisissante, digne de Bossuet, pour dépeindre la progressive
ruine de l'être humain; 4. Formule qui annonce le « tout est dit » de La Bruyère; 5. Maxime 274 :
« La *grâce de la nouveauté* est à l'amour ce que la fleur est sur les fruits : elle y donne un
lustre qui s'efface aisément et qui ne revient jamais » (même expression, Maxime 426);
6. Tolérés; 7. La bonne et méthodique administration; 8. Souvenir de la distinction, marquée
par Épictète, entre les choses qui dépendent de notre volonté et celles qui échappent à son
action; 9. Maxime 210 : « En vieillissant, on devient plus fou et plus sage. » Maxime 423 :
« Peu de gens savent être vieux ».

leur reste, et, n'ayant qu'une si petite part à cette vie, ils se rendent dignes d'une meilleure[1]. Les autres n'ont au moins qu'eux-mêmes pour témoins de leur misère; leurs propres infirmités les amusent; le moindre relâche leur tient lieu de bonheur; la nature défaillante et plus sage qu'eux leur ôte souvent la peine de désirer; enfin ils oublient le monde, qui est si disposé à les oublier; leur vanité même est consolée par leur retraite, et, avec beaucoup d'ennuis, d'incertitudes et de faiblesses, tantôt par piété, tantôt par raison, et le plus souvent par accoutumance[2], ils soutiennent le poids d'une vie insipide[3] et languissante.

---

1. Il est bien rare de voir affleurer chez La Rochefoucauld une ombre de religiosité; **2.** Même expression, maxime 109. Longtemps avant de mourir, La Rochefoucauld s'était habitué à la souffrance. (Cf. Sainte-Beuve, *op. cit.*); **3.** Latinisme : sans saveur.

MORALISTES DU XVIIe SIÈCLE

Exception faite pour Pascal, La Bruyère et les grands sermonnaires, édités à part, nous donnons ici des extraits de quelques autres moralistes du XVIIe siècle qui, comme on le verra, ont souvent traité *les mêmes « thèmes »* que La Roche-foucauld. De l'auteur des *Maximes*, pris comme centre de perspective, on rapprochera donc, *à propos de chaque thème essentiel*, et en indiquant les nuances ou les divergences, explicables par le caractère ou les croyances religieuses, chacun des écrivains suivants.

NOTICES

I. CHRÉTIENS ET JANSÉNISTES

NICOLE, né à Chartres (1625-1628?), mort à Paris en 1695. Il fait de fortes études au collège d'Harcourt. Il se retire à Port-Royal, où il devient l'un des professeurs les plus écoutés des Petites-Écoles, où il a Racine pour élève, où il collabore avec Arnauld, Pascal, Lemaistre de Sacy. En 1658, ému des persécutions dont le jansénisme est l'objet, il va faire en Allemagne un assez long voyage; de même, en 1677, les attaques des jésuites qu'a irrités sa lettre sur la morale relâchée, l'incitent à se réfugier dans les Pays-Bas. Mêlé à toutes les controverses de l'époque, il bataille contre Fénelon, contre Mme Guyon, contre Desmarets de Saint-Sorlin, contre Jurieu, en s'abritant parfois derrière des pseudonymes. Ses *Essais de morale* sont constitués par une série de traités. Le premier volume, paru en 1671, renferme les disser-tations sur la faiblesse de l'homme, sur la soumission à la volonté de Dieu, sur la crainte de Dieu, sur le moyen de conserver la paix avec les hommes, sur les jugements téméraires. Trois volumes furent édités de 1672 à 1678. Le cinquième (1700) et le sixième (1714) sont posthumes. Cet ouvrage fut accueilli avec une faveur peut-être un peu disproportionnée à sa valeur[1]. Si l'auteur y fait preuve d'un solide bon sens et, en même temps, d'une haute inspiration religieuse, qui est comme l'écho des graves méditations des Solitaires, s'il détaille avec perspicacité l'œuvre de « réfor-mation » intérieure qui marque la première et nécessaire étape sur le chemin de la perfection, son style, il faut l'avouer, manque un peu de diversité, de relief et d'accent.

---

1. Cf. p. ex. les dithyrambes de Madame de Sévigné. Voltaire, à son tour, se montrera fort élogieux. Madame Roland n'en dédaignera pas la lecture. Mais Sainte-Beuve, déjà, est moins enthousiaste.

JACQUES ESPRIT (1611-1678), né et mort à Béziers, appartint quelque temps à la congrégation de l'Oratoire, fut protégé successivement par le chancelier Séguier, par le duc de Longueville et par le prince de Conti qui lui confia l'éducation de ses enfants. Son principal ouvrage : *De la fausseté des vertus humaines*, parut en 1678. Leibniz a pris la peine de réfuter quelques-unes des idées un peu systématiques et paradoxales de cet auteur, dont la réputation[1] semble surfaite, mais qui fait mieux comprendre, par contraste, la vraie portée des maximes de La Rochefoucauld.

DU GUET (1649-1733). Oratorien, ne tarda pas à s'attacher au jansénisme. Il a écrit divers ouvrages, assez analogues à ceux de Nicole, entre autres, le *Traité des scrupules*, les *Lettres sur divers sujets de morale et de piété*.

II. LES MONDAINS

Mlle DE SCUDÉRY (1607-1701). Née au Havre ; connue sous le nom de Sappho ; une des étoiles de la fameuse « chambre bleue », chez Mme de Rambouillet. En dehors de nombreuses pièces en vers, de romans fort prolixes et abondants en digressions, dont les plus célèbres sont *le Grand Cyrus* (1649-1653) et la *Clélie* (1656), elle a laissé plusieurs volumes de *Conversations morales* (1680-1692), où percent évidemment certains défauts du « milieu » précieux, notamment un sentimentalisme assez fade et maniéré, mais dont la forme, plus simple, moins alambiquée que celle de ses autres ouvrages, quelquefois même négligée, développe de justes observations, de fines analyses[2]. Dès 1646, dans sa *Doctrine des mœurs*, Marin le Roy de Gomberville (1600-1674), poète précoce et intarissable, auteur de romans également interminables, dont le plus connu est *Polexandre*, ennemi juré du mot « car », et qui, après avoir pris part aux luttes de la Fronde, avait, sur le tard, embrassé la foi janséniste, lui avait frayé la voie en ce sens.

LE CHEVALIER DE MÉRÉ (1610-1685). Né en Poitou, mort au château de Baussay, près de Niort. Après quelques campagnes sur mer, il se fixa à Paris où, dans une société brillante et quelque peu « libertine », il devint bientôt l'arbitre du bon goût, le type achevé de « l'honnête homme », selon la conception du XVIIe siècle. Il exerça une assez grande influence sur Pascal. Il publia, en 1669, les *Conversations du maréchal de Clérambault et du chevalier de Méré*, véritable bréviaire de la vie mondaine. Vinrent ensuite : *De l'agrément, De l'esprit, De la conversation* (1677), des *Discours*

---

1. Cf. Niceron (XV) ; Pellisson (*Histoire de l'Académie*) ; 2. Huet, Madame de Sévigné, Mascaron l'apprécient fort. Cf. aussi, Boileau, (*Introd. Dial. des Héros de Romans*), Conrart (*Mémoires et Maximes*, t. V), Somaize (*Dict.*), V. Cousin (*Société française au XVIIe siècle*, t. II) et Sainte-Beuve (*Lundis IV*) avec des réserves.

(1677-1678), une volumineuse correspondance (1682-1687), des *Œuvres posthumes* (1700), où se révèlent son goût éclairé, l'élégance d'une pensée alerte et d'une piquante malice qui aiment à se détendre dans un prudent agnosticisme[1]. Il confessait lui-même qu'il écrivait sans ordre méthodique, « selon son caprice et son goût[2] ».

III. LES ESSAYISTES

Le P. Bouhours (1628-1702). Jésuite mondain, fut chargé de l'éducation des princes de Longueville et du marquis de Seignelay, se querella avec les jansénistes, contre lesquels l'abbé de Villars prit sa défense. Grammairien puriste, il rompit des lances avec Ménage et Maimbourg. Ses principaux ouvrages sont les *Entretiens d'Ariste et d'Eugène* (1671), qui valent par la diversité des connaissances et l'enjouement du ton; *la Manière de bien penser dans les ouvrages de l'esprit* (1687); *les Pensées ingénieuses des anciens et des modernes* (1691).

IV. LES SCEPTIQUES

La Mothe le Vayer (1588-1672). D'abord magistrat, puis, familier de Mlle de Gournay — la fille « adoptive » de Montaigne — il ne tarda pas à se vouer entièrement aux lettres, tout en s'occupant de l'éducation du duc d'Orléans, puis, en 1652, de celle de Louis XIV. « Il était atteint du même vice d'esprit que Diagoras et Protagoras », écrit Gui Patin (*Correspondance*, éd. Réveillé-Parise, Lettre CCCLXVII). Il prétendait que « son doute » ironique menait directement au seuil de la Foi. En réalité, ses *Discours de la contrariété d'humeurs qui se trouve en diverses nations* (1636), ses traités de la *Vertu des païens* (1642), ses *Dialogues faits à l'imitation des anciens par Horatius Tubero* (1698), tous ces petits livres, pleins d'une érudition ironique, faisaient revivre la tradition pyrrhonienne, et avaient pour but de procurer « le repos et la tranquillité de l'âme dans l'indifférence ». L'auteur s'amusait à mettre en lumière l'extrême diversité des coutumes, des mœurs, et même des croyances religieuses. Il examinait le dogme de l'immortalité personnelle en s'inspirant de Pomponazzi, et, comme Gabriel Naudé, l'amoralisme politique, dans l'esprit du célèbre Fra Paolo Sarpi, de saint Marc[3].

---

1. Cf. Ménage (*Dédicace des Observations sur la langue française*), Dangeau (*Journal 23 janvier 1685*), le P. Bouhours, Bayle, Moreri, Sainte-Beuve (P. L. III). Brunschvicg (éd. des *Pensées* de Pascal, 1927, p.p. 116-118), Strowski, *Pascal et son temps* et l'édition Boudhors. 2. Madame de Sévigné critique son style (lettre 24 septembre 1679). Elle lui en veut surtout de préférer Balzac au charmant Voiture; 3. Cf. notre *Pensée italienne et courant libertin* (p. 52-60).

SAINT-ÉVREMOND (1610?-1703). Exilé par Louis XIV, il vécut longtemps à Londres, à l'écart des influences morales et littéraires du grand siècle; familier de Ninon de Lenclos, fervent admirateur de Montaigne, il se rattacherait assez logiquement, par ses tendances épicuriennes et « libertines », au groupe formé par La Mothe Le Vayer, Gabriel Naudé et leurs amis. Citons, parmi ses œuvres[1] : la *Comédie des Académistes* (1643), des *Maximes* (1647), et, en publications posthumes, la *Conversation du maréchal d'Hocquincourt avec le P. Canaye,* que Sainte-Beuve appelle la XIXᵉ Provinciale, l'*Essai sur la morale d'Epicure.*

V. LES PHILOSOPHES

DESCARTES (1596-1650) : l'immortel auteur du *Discours de la méthode* et des *Méditations*. On le regarde généralement comme le fondateur de la philosophie française. Quoiqu'elle ne soit certes pas sans racines dans le passé, quoiqu'elle emprunte assez à la scolastique (cf. les thèses de M. Gilson) et même à Campanella, son œuvre marque, en tout cas, un tournant décisif dans la libération de l'esprit critique, dans la systématisation des méthodes rationnelles. Sa morale « provisoire » est imprégnée à la fois du souvenir de Montaigne et de l'influence du néo-stoïcisme[2].

Son disciple *Malebranche* n'est pas seulement le subtil et mystique métaphysicien des « causes occasionnelles », de la « vision en Dieu », etc. Il sait aussi développer, en une langue souple et parfois finement imagée, une harmonieuse morale de l'Ordre qu'inspire un platonisme christianisé.

1. Éditions subreptices : (1668) in-12; authentiques, Desmazeaux (1705-1706); 2. Cf. notre *Pensée italienne*, 614-618 (destinée de l'œuvre de Descartes) et 634-638.

MORALISTES DU XVIIᵉ SIÈCLE

L'AMOUR-PROPRE ET LES PRÉTENDUES VERTUS

JACQUES ESPRIT

Reconnaissons, avec Aristote, que toutes nos amitiés doivent être rapportées à notre amour-propre, comme à leur vrai principe, qu'il entre dans toutes, et que toute la différence qu'il y a entre les amitiés ordinaires et celles des honnêtes gens, c'est qu'il est délié[1] et caché dans celles-ci, au lieu qu'il est visible et grossier dans les autres... Même lorsque nous nous résolvons à rendre quelque service à notre meilleur ami, il nous vient à la pensée que, dans une occasion que nous prévoyons, nous aurons affaire à lui[2]...

L'*amour-propre* a une étendue étonnante[3]. Les gens qui agissent par le mouvement d'une pitié purement humaine, ouvrant leur bourse... sauvant de prison un débiteur... se montrant secourables à un de leurs voisins... essayant de consoler un père ou une mère..., n'ont pitié que d'eux-mêmes; ils se servent, s'assistent eux-mêmes en la personne des autres, ils essuyent leurs larmes dans les yeux de leurs proches et de leurs amis. Voyant l'inconstance des choses humaines, ils prennent tous les soins qu'ils peuvent des malheureux, afin qu'on prenne les mêmes soins d'eux, s'ils viennent à manquer de bien... En pareil cas, la pitié n'est que la providence[4] de l'amour-propre.

C'est la crainte de ruiner ses nouvelles prétentions, ou mieux, c'est l'espérance de quelque bienfait plus considérable qui donne à l'obligé des sentiments de *reconnaissance* et l'incite à publier[5] la générosité de son bienfaiteur.

Non seulement l'homme ne fait cas et n'a soin des autres qu'à proportion de ce qu'ils contribuent à sa gloire ou à son plaisir, ou qu'ils peuvent le servir dans ses intérêts; mais encore, il est leur implacable ennemi dès qu'ils font mine de s'opposer à ce qu'il désire, et la violence de son *amour-*

---

1. Délicat, subtil; **2.** Nous aurons besoin de ses bons offices; **3.** Une zone d'influence déconcertante; **4.** Latinisme : prévoyance; **5.** Proclamer.

propre est si grande, qu'il est toujours disposé à les rendre misérables et à les détruire, s'il ne peut parvenir au comble de ses souhaits que par leur infortune et par leur destruction.

La *compassion naturelle* est un sentiment inquiet, inégal et intéressé... La charité seule rétablit le pouvoir de la raison dans l'homme; la pitié l'affaiblit[1]... La charité regarde Dieu dans le prochain, elle est sensible aux besoins de l'âme; la pitié n'est touchée que des disgrâces et des malheurs temporels[2].

L'état de toutes ces espèces d'*honnêtes femmes* (par ambition, par fierté, par timidité, par froideur de tempérament), dans l'honnêteté desquelles Dieu n'est pour rien, ne mérite-t-il pas d'être déploré? N'ont-elles pas sujet de craindre que, cette grande vertu dont elles se prévalent n'étant qu'une vaine parure, elles ne soient traitées, au jour du Jugement, comme les Vierges folles[3], que Jésus ne leur reproche que leurs lampes, c'est-à-dire leurs cœurs, n'ont point brûlé pour lui[4]?...

. . . .

Je veux prouver le misérable état où le *péché* réduit les hommes.

C'est à Dieu qu'il faut s'adresser pour obtenir les vertus pures et *vraies*, qui ne peuvent être tirées du fond gâté de notre nature.

Tous les hommes sont et ont toujours été *corrompus*... Nous nous persuaderons de la nécessité de recourir à Dieu, et à *sa grâce*, comme à la source *unique* de la vertu véritable...

C'est la *grâce* de Jésus-Christ qui *seule* délivrera l'homme de la concupiscence.

Seuls, les chrétiens aiment et cherchent la vérité d'une manière pure, sincère et vertueuse[5].

---

1. Schopenhauer est d'un avis différent; 2. De ce monde, par opposition à ce qui compte pour l'éternité; 3. Allusion à l'Évangile; 4. Et, suivant la même méthode, Jacques Esprit passe au crible toutes les vertus, morales ou sociales : sincérité, civilité, clémence, bonté, affabilité, générosité, humilité, fidélité, tempérance, modestie, pudeur, magnanimité, bravoure, mépris de la mort, patience, constance, etc. Finalement, il conseille de ne pas se laisser éblouir ni abuser par un excès de confiance en soi, de bien connaître le fond assez mauvais de son cœur, de ne pas se contenter de la morale naturelle des « *honnêtes gens* », ni de la « vertu imparfaite » des païens, et il critique, en passant, les prétendues « grandes âmes » des héros antiques. 5. Thèse exactement contraire à celle de La Mothe Le Vayer, de Naudé, de Saint-Évremond, et, plus tard, de Bayle. Pour le *fond*, ces maximes sont communes à Jacques Esprit et à Mme de Sablé; mais, de l'aveu de Sainte-Beuve, celle-ci pèche trop par le style, traînant et filandreux. D'où, notre option en faveur de J. Esprit qui, lui-même, manque un peu de vigueur et de trait, et demeure fort au-dessous de La Rochefoucauld.

Du Guet :

« Un *amour-propre* qui est habile et qui ne veut rien perdre, ne montre ni l'esprit, ni l'érudition, ni la piété, ni la douceur qu'à propos. Son dessein est que tous soient contents de lui, s'il est possible, soient ses admirateurs, et que, depuis les plus simples jusqu'aux plus habiles, tous soient frappés de ce qui leur est propre, et tous soient pris à quelqu'un des filets qui retentissent[1] au centre, où l'amour-propre s'est logé.

Ces personnes dont le naturel serait excellent, si elles en faisaient un saint usage, et si elles ne sacrifiaient pas à l'idole[2] de l'amour-propre des qualités admirables dont Dieu les a comblées, ignorent quelquefois jusqu'à la mort la séduction où elles ont vécu, et ce n'est qu'après que le voile qui leur cachait le fond de leur cœur est tiré, qu'elles connaissent quelle a été la fin de leur politesse, de leurs complaisances pour les autres, de leur douceur, de leurs manières engageantes, de leurs talents, de l'estime et de la considération qu'elles se sont acquises, de la confiance qu'on a eue en leurs conseils, du succès qu'elles ont eu dans leur conduite ; qu'elles ont reçu une vaine récompense de beaucoup de choses qui auraient dû leur en mériter une éternelle, et qu'elles ont converti en *toiles d'araignées*, incapables de les couvrir, des dons excellents, destinés à un usage éternel. »

Nicole :

« Ce qui fait naître et ce qui entretient dans l'homme cette idée présomptueuse, c'est que l'*amour-propre* le resserre et le renferme tellement en lui-même, que de toutes les choses du monde il ne s'applique qu'à celles qui ont rapport à lui et qui sont liées avec lui...

1. Dont les vibrations se répercutent ; **2.** Expression de F. Bacon. Cf. Malebranche : « Si les pécheurs ou les païens n'avaient nul amour pour l'ordre, ils seraient incorrigibles en toutes manières : si les justes n'avaient plus d'amour-propre, ils seraient impeccables. Car les actes forment et conservent les habitudes selon le principe que je viens d'expliquer. Or le pécheur n'a que de l'amour-propre, on le suppose. Il ne peut donc agir que par amour-propre. Toutes ses actions augmentent donc la corruption de son cœur. Le juste au contraire n'a de l'amour que pour l'ordre. Toutes ses actions augmentent donc sa vertu. Le pécheur est donc incorruptible, et le juste impeccable, dans la supposition que le pécheur ou le païen n'a que de l'amour-propre, et le juste que de l'amour pour l'ordre. Mais dans les plus grands pécheurs il y a toujours quelque disposition à aimer l'ordre ; et je ne pense pas qu'on puisse douter que les plus gens de bien ne conservent toujours quelque reste de l'amour-propre. » (*Traité de morale* P. I. c. 4).

L'amour des autres envers nous n'est pas seulement l'objet de notre vanité et la nourriture de notre amour-propre ; c'est aussi le lit de notre faiblesse[1]. Notre âme est si languissante et si faible, qu'elle ne saurait se soutenir, si elle n'est comme portée par l'approbation et l'amour des hommes[2]... C'est le fondement de la *civilité* humaine, qui n'est qu'une espèce de commerce d'amour-propre, dans lequel on tâche d'attirer l'amour des autres par des témoignages d'affection qui sont d'ordinaire faux et excessifs[3].

L'*amour-propre* ne nous fait aimer que ceux qui nous aiment et qui nous sont utiles ; il ne nous assujettit qu'à ceux qui sont plus puissants que nous ; et il nous porte, au contraire, à vouloir dominer sur tous les autres autant qu'il nous est possible. Mais la charité embrasse tous les hommes dans son amour et dans sa soumission. Elle les regarde tous comme les ouvrages du Dieu qu'elle adore, comme rachetés du sang de son Sauveur, comme appelés au Royaume où elle aspire. Elle possède donc en elle les vraies sources de la *civilité*[3]...

Si l'*orgueil* vient de l'idée que l'homme a de sa propre force et de sa propre excellence, il semble que le meilleur moyen de l'humilier soit de le convaincre de sa faiblesse... non afin de le réduire par là à l'abattement et au désespoir, mais afin de le porter à chercher en Dieu le soutien, l'appui, la grandeur qu'il ne peut trouver en son être[4]...

Que chacun contemple cette durée infinie[5] qui le précède et qui le suit... Qu'il porte la vue de son esprit dans cette immensité où son imagination ne saurait trouver de bornes... Qu'il considère ce qui lui est échu en partage, c'est-à-dire cette portion de matière qui fait son corps. Qu'il voie ce qu'elle remplit dans l'univers. Qu'il tâche de découvrir pourquoi elle est en ce lieu plutôt qu'en un autre de cet infini où il est comme abîmé[6].

---

1. L'image est expliquée par la phrase suivante, sur le support qui est nécessaire à notre âme « languissante » ; 2. Même indication, presque en des termes semblables : *De la faiblesse de l'homme* (I) : « Peut-être même que ce qui fait désirer aux hommes avec tant de passion l'approbation des autres, est qu'elle les affermit et les fortifie dans l'idée qu'ils ont de leur excellence propre ; car ce sentiment public les assure, et leurs approbateurs sont comme autant de témoins qui les persuadent qu'ils ne se trompent pas dans le jugement qu'ils font d'eux-mêmes » ; 3. Peut-être jugera-t-on que Nicole élargit un peu trop le sens du mot « civilité » : fraternité en Jésus ; 4. Tel est le dessein de Pascal (cf. Introduction de notre édition des *Pensées*, Coll. Larousse) ; 5. Frappante ressemblance avec le célèbre fragment de Pascal sur les *Deux infinis* (*Ibid.*, p. 20 et sq.) ; 6. Abîmé : plongé comme dans un abîme.

L'ESPRIT ET LE JUGEMENT

LE GOUT

MÉRÉ :

« C'est une mauvaise habitude, qui fait que l'on se trompe souvent, que d'être si prompt à juger[1] et principalement à désapprouver.

L'*esprit* consiste à comprendre les choses, à les savoir considérer à toutes sortes d'égards, à juger nettement de ce qu'elles sont et de leur valeur, à discerner ce que l'une a de commun avec l'autre et ce qui l'en distingue, et à prendre les bonnes voies pour découvrir les plus cachées.

C'est une faute contre la *justesse* de dire une chose non pas mal à propos, mais hors de saison, car l'un ne revient pas tout à fait à l'autre[2].

Pour ce qui est des *justesses*, j'en trouve de deux sortes, qui font toujours de bons effets. L'une consiste à voir les choses comme elles sont et sans les confondre : pour peu que l'on y manque en parlant, et même en agissant, cela se connaît; elle dépend de l'esprit et de l'intelligence. L'autre justesse paraît à juger de la bienséance, et à connaître en de certaines mesures jusqu'où l'on doit aller, et quand il se faut arrêter. Celle-ci, qui vient principalement du goût et du sentiment, me semble plus douteuse et plus difficile.

Le bon *goût* se fonde toujours sur des raisons très solides, mais le plus souvent sans raisonner[3].

La grande beauté commence à paraître dans la grande jeunesse, mais il arrive peu que le parfait *agrément* s'y fasse remarquer. On ne le voit jamais que dans un art consommé; et cet art ne se peut acquérir qu'en pratiquant les meilleures voies et par une longue habitude. »

NICOLE :

« Quelque vraies que soient les pensées de l'homme, il en est souvent séparé avec violence par le dérèglement naturel de son *imagination*[4]. Il est si peu maître de lui-même

---

1. Descartes recommande de « suspendre » son jugement, d'éviter cette précipitation qui conduit trop souvent à l'erreur; **2.** « Mal à propos », c'est une erreur intellectuelle; « hors de saison », c'est une faute contre les bienséances. (Cf. l'extrait suivant); **3.** Cf. Vauvenargues : « Il faut avoir de l'*âme* pour avoir du goût » (Introd. I, 12). Et aussi, la *Réflexion* de La Roche-foucauld sur le même sujet; **4.** Pour la critique de l'imagination, « maîtresse d'erreur et d'illusion », « folle du logis », Cf. Montaigne, Pascal et Malebranche.

qu'il ne saurait s'empêcher de jeter au moins la.vue sur ces vrais fantômes[1], en quittant[2] les objets les plus importants. »

LE P. BOUHOURS :

« *Le vrai bel esprit*[3], repartit Ariste, est inséparable du bon sens ; et c'est se méprendre que de le confondre avec je ne sais quelle vivacité qui n'a rien de solide. Ce jugement est comme le fond de la Beauté de l'Esprit : ou plutôt le bel esprit est de la nature de ces pierres précieuses qui n'ont pas moins de solidité que d'éclat. Il n'y a rien de plus beau qu'un diamant bien poli et bien net : il éclate de tous côtés et dans toutes les parties.

C'est un brillant qui a de la consistance et du corps. L'union, le mélange, l'assortiment de ce qu'il a d'éclatant et de solide, fait tout son agrément et tout son prix. Voilà le symbole du bel esprit, tel que je me l'imagine. Il a du solide et du brillant dans un égal degré : c'est à le bien définir, *le bon sens qui brille* : car il y a une espèce de bon sens sombre et morne qui n'est guère moins opposé à la beauté de l'esprit que le faux brillant. Le bon sens dont je parle est d'une espèce toute différente : il est gai, vif, plein de feu, comme celui qui paraît dans les *Essais* de Montaigne et dans le *Testament* de La Hoguette[4] ; il vient d'une intelligence droite et lumineuse, d'une imagination nette et agréable. »

QUALITÉS ET DÉFAUTS *(98)

L'ENVIE ET LA FLATTERIE

LA MOTHE LE VAYER :

« L'*Envie* a ceci de propre qu'elle multiplie les objets, soit du bien, soit du mal, et les rend incomparablement plus grands qu'ils ne sont. Ceux qui en sont prévenus ne jettent les yeux sur la moisson des autres que pour se plaindre qu'elle est infiniment plus abondante que celle de leur champ.

---

1. L'imagination a l'art de dérouler à nos yeux les plus étranges « fantasmagories » ; 2. Délaissant ; 3. Cette expression peut, en effet, avoir un sens flatteur ou un sens péjoratif. Cf. la *Réflexion* de La Rochefoucauld, sur les diverses sortes d'esprits ; 4. Allusion à un livre, qui fut souvent réédité au XVIIᵉ siècle : *le Testament, ou les conseils fidèles d'un bon père à ses fils*, par Fortin de La Hoguette (1578-1660?). C'était un recueil de préceptes judicieux, édifiants, présentés avec entrain et belle humeur.

Les grands sont le plus sujets de tous à cette agréable, quoique lâche trahison [*la flatterie*]... On les prend pour des moulins qui ne donnent de la farine qu'à proportion de ce qu'ils reçoivent de vent[1]. »

LA SUFFISANCE

LE P. BOUHOURS :

« J'entre tout à fait dans votre sentiment, repartit Ariste, et je vous avoue que je ne hais rien tant que certains esprits qui s'en font extrêmement accroire. Ils ont dans leur mine, dans leurs gestes, et jusque dans le ton de leur voix, un air de *fierté et de suffisance* qui fait juger qu'ils sont fort contents d'eux-mêmes. Ils font profession de n'estimer rien et de trouver à redire à tout[2]. Il ne se fait pas un ouvrage d'esprit qui ne leur fasse pitié. Mais en récompense[3], ils ne font rien[4] qu'ils n'admirent. Ils prennent quelquefois un ton d'oracle, et décident de tout souverainement dans les compagnies[5]. Pour leurs ouvrages, ils en font un grand mystère, ou par affectation, ou pour exciter davantage la curiosité de ceux qui ont envie de les voir, ou parce qu'ils jugent peu de personnes capables d'en connaître le juste prix : ce sont des trésors cachés qu'ils ne communiquent qu'à trois ou quatre de leurs admirateurs.

Il est d'une autre sorte d'esprit, continua Eugène, qui sont moins mystérieux, mais qui ne sont pas moins entêtés[6] de leur mérite. Ils n'ont pas plutôt fait une bagatelle, qu'ils en régalent tout le monde. Ils sont toujours prêts à réciter[7] leurs madrigaux et leurs odes; *pour s'attirer un peu de louange*[8], ils se louent sans façon et se donnent de l'encens les premiers[9]. »

L'AMBITION, LA PARESSE, LA MÉDISANCE, L'AVARICE

MADEMOISELLE DE SCUDÉRY :

« L'*ambition* fait aussi quelquefois naître l'*envie*, comme l'amour fait naître la jalousie; mais quoiqu'elles produisent souvent des effets qui se ressemblent, elles sont pourtant

1. Image amusante, bien dans la « manière » de Montaigne, le « maître » de La Mothe Le Vayer ; 2. Cf. La Bruyère : « Le plaisir de la critique ôte celui d'être touché des vraies beautés » ; 3. En revanche (latinisme) ; 4. Léger abus du verbe « faire » ; 5. La société ; 6. Prévenus en faveur de ; 7. Cf. jadis, à Rome, chez un Pline le Jeune, chez un Stace, les cérémonies des *récitationes* (lectures faites à des invités de choix) ; 8. Tel était le cas de beaucoup de familiers des « ruelles », dans la société précieuse (Benserade, Voiture, etc.) ; 9. On n'est jamais si bien servi que par soi-même.

fort dissemblables. En effet, dit Ériclée[1], c'est un excès
d'amour qui fait naître la jalousie, et l'envie naît de la malignité. Un jaloux peut cesser de l'être par la connaissance
qu'il aura de l'innocence de sa femme ou de sa maîtresse;
mais l'envieux ne peut cesser d'avoir de l'envie qu'en
voyant périr tous ceux qui font l'objet de cette lâche passion
dans son cœur... Il y a plus : l'envieux hait et ternit la
mémoire de ceux qu'il avait enviés pendant leur vie...

Un *paresseux* s'endort non seulement dans la simple oisi-
veté, mais dans les vices : il les connaît quelquefois, il en a
honte, mais la nonchalance l'empêche d'en sortir... Ne voyez-
vous pas qu'en tout l'univers rien de ce qui est vivant n'est
loué d'être oisif ? Les plus grands philosophes et les plus
grands poètes[2] se sont amusés à admirer et à décrire le travail
des abeilles et des fourmis, et ce paresseux animal, qu'on
appelle marmotte et qui dort six mois de l'année, n'a qu'un
petit mot, en passant, dans toute l'histoire des animaux...

Il peut y avoir une *critique* sage et savante des vices, des
sciences, des arts, de tous les ouvrages de l'esprit..., mais
il y faut pourtant beaucoup de *modération*. Il ne faut jamais
désigner personne, il n'y faut ni injures ni paroles dures,
et que ce soient plutôt des règles pour empêcher de faiblir,
que des observations montrant qu'on a fait des fautes...
Ne regardons pas le caractère ingénieux ou plaisant comme
une chose qui peut excuser la médisance, mais plutôt comme
un sucre qui cache le poison...

S'il y a une maison soit de la Cour, soit de la ville, qui
prétend passer pour ancienne, Flavie en fait à sa mode une
généalogie qui persuade que le nom en est illustre, mais
que ceux qui le portent n'en sont pas véritablement, et qu'ils
ne pourraient pas prouver ce qu'ils avancent. S'il y a eu quelqu'un, dans une race, qui ait fait quelque mauvaise action il
y a deux ou trois siècles, elle noircit le sang de tous les suc-
cesseurs de celui qui l'a faite, et elle va même chercher dans
les familles des maux et des vices qu'elle assure hardiment
être héréditaires... ★(99) Quant à la beauté des femmes, elle
ne la loue jamais, si ce n'est pour faire croire plus facilement
qu'elles ont donné de l'amour, qu'elles font galanterie[3]...

---

1. *Ériclée*, et, plus loin. *Flavie* : personnages de ces *Conversations* qui, sans doute, désignent
des membres de la société « précieuse »; 2. Par exemple, Aristote, Virgile; cf., de nos jours, le
livre exquis de Maeterlinck; 3. Commerce de leurs charmes. Pour le « ton » et les insinuations,
cf. certains « couplets » d'Arsinoé, dans le *Misanthrope* (scène avec Célimène).

L'*avare* n'aime que sa richesse; il est plus ingrat qu'un autre, plus soupçonneux, plus colère; le plaisir même qu'il prend à amasser est toujours accompagné de chagrin, parce que la crainte de perdre ce qu'il a acquis le trouble *(**100**), le rend insensible à tous les divertissements[1] des honnêtes gens.

Molière, qui a fait autrefois l'agréable comédie des *Fâcheux*, aurait pu l'appeler : *les Indiscrets*; car il n'y a pas un des Fâcheux[2] qu'il introduit qui ne soit un véritable indiscret. Cet homme du bel air[3] qui importune d'abord le marquis sur le théâtre en est un. Celui qui a fait un chant qu'il chante et rechante, et une danse nouvelle qu'il lui montre si plaisamment, en est un autre. Les curieux qui l'environnent, le joueur de piquet qui narre si exactement un coup qui l'a fait perdre et qui nomme toutes les cartes l'une après l'autre..., les dames galantes qui veulent être jugées sur une question d'amour[4], le chasseur qui à tout prix veut conter... une journée de chasse avec mille circonstances inutiles[5]; le sot savant[6] qui aborde le marquis, le donneur d'avis chimérique, de même!... »

DE LA GÉNÉROSITÉ *(**101**)

DESCARTES[7] :

Pour ce que l'une des principales parties de la sagesse est de savoir en quelle façon et pour quelle cause chacun se doit estimer ou mépriser, je tâcherai ici d'en dire mon opinion. Je ne remarque en nous qu'une seule chose qui nous puisse donner juste raison de nous estimer, à savoir l'usage de notre libre arbitre et l'empire que nous avons sur nos volontés; car il n'y a que les seules actions qui dépendent de ce libre arbitre pour lesquelles nous puissions avec raison être loués ou blâmés; et il nous rend en quelque façon semblables à Dieu, en nous faisant maîtres de nous-mêmes, pourvu que nous ne perdions point par lâcheté les droits qu'il nous donne.

Ainsi je crois que la vraie générosité, qui fait qu'un

---

1. Tout ce qui distrait légitimement (on comparera ce que Pascal pense des « divertissements»; et, à ce propos, les appréciations, nuancées de réserves, de Nicole : *Traité de la connaissance de soi-même*, I et III, et Lettre au marquis de Sévigné) ; **2.** Les Fâcheux avaient déjà été ridiculisés par Horace et par Mathurin Régnier; **3.** Cf. la *Réflexion* de La Rochefoucauld, sur l'air et les manières. Ici : d'allure avantageuse; **4.** Cf. les discussions des précieuses autour de la Carte du Tendre; l'exégèse de l'*Astrée*, etc.; **5.** Sorte de Tartarin; **6.** Cf. *le Pédant*, de Mathurin Régnier; **7.** M. Lanson (*Hommes et livres* et *Histoire de la littérature française*) a rapproché avec raison de cette psychologie de la générosité les bases morales de l'héroïsme cornélien.

homme s'estime au plus haut point qu'il se peut légitimement estimer, consiste seulement partie[1] en ce qu'il connaît qu'il n'y a rien qui véritablement lui appartienne que cette libre disposition de ses volontés[2], ni pourquoi il doive être loué ou blâmé, sinon parce qu'il en use bien ou mal; et partie en ce qu'il sent en soi-même une ferme et constante résolution d'en bien user, c'est-à-dire de ne manquer jamais de volonté pour entreprendre et exécuter toutes les choses qu'il jugera être les meilleures : ce qui est suivre parfaitement la vertu.

Ceux qui ont cette connaissance et sentiment d'eux-mêmes se persuadent facilement que chacun des autres hommes les peut aussi avoir de soi, pour ce qu'il n'y a rien en cela qui dépende d'autrui. C'est pourquoi ils ne méprisent jamais personne; et, bien qu'ils voient souvent que les autres commettent des fautes qui font paraître leur faiblesse, ils sont toutefois plus enclins à les excuser qu'à les blâmer, et à croire que c'est plutôt par manque de connaissance que par manque de bonne volonté qu'ils les commettent; et, comme ils ne pensent point être de beaucoup inférieurs à ceux qui ont plus de biens ou d'honneurs, ou même qui ont plus d'esprit, plus de savoir, plus de beauté, ou généralement qui les surpassent en quelques autres perfections, aussi ne s'estiment-ils point beaucoup au-dessus de ceux qu'ils surpassent, à cause que toutes ces choses leur semblent être fort peu considérables à comparaison de la bonne volonté pour laquelle seule ils s'estiment, et laquelle ils supposent aussi être, ou du moins pouvoir être, en chacun des autres hommes.

Ainsi les plus généreux ont coutume d'être les plus humbles; et l'*humilité vertueuse*[3] ne consiste qu'en ce que la réflexion que nous faisons sur l'infirmité de notre nature et sur les fautes que nous pouvons autrefois avoir commises ou sommes capables de commettre, — qui ne sont pas moindres que celles qui peuvent être commises par d'autres, — est cause que nous ne nous préférons à personne, et que nous pensons que les autres ayant leur libre arbitre aussi bien que nous, ils en peuvent aussi bien user.

---

1. *Partie..., partie :* d'une part, d'autre part; 2. « Je suis maître de moi comme de l'univers »; 3. A comparer avec ce qu'en disent La Rochefoucauld, La Bruyère, Bourdaloue, Nicole, etc.; Etudier la construction de cette phrase, très « latine », et qui nous paraît aujourd'hui alourdie de conjonctions et de pronoms relatifs. — Nonobstant l'avis de Mme de Sévigné, il est permis de priser davantage le style dégagé d'un Méré, ou d'un Saint-Evremond!

Ceux qui sont généreux en cette façon sont naturellement portés à faire de grandes choses, et toutefois à ne rien entreprendre dont ils ne se sentent capables; et pour ce qu'[1]ils n'estiment rien de plus grand que de faire du bien aux autres hommes, et de mépriser son propre intérêt, pour ce sujet[2] ils sont toujours parfaitement courtois, affables et officieux envers un chacun. Et avec cela ils sont entièrement maîtres de leurs passions, particulièrement des désirs, de la jalousie et de l'envie, à cause qu'il n'y a aucune chose dont l'acquisition ne dépende pas d'eux qu'ils pensent valoir assez pour mériter d'être beaucoup souhaitée; et de la haine envers les hommes, à cause qu'ils les estiment tous; et de la peur, à cause que la confiance qu'ils ont en leur vertu les assure; et enfin de la colère, à cause que, n'estimant que fort peu toutes les choses qui dépendent d'autrui, jamais ils ne donnent tant d'avantage à leurs ennemis que de reconnaître qu'ils en sont offensés.

Tous ceux qui conçoivent bonne opinion d'eux-mêmes pour quelque autre cause, quelle qu'elle puisse être, n'ont pas une vraie générosité, mais seulement un *orgueil*[3] qui est toujours fort vicieux, encore qu'il le soit d'autant plus que la cause pour laquelle on s'estime est plus injuste; et la plus injuste de toutes est lorsqu'on est orgueilleux sans aucun sujet, c'est-à-dire sans qu'on pense pour cela qu'il y ait en soi aucun mérite pour lequel on doive être prisé, mais seulement pour ce qu'on ne fait point d'état du mérite, et que, s'imaginant que la *gloire* n'est autre chose qu'une usurpation, l'on croit que ceux qui s'en attribuent le plus en ont le plus. Ce vice est si déraisonnable et si absurde que j'aurais de la peine à croire qu'il y eût des hommes qui s'y laissassent[4] aller, si jamais personne n'était loué injustement; mais la *flatterie* est si commune partout qu'il n'y a point d'homme si défectueux qu'il ne se voie souvent estimer pour des choses qui ne méritent aucune louange, ou

---

1. *Parce que...*; **2.** *Pour ce motif* (reprend *pour ce que*); **3.** Cf. Malebranche : « Celui qui donne son bien aux pauvres ou par vanité, ou par une compassion naturelle, n'est point libéral, parce que ce n'est point la raison qui le conduit, ni l'ordre qui le règle : ce n'est qu'orgueil, ou que disposition de machine. Les officiers, qui s'exposent volontairement aux dangers, ne sont point généreux, si c'est l'ambition qui les anime ; ni les soldats, si c'est l'abondance des esprits et la fermentation du sang. Cette prétendue noble ardeur n'est que vanité ou jeu de machine : il ne faut souvent qu'un peu de vin pour en produire beaucoup. Celui qui souffre les outrages qu'on lui fait, n'est souvent ni modéré ni patient. C'est sa paresse qui le rend immobile, et sa fierté ridicule et stoïcienne qui le console, et qui le met en idée au-dessus de ses ennemis. » (*Traité de morale* , I, II. et *Recherche de la vérité*, IV, II). Sur la libéralité, cf. Vauvenargues *(Réfl. div.)* ; **4.** Sorte d'attraction modale.

même qui méritent du blâme, ce qui donne occasion aux plus ignorants et aux plus stupides de tomber en cette espèce d'orgueil.

Mais quelle que puisse être la cause pour laquelle on s'estime, si elle est autre que la volonté qu'on sent de soi-même d'user toujours bien de son libre arbitre, de laquelle j'ai dit que vient la générosité, elle produit toujours un orgueil très blâmable, et qui est si différent de cette vraie générosité qu'il a des effets entièrement contraires. Car tous les autres biens, comme l'esprit, la beauté, les richesses, les honneurs, etc., ayant coutume d'être d'autant plus estimés qu'ils se trouvent en moins de personnes, et même étant pour la plupart de telle nature qu'ils ne peuvent être communiqués[1] à plusieurs, cela fait que les orgueilleux tâchent d'abaisser tous les autres hommes, et qu'étant esclaves de leurs désirs, ils ont l'âme incessamment agitée de haine, *d'envie, de jalousie ou de colère.* »

Traité des passions, 3e partie, art. 102-108.

« HONNÊTETÉ », CIVILITÉ, BIENSÉANCES.

MÉRÉ :

« Ce sont[2] d'ordinaire des esprits doux et des cœurs tendres ; des gens fiers et civils ; hardis et modestes, qui ne sont ni avares ni ambitieux…, qui n'ont guère pour but que d'apporter la joie partout, et dont le plus grand soin est de se faire aimer… Ce n'est donc pas un métier que d'être *honnête homme*[3]. C'est exceller en tout ce qui regarde les agréments et les bienséances de la vie…

Je ne comprends[4] rien sous le ciel au-dessus de l'*honnê-teté* : c'est la quintessence de toutes les vertus *(102)* ; et ceux qui ne l'ont point sont mal reçus parmi les personnes de bon goût… Il faut s'instruire, le plus qu'on peut, des choses de la vie… et je remarque en cela un génie qui ne vient pas moins du goût et du sentiment[5] que de l'esprit

---

1. Donnés en partage ; **2.** Les gens dignes du beau titre que s'applique à définir Méré ; **3.** Mêmes affirmations en d'autres passages : « La guerre est le plus beau métier du monde, il en faut demeurer d'accord ; mais, à le bien prendre, un honnête homme n'a point de métier. Quoiqu'il sache parfaitement une chose, et que même il soit obligé d'y passer sa vie, il me semble que sa manière d'agir ni son entretien ne le font point remarquer. » « C'est un malheur aux honnêtes gens d'être pris à leur mine pour des gens de métier, et quand on a cette disgrâce, il s'en faut défaire à quelque prix que ce soit » ; **4.** Conçois ; **5.** Cf. Le cœur (ou l'intuition) chez Pascal. Même idée chez Vauvenargues.

LE CHEVALIER DE MÉRÉ
(Estampe de la Bibliothèque nationale.)

et de l'intelligence. C'est ce génie qui pénètre ce qui se passe
de plus secret, qui découvre par un discernement juste et
subtil ce que pensent les personnes qu'on entretient[1]...

Quand on veut penser noblement, on ne doit avoir devant
les yeux que ce qui convient à l'*honnêteté* la plus accomplie;
et pour s'expliquer d'un air de grandeur et d'une manière
agréable, il ne faut employer que les expressions dont se
voudraient servir les personnes de la plus haute volée[2]...

On ne saurait être trop *intelligible*... Jamais il ne fut permis qu'aux oracles de s'expliquer par énigmes[3], et tout
ce qui se dit de meilleur, étourdit et fait de la peine[4], quand
on a longtemps à chercher pour en découvrir le sens...

La politique, la chicane, les affaires sont des *sujets
ennuyeux* pour les esprits bien faits. On ne saurait trop
éviter dans le discours de certaines choses, que les plus
délicats de la cour négligent, parce qu'elles ne sont pas à
leur gré.

L'empressement et le désir de *se produire* déplaisent aux
plus indulgents... Les bonnes choses qui se disent négli-
gemment attirent des personnes qui peut-être ne vien-
draient pas, si on leur demandait audience[5].

Ceux qui savent bien vivre ne disent point de ce qu'on
appelle des *brocards*[6] et des *quolibets*[7], ne font jamais de
raillerie piquante[8], ni grossière : on ne les voit rire que pour
plaire et pour donner de la joie...

Être *habile homme*, cela consiste surtout à trouver le
bonheur de la vie; et cela dépend assez de se faire aimer
des personnes qui vous sont chères. Rien n'y peut tant
contribuer que de paraître *honnête homme* en toute rencontre[9].

La *vraie honnêteté* est... *universelle* ★(**103**). Le changement
des lieux, la révolution du temps ni la différence des coutumes ne lui ôtent presque rien : c'est du bon or, qui vaut
toujours son prix.

La *dévotion*[10] rend l'honnêteté plus solide et plus digne
de confiance; l'honnêteté comble la dévotion de bon air et
d'agrément...

---

1. Cf. la « Rhétorique » de Pascal; 2. La plus haute condition; 3. Même expression chez le
P. Bouhours (cf. *supra*); 4. Ennuie; 5. Sollicite leur attention cérémonieusement; 6. Paroles
mordantes; 7. Mauvaises plaisanteries; 8. Blessante (cf. les *Réflexions* de La Rochefoucauld);
9. En toute circonstance; 10. Maxime assez piquante, sous la plume du sceptique et libertin
Méré, et que l'on croirait plutôt signée de Nicole! On sait que, pour Pascal, l'honnête homme
doit être complété par le chrétien. Cf. aussi, le chapitre des *Esprits forts* (La Bruyère).

Les entretiens des *Dames*[1], dont les grâces font penser aux bienséances, sont encore plus nécessaires pour s'achever dans l'honnêteté.

La plupart sont persuadés que c'est assez que de voir *la Cour*[2]... Si cela suffisait, qu'il serait aisé d'apprendre une si belle science, et qu'on l'aurait à bon marché! ★(**104**).

La principale cause[3] de la bienséance, c'est de faire d'un air agréable ★(**105**) ce qui nous est naturel...

Il faut exceller en tous les avantages du cœur et de l'esprit, d'une manière agissante[4] et commode, plutôt qu'en philosophe spéculatif ni farouche[5] : il sied bien d'être vertueux et de s'en cacher : cela se connaît assez, sans qu'on l'affecte!

On a besoin d'adresse et d'esprit pour être *civil* à propos[6] et de bonne grâce.

Pour toucher sensiblement les personnes qu'on entretient, il n'est pas si nécessaire de chercher d'excellentes choses que de leur dire de celles qui ont le plus de rapport à leur génie, à leur naturel, à leur inclination; nous voyons qu'en tout, la ressemblance et la conformité font naître la *sympathie* ★(**106**).

La *contrainte*[7] sied toujours mal, principalement dans les entretiens...

Une excellente *raillerie*[8], qui ne choque point; un air tendre qui s'insinue imperceptiblement; un je ne sais quoi de subtil et de relevé, qui vient d'un discernement fin et juste, vive lumière aux brillants éclairs; une manière noble, honnête et galante, qui se doit répandre sur tous les entretiens, tous ces beaux caractères, je serais d'avis de les tempérer, le plus qu'il se peut, les uns par les autres, quand le sujet le souffre, pour rencontrer cette aimable diversité qui enchante[9].

Si nos passions veulent nous détourner de ce que l'honnêteté nous ordonne, rebutons-les[10] sévèrement...

Je voudrais qu'un honnête homme fût plus doux et

---

1. Par exemple, ceux de Mme Saintot, l'amie de Voiture (cf. notes de l'édition Boudhors), sinon ceux de la belle Ninon de Lenclos, chère à tous les Pétrone de l'époque; **2.** Non!... car les « petits marquis » de Molière sont loin de correspondre à l'idéal rêvé! **3.** Ce qui manifeste le sens des bienséances; **4.** Dans une pratique aisée; **5.** *Sapere ad sobrietatem.* Nous sommes plus près d'Horace et de Montaigne que du « philosophe scythe »; **6.** Expression déjà employée, en ce qui concerne « la justesse »; **7.** La rigueur tyrannique qui supprime liberté et aisance; **8.** Car « la moquerie est la marque d'un petit esprit et d'une méchante inclination; à moins que ce ne soit une moquerie d'agrément,... sans rien d'injuste »; **9.** Excellent résumé de l'idéal cher à Méré; **10.** Refoulons-les.

caressant qu'âpre et sévère... Je remarque que les gens si concertés[1] qui jamais ne se relâchent de leurs maximes, quoiqu'elles soient pleines d'honneur, sont souvent tournés en ridicule. »

NICOLE :

« On doit se rendre exact aux[2] devoirs de *civilité* que les hommes ont établis : et les motifs en sont non seulement très justes, mais ils sont même fondés sur la loi de Dieu. On le doit faire pour éviter de donner l'idée qu'on a du mépris ou de l'indifférence pour ceux à qui on ne les rendrait pas; pour entretenir la société humaine, à laquelle il est juste que chacun contribue, puisque chacun en retire des avantages très considérables; et enfin, pour éviter les reproches de ceux à l'égard de qui on y manquerait... »

ABBÉ DE VILLARS[3] :

« Ce critique s'est imaginé qu'un honnête homme qui a du savoir est obligé de faire voir qu'il est universel[4], et que, lorsqu'il a cité sur un sujet toute sorte d'auteurs, il doit pousser à bout[5] celui à qui il parle. N'est-ce pas, au contraire, le véritable caractère du bel esprit de n'avoir jamais plus d'esprit que celui à qui on parle, et de n'en avoir jamais moins aussi[6] ? »

LA CONVERSATION — L'ÉLOQUENCE

LA MOTHE LE VAYER :

La principale règle que vous devez garder, en toute sorte de compagnies, c'est de parler peu et de vous tenir même dans le silence en celles où vous serez le plus jeune, si vous n'êtes contraint parfois d'en user autrement par les lois de la civilité.

---

1. Solennellement apprêtés; 2. Remplir exactement les; 3. Auteur du traité : *De la délicatesse* (1671, Paris, Barbin). A la page 35, il y juge en termes élogieux les *Entretiens* du Père Bouhours, qu'il analyse même d'assez près. Le cinquième dialogue offre une critique serrée de la méthode apologétique de Pascal et de son « argument du pari ». Après avoir continué la lutte contre Port-Royal et Pascal dans plusieurs opuscules, ce personnage étrange, qui avait scandalisé ses contemporains par son fameux livre : le *Comte de Gabalis*, où il traitait d'occultisme, de magie, périt tragiquement (1673); 4. Cf. plus haut, l'avis de Méré; 5. Dans ses derniers retranchements; 6. Non plus (on trouve en pareil cas « aussi » chez Pascal et chez Bossuet). — Doser et adapter, voilà donc le grand art !

LE P. BOUHOURS :

On a beau lire les bons livres[1], et voir le grand monde; on ne fait rien, si la nature ne s'en mêle. Pour bien profiter de la lecture et de la conversation, il faut avoir du naturel[2] pour la langue, beaucoup d'esprit, beaucoup de jugement et même beaucoup d'honnêteté : je prends ce mot dans un sens qu'on lui a donné depuis peu[3], et j'entends par honnêteté une certaine *politesse naturelle* qui fait que les honnêtes gens ne gardent pas moins de bienséances dans ce qu'ils disent, que dans ce qu'ils font. Ceux qui ont ces avantages n'ont pas besoin autant que les autres d'une longue étude[4] pour avoir une connaissance parfaite de notre langue; leur génie leur tient lieu de tout. Ils n'ont qu'à le suivre pour bien parler. Il se voit à la cour plusieurs personnes de ce caractère, qui sans avoir jamais beaucoup étudié la langue, parlent comme les maîtres, et peut-être mieux que les maîtres, avec le seul secours de la nature. Ils gardent[5] exactement toutes les règles de l'art...

Il y en a qui, sans avoir presque étudié que le monde, ont tout ce qu'il faut pour réussir dans la conversation.

Le caractère de ces esprits-là est de parler bien, de parler facilement et de donner un tour plaisant à tout ce qu'ils disent. Ils font dans les rencontres[6] des reparties fort ingénieuses; ils ont toujours quelque question subtile à proposer, et quelque joli conte à faire pour animer la conversation ou pour la réveiller, quand elle commence à languir. Pour peu qu'on les excite, ils disent mille choses surprenantes; ils savent surtout l'art de badiner avec esprit[7], et de railler finement dans les conversations enjouées; mais ils ne laissent pas de se bien tirer des conversations sérieuses; ils raisonnent juste sur toutes les matières qu'ils se proposent, et parlent toujours de[8] bon sens...

---

1. Cf. Méré : « Pour la plupart des gens, être savant, c'est avoir beaucoup de lecture. Et je vois qu'on n'a besoin que de peu de génie pour rapporter ce qu'on a lu. » La mémoire et l'application, en effet, y suffisent; **2.** Latin *ingenium* : dispositions; **3.** Cf. les extraits de Méré sur ce sujet; **4.** Cf. Méré (*Œuvres*, I, 64) : « Il y a deux sortes d'étude, l'une qui ne cherche que l'art et les règles, l'autre qui n'y songe point du tout, et qui n'a pour but que de rencontrer par instinct et sans réflexion, ce qui doit plaire en tous les sujets particuliers. S'il fallait se déclarer pour l'une des deux, ce serait à mon sens pour la dernière, et c'est surtout par ce que l'on fait par expérience ou par sentiment qu'on se connaît à ce qui sied le mieux. Mais l'autre n'est pas à négliger, pourvu qu'on se souvienne toujours que ce qui réussit vaut mieux que les règles ». Même idée chez Molière (*Critique de l'Ecole des Femmes*); **5.** Observent; **6.** Occasions où l'on échange des idées; **7.** Cf. « l'élégant badinage » dont Boileau fait honneur à Marot. Même exigence de la part de Mˡˡᵉ de Scudéry : une diversité souple et gaie; **9.** Avec.

Le R.P. Dominique
Bouhours Iesuite ne a Paris
est decedé le 27. de May 1702. agé de 75
ans.

Grave par Desrochers et se vend chez luy a Paris rue S.t Jacques au Marmou.

Cet Ecrivain que l'on admire
Possedoit le talent de polir un discours,
Et la France doit a Bouhours,
Le Sublime et grand art de penser et d'ecrire.

Phot. Larousse.

LE PÈRE BOUHOURS
Gravure d'Étienne Desrochers.

Pour l'*esprit de conversation*, comme c'est un esprit naturel, ennemi du travail et de la contrainte, il n'y a rien de plus opposé à l'étude et aux affaires : aussi nous voyons que ceux qui ont ce talent sont pour l'ordinaire des gens oisifs, dont le principal emploi est de rendre et de recevoir des visites. De sorte qu'à examiner les choses à fond, il semble que ces divers esprits soient incompatibles, et qu'ils demandent même des dispositions naturelles tout à fait contraires...

Quoi qu'il semble, dit alors Ariste, que le bel esprit soit différent selon les différents caractères que vous venez de marquer, il est cependant le même partout; car il est né à[1] toutes choses et a en soi de quoi réussir en tout ce qu'il veut entreprendre. La diversité qui paraît dans les esprits, vient moins du fond des esprits que des matières où ils s'exercent. Les grands hommes qui excellent en de certaines choses, parce qu'ils s'y sont appliqués dans leur jeunesse, auraient peut-être réussi également dans les autres[2], s'ils y avaient apporté autant de soin et d'application. Le hasard qui se mêle de la conduite des hommes, et qui a souvent la meilleur part à la profession qu'ils embrassent[3], fait pour l'ordinaire cette différence que nous voyons parmi les esprits.

...On a beau être bien fait, spirituel, enjoué, si le « je ne sais quoi[4] » manque, toutes ces belles qualités sont comme mortes... Ce sont des hameçons sans amorce et sans appât, des flèches et des traits sans pointe.

Quand les dames veulent paraître comme à l'envi[5] dans une grande assemblée, vous savez qu'elles s'ajustent pour plaire plutôt que pour éblouir... Je trouve que l'*éloquence* qui pense bien et qui s'exprime mal est à peu près comme une belle femme mal ajustée ou dans un habit négligé, et que celle qui se fait peu considérer du côté de l'esprit, mais qui se sert du langage adroitement, représente une femme médiocrement belle[6], mais qu'on

---

1. Latinisme : né avec des aptitudes pour; **2.** Cf. la richesse et l'étendue du génie, chez un Léonard de Vinci, chez un Pascal; **3.** Déclaration assez curieuse, sous la plume du *Père* Bouhours! **4.** L'auteur consacre tout un essai aux diverses manifestations de cet impondérable qu'est « le je ne sais quoi ». ; **5.** Comme piquées par une sorte d'émulation; **6.** A ce point de vue, Méré se fait une conception inspirée à la fois du *De oratore*, de Cicéron — qu'il apprécie et utilise, dans un esprit très libre —, des œuvres de Balzac, qu'il admire fort (trop, au gré des partisans de Voiture) sans *toujours* se rendre compte que cette prose « nombreuse » et grave s'alourdit parfois d'emphase et d'ornements superflus, enfin, des constatations que lui-même a pu faire autour de lui, dans le monde. Quoiqu'il ignore le grec, il aboutit, selon toute, selon la tendance de sa propre nature, à une sorte d'atticisme dégagé, et, le plus souvent sans surcharge d'images, sinon sans « traits » : style bien digne d'un homme qui alliait en lui le psychologue, le censeur et le « dandy » (cf. Notes et Appendices de l'édition Boudhors).

trouve toujours parée[1]; et ce grand soin ne fait pas qu'on en soit charmé!

Les *plus honnêtes femmes du monde*, quand elles sont un grand nombre ensemble et qu'il n'y a point d'homme, ne disent presque jamais rien qui vaille, et s'ennuient plus que si elles étaient seules... Au contraire, il y a je ne sais quoi... qui fait qu'un honnête homme réjouit et divertit plus une compagnie de dames que la plus aimable femme de la terre ne saurait faire[2].

DE L'AMITIÉ[3]

Saint-Évremond :

J'ai toujours admiré la morale d'Épicure[4] et je n'estime rien tant, de sa morale, que la préférence qu'il donne à l'amitié sur toutes les autres vertus[5]. En effet, la justice n'est qu'une vertu établie pour maintenir la société humaine. C'est l'ouvrage des hommes; l'amitié est l'ouvrage de la nature; l'amitié fait toute la douceur de notre vie, quand la justice, avec toutes ses rigueurs, a bien de la peine à faire notre sûreté. Si la prudence nous fait éviter quelques maux, l'amitié les soulage tous; si la prudence nous fait acquérir des biens, c'est l'amitié qui en fait goûter la jouissance. Avez-vous besoin de conseils fidèles, qui peut vous les donner qu'[6] un ami? A qui confier vos secrets, à qui ouvrir votre cœur, à qui découvrir votre âme, qu'à un ami? Et quelle gêne serait-ce d'être tout resserré en soi-même[7], de n'avoir que soi pour confident de ses affaires et de ses plaisirs? Les plaisirs ne sont plus plaisirs dès qu'ils ne sont pas communiqués. *Sans la confiance d'un ami, la félicité du ciel serait ennuyeuse.* J'ai observé que les dévots les plus

---

1. Ailleurs, il parle — toujours à propos de certaine éloquence — de « fausses parures » (*Œuvres posthumes*, p. 136) et de « fausses beautés » (*Œuvres*, II, 2). L'expression se retrouve chez Pascal. Cf. aussi « les Reines de village » (*Rhétorique*), image empruntée à Balzac, *Socrate chrétien* (*Discours*, VII); 2. Plus haut, il a déclaré cependant que la fréquentation des dames achevait de polir « l'honnête homme ». Au fond, échange de bons offices!...; Il ne faut pas oublier les « précurseurs » de Méré, Baldassare Castiglione (auteur du *Cortegiano*, souvent traduit en français), Chapelain (*Œuvres posthumes*, discours IV et note 1), Nicolas Faret (*l'Honnête homme*, 1630; éd. critique, en 1925, par M. Magendie, dont on lira aussi la pénétrante thèse). Il eut sous les yeux un exemplaire « vivant » de cet honnête homme, type d'ailleurs assez composite, puisqu'il devait apporter bien des retouches, bien des additions suggérées par l'expérience : M. de Saint-Surin. Cf. Boudhors, *Œuvres de Méré*, Belles-lettres, t. I, p. XXXIX et sq.; XL et sq.); 3. Cf. Fénelon (*Lettres spirituelles*) et Amiel (*Journal intime*); 4. Cf. aussi, Descoutures (*la Morale d'Épicure*, 1685), et Batteux (*idem*, 1758); 5. Comme dans toutes les morales antiques — y compris celle d'Aristote — elle y occupe, en effet, une place éminente. Montaigne s'en est souvenu; 6. Si ce n'est; 7. Replié sur soi-même.

détachés du monde, que les dévots les plus attachés à Dieu,
aiment en Dieu les dévots, pour se faire des objets visibles
de leur amitié. Une des grandes douceurs qu'on trouve à
aimer Dieu, c'est de pouvoir aimer ceux qui l'aiment.

Je me suis étonné, autrefois, de voir tant de confidents
et de confidentes sur notre théâtre : mais j'ai trouvé, à la
fin, que l'usage en avait été introduit fort à propos; car
une passion dont on ne fait aucune confidence à personne,
produit plus souvent une contrainte fâcheuse pour l'esprit
qu'une volupté agréable pour les sens ★(**107**). On ne rend
pas un commerce amoureux public sans honte; on ne le
tient pas fort secret sans gêne. Avec un confident, la conduite
est plus sûre, les inquiétudes se rendent plus légères, les
plaisirs redoublent, toutes les peines diminuent. Les poètes,
qui connaissent bien la contrainte que nous donne une passion cachée, nous en font parler aux vents, aux ruisseaux,
aux arbres, croyant qu'il vaut mieux dire ce qu'on sent aux
choses inanimées ★(**108**) que de le tenir trop secret, et se
faire un second tourment de son silence.

Comme je n'ai aucun mérite éclatant à faire valoir, je
pense qu'il me sera permis d'en dire un, qui ne fait pas la
vanité ordinaire des hommes : c'est de m'être attiré, pleinement, la confiance de mes amis; et l'homme le plus secret
que j'aie connu en ma vie, n'a été plus caché avec les autres,
que pour s'ouvrir davantage avec moi. Il ne m'a rien celé,
tant que nous avons été ensemble; et peut-être qu'il eût
bien voulu me pouvoir dire toutes choses lorsque nous avons
été séparés. Le souvenir d'une confidence si chère m'est
bien doux; la pensée de l'état où il se trouve m'est plus
douloureuse[1]. Je me suis accoutumé à mes malheurs, je ne
m'accoutumerai jamais aux siens, et puisque je ne puis
donner que de la douleur à son infortune, je ne passerai
aucun jour sans m'affliger; je n'en passerai aucun sans me
plaindre.

Dans ces confidences si entières, on ne doit avoir aucune
dissimulation. On traite mieux un ennemi qu'on hait ouver-
tement, qu'un ami à qui on se cache, avec qui on dissimule.
Peut-être que notre ennemi recevra[2] plus de mal par notre
haine; mais un ami recevra plus d'injure par notre feinte.

---

1. Il fait sans doute allusion à Fouquet, dont la disgrâce entraîna la sienne. (Cf. sur Fouquet
le livre excellent de Marcel Boulenger). Sa fameuse lettre à Créqui fut, hélas! découverte dans
les papiers du surintendant; **2.** Subira, éprouvera. *Par :* par suite de.

Dissimuler, feindre, déguiser sont des défauts qu'on ne permet pas dans la vie civile ; à plus forte raison ne seront-ils pas soufferts[1] dans les amitiés particulières.

LE P. BOUHOURS :

Mais quand on a un *ami* intime qui est fort secret, dit Ariste, ne doit-on pas lui découvrir ce qu'on cèle aux autres ? Oui, sans doute, répliqua Eugène, il ne lui faut rien cacher ; et c'est le plus doux plaisir de la vie d'avoir un autre soi-même, dans le sein duquel on puisse verser, pour ainsi dire, les plus secrètes pensées. Je dis *un autre soi-même*, car un suffit : et quoi qu'on ait plusieurs amis, on ne doit point avoir plusieurs confidents dans les choses de la dernière conséquence. Le secret d'un honnête homme doit être comme le cœur d'une honnête femme pour un seul ; ce que trois personnes savent est public, ou ne tarde guère à le devenir ★(109). Dès qu'une chose a passé par plus d'une bouche, elle se répand à peu près comme l'eau des cascades qui va de bassin en bassin : ou plutôt les secrets font comme des fontaines conduites sous terre, qui coulent dans les rues dès qu'elles commencent à se produire[2].

MADEMOISELLE DE SCUDÉRY :

Le plus sensible plaisir est dans le choix d'un ami de distinction, en qui on puisse avoir la dernière confiance, de qui on puisse recevoir des conseils et à qui on puisse en donner, à qui on puisse montrer son cœur à découvert et confier tous ses secrets, même ses propres faiblesses, en un mot, *un autre soi-même*[3].

DE LA RETRAITE

SAINT-ÉVREMOND :

A la vérité, ce qui déplaît dans les vieilles gens n'est pas le grand soin qu'ils prennent de leur conservation. On leur pardonnerait tout ce qui les regarde, s'ils[4] avaient

---

1. Tolérés ; 2. Latinisme : se montrer au dehors (même emploi chez Méré) ; 3. On a relevé la même expression, plus haut, chez le Père Bouhours. Les deux écrivains, semblent s'inspirer tous deux du célèbre chapitre de Montaigne ; 4. Aujourd'hui, pour l'accord en genre : *elles*. Seuls, d'après la règle, adjectifs ou participes placés *après* « gens » se mettent au masculin. Mais beaucoup de classiques — comme Pascal et Bossuet — n'éprouvent aucun scrupule à employer « ils », comme dans ce passage de Saint-Évremond.

la même considération pour autrui; mais l'autorité qu'ils se donnent est pleine d'injustice et d'indiscrétion : car ils choquent, mal à propos, les inclinations de ceux qui compatissent le plus à leur faiblesse. Il semble que le long usage de la vie leur ait désappris à vivre parmi les hommes : n'ayant que de la rudesse, de l'austérité, de l'opposition[1] pour ceux dont ils exigent de la douceur, de la docilité, de l'obéissance. Tout ce qu'ils font leur paraît vertu : ils mettent au rang des vices tout ce qu'ils ne sauraient faire; et, contraints de suivre la nature en ce qu'elle a de fâcheux, ils veulent qu'on s'oppose à ce qu'elle a de doux et d'agréable.

Il n'y a point de temps où l'on doive étudier son humeur avec plus de soin que dans la vieillesse; car il n'y en a point où elle soit si difficilement reconnue. Un jeune homme impétueux a cent retours[2] où il se déplaît de sa violence; mais les vieilles gens s'attachent à leur humeur comme à la vertu, et se plaisent en leurs défauts, par la fausse ressemblance qu'ils ont à des qualités louables. En effet, à mesure qu'ils se rendent plus difficiles, ils pensent devenir plus délicats. Ils prennent de l'aversion pour les plaisirs, croyant s'animer justement contre les vices. Le sérieux leur paraît du jugement, le flegme[3] de la sagesse; et de là vient cette autorité importune qu'ils se donnent de censurer tout, le chagrin[4] leur tenant lieu d'indignation contre le mal, et la gravité de suffisance[5].

Le seul remède, quand nous en sommes venus là, c'est de consulter notre raison, dans les intervalles où elle est dégagée de notre humeur, et de prendre la résolution de dérober nos défauts à la vue des hommes. La sagesse alors est de les cacher : ce serait un soin superflu que de travailler à s'en défaire. C'est donc là qu'il faut mettre un temps entre la vie et la mort et choisir un lieu propre à le passer dévotement, si on peut, sagement du moins[6]; ou avec une dévotion qui donne de la confiance, ou avec une raison qui promette du repos. Quand la raison qui était propre pour le monde est usée, il s'en forme une autre pour la retraite, qui, de ridicules que nous devenions dans le commerce des hommes, nous fait rendre véritablement sages pour nous-mêmes ★(**110**).

1. Hostilité; **2.** Repentirs; **3.** Froide impassibilité; **4.** Humeur acariâtre; **5.** Capacités suffisantes (sens vieilli. Cf. Montesquieu : « La plupart des citoyens qui ont assez de *suffisance* pour élire n'en ont pas assez pour être élus. »; **6.** Même alternative dans la *Réflexion* de La Rochefoucauld *Sur la vieillesse* cf. maximes; 93, 109, 112, 210, 222, 341, 408, 423, 430, 461.

JUGEMENTS SUR LA ROCHEFOUCAULD

XVIIᵉ SIÈCLE

Je crus bien tout le jour vous pouvoir renvoyer vos *Maximes*, mais il me fut impossible d'en trouver le temps. Je voulais vous écrire et m'étendre sur leur sujet. Je ne puis que vous dire mon sentiment en détail : tout ce qui me paraît en général, c'est qu'il y a en cet ouvrage beaucoup d'esprit, peu de bonté et force vérités que j'aurais ignorées toute ma vie, si l'on ne m'en avait fait apercevoir. Je ne suis pas encore parvenue à cette habileté d'esprit où l'on ne connaît dans le monde ni honneur, ni bonté, ni probité. Je croyais qu'il y en pouvait avoir. Cependant, après la lecture de cet écrit, l'on demeure persuadé qu'il n'y a ni vertu ni vice à rien et que l'on fait nécessairement toutes les actions de la vie. S'il en est ainsi que nous ne nous puissions empêcher de faire tout ce que nous décrions, nous sommes excusables, et vous jugez de là combien ces *Maximes* sont dangereuses... Je les entends toutes comme si je les avais faites, quoique bien des gens y trouvent de l'obscurité en certains endroits. Il y en a qui me charment comme : « L'esprit est toujours la dupe du cœur... » Il y en a une qui me paraît bien véritable : c'est celle qui dit que « la félicité est dans le goût et non dans les choses... » Et celle-ci : que chacun se fait un extérieur et une mine... Le monde est en mascarade et mieux déguisé qu'à celle du Louvre, car l'on n'y reconnaît personne... Voici de ces phrases nouvelles : « La nature fait le mérite et la fortune le met en œuvre. » Ces modes de parler me plaisent, parce que cela distingue bien un honnête homme qui écrit pour son plaisir... d'avec les gens qui en font un métier. Mais je ne sais si cela réussira imprimé, comme en manuscrit. Si j'étais du conseil de l'auteur, je ne mettrais point au jour ces mystères qui ôtent à tout jamais la confiance qu'on pourrait prendre en lui...

Mᵐᵉ de Schomberg,
Lettre à Mᵐᵉ *de Sablé* (vers 1664).

Faites, je vous prie, mes compliments à M. de La Rochefoucauld, et dites-lui que le livre de Job et le livre des *Maximes* sont mes seules lectures.

Mᵐᵉ de Maintenon,
Lettre à Mˡˡᵉ *de Lenclos* (mars 1666, après la 1ʳᵉ éd.).

... On voit bien où j'en veux venir.
Je parle à tous; et cette erreur extrême
Est un mal que chacun se plaît d'entretenir.
Notre âme, c'est cet homme amoureux de lui-même :

Tant de miroirs, ce sont les sottises d'autrui,
Miroirs, de nos défauts les peintres légitimes :
Et quant au canal, c'est celui
Que chacun sait : le livre des *Maximes*.

La Fontaine,
l'Homme et son image (dédié à La Rochefoucauld),
Fables, I, XI (1668).

L'autre (les *Maximes*), qui est la production d'un esprit instruit par le commerce du monde, et dont la délicatesse était égale à la pénétration, observant que l'amour-propre est dans l'homme la cause de tous ses faibles, l'attaque sans relâche, quelque part où il le trouve; et cette unique pensée, comme multipliée en mille autres, a toujours, par le choix des mots et la variété de l'expression, la grâce de la nouveauté...

... Ce ne sont point des maximes que j'ai voulu écrire; elles sont comme des lois dans la morale, et j'avoue que je n'ai ni assez d'autorité, ni assez de génie pour faire le législateur...

La Bruyère,
Discours sur Théophraste et *Préface* (1688).

XVIIIᵉ SIÈCLE

Est-il contre la raison ou la justice de s'aimer soi-même? Et pourquoi voulons-nous que l'amour-propre soit toujours un vice?... S'il y a un amour de nous-même naturellement officieux et compatissant, et un autre amour-propre sans humanité, sans équité, sans bornes, sans raison, faut-il les confondre?... On suppose que ceux qui servent la vertu par réflexion la trahiraient pour le vice utile. Oui, si le vice pouvait être tel aux yeux d'un esprit raisonnable... Si l'illustre auteur des *Maximes* eût été tel qu'il a tâché de peindre tous les hommes, mériterait-il nos hommages et le culte idolâtre de ses prosélytes?...

... Le duc de La Rochefoucauld était philosophe et n'était pas peintre.

Vauvenargues,
Réflexions et Maximes (1746).

Un des ouvrages qui contribuèrent le plus à former le goût de la nation et à lui donner un esprit de justesse et de précision, fut le petit recueil des *Maximes* de François, duc de La Rochefoucauld. Quoiqu'il n'y ait presque qu'une vérité dans ce livre, qui est que l'amour-propre est le mobile de tout, cependant cette pensée se présente sous tant d'aspects variés qu'elle est presque toujours piquante. C'est moins un livre que des matériaux pour orner un livre. On le lit avidement; il accoutuma à penser et à renfermer ses pensées dans un tour vif, précis et délicat. C'était un mérite que personne n'avait avant lui en Europe, depuis la renaissance des lettres.

Voltaire,
Siècle de Louis XIV (XXXII) [1751].

Si vous lisez le matin quelques maximes de La Rochefoucauld, considérez-les, examinez-les bien, et comparez-les avec les originaux que vous trouverez le soir.

Lord Chesterfield (1694-1773),
Lettre à son fils.

M. de La Rochefoucauld est peut-être un peu suspect; il est comme ces médecins qui, dans toutes les maladies, voient celle qu'ils ont le plus particulièrement étudiée; mais enfin, il a des traits de lumière qui pénètrent jusqu'au fond du cœur, et je lui dois en partie de me connaître.

Sénac de Meilhan (1736-1803),
cité par Sainte-Beuve, *Lundis* (x, p. 104).

XIXᵉ SIÈCLE

Je compte que votre écrit sur La Rochefoucauld sera terminé... Allez, allez : cet homme a tout vu dans le cœur de l'homme. On y a peut-être fait jouer d'autres ressorts autrefois, il y a bien longtemps; mais les peuples modernes seront plus longtemps encore comme il les a peints. C'est un vilain tableau d'un vilain modèle, mais il y a de la vérité.

Pariset,
Lettre à Fauriel (1803).

La Rochefoucauld ne fut jamais de Port-Royal, malgré ses relations : il est trop foncièrement philosophe et tient trop bien son explication.

Les *Maximes* de La Rochefoucauld ne contredisent en rien le christianisme : elles s'en passent. Otez de la morale janséniste la *rédemption*, et vous avez La Rochefoucauld tout pur. S'il paraît oublier dans l'homme le roi exilé que Pascal relève, et les restes brisés du diadème, qu'est-ce donc que cet insatiable orgueil qu'il dénonce, et qui, de ruse ou de force, se sent l'unique souverain? Mais il se borne à en sourire. Et ce n'est pas tout d'être mortifiant, dit M. Vinet, il faut être utile. Le malheur de La Rochefoucauld est de croire que les hommes ne se corrigent pas.

Sainte-Beuve,
Port-Royal, v, p. 68 et *Portraits de femmes.*

Aucune idée religieuse ne le guide. Il formule impartialement les lois des faits qu'il a observés... Il nous donne le testament moral et littéraire de la société précieuse. A l'ordinaire, la pensée est solide, exacte : la finesse est dans le discernement et dans la notation des nuances, dans l'appropriation exquise du mot à l'objet, dans la vaste compréhension des brèves formules, qui mettent l'esprit en branle, et l'obligent à parcourir un long cercle d'idées inexprimées...

A cette date de 1665, contemporaine des *Satires*, antérieure de deux ans à *Andromaque*, de cinq aux *Pensées*, les *Maximes* sont un événement considérable, et par leur fond, et par leur forme. Toutes mondaines d'origine, elles manifestent le pur génie du monde et sa naturelle direction. De la littérature dont on l'amuse, le monde a extrait deux formes qui n'existaient pas isolément, a constitué pour son divertissement deux genres qu'il a rendus ensuite à la littérature : les *Maximes* et les *Portraits*. Or que sont ces genres essentiellement ? Ils servent à décrire et à définir. Nulle part mieux que dans la création de ces deux genres, l'esprit mondain du XVIIe siècle n'a marqué son identité intime avec le rationalisme scientifique.

G. Lanson,
Histoire de la littérature française (1894).

XXe SIÈCLE

Un moraliste, **La Rochefoucauld** ? Nullement. C'est un romancier, le premier en date de nos romanciers. Tout lui vient de l'imagination, de la brusque perception qu'il a d'un sentiment humain par la capture d'un regard ou d'un mot. Chacune de ses maximes est une intrigue découverte. Au lieu de développer l'histoire, il la réduit, lui donne une articulation, l'incline selon son humeur. Cette humeur est sombre. C'est peut-être qu'il souffre d'avoir à se resserrer ainsi et qu'il y a du raté dans l'écrivain, qui s'ajoute au mécompte du courtisan. C'est aussi que, dans le monde, là où il vit, on ne pénètre un peu profondément les êtres que par les défaillances et les ruptures.

Jacques de Lacretelle.

De son livre où tant de critiques n'ont voulu voir que sécheresse, amertume, négation, se dégage au contraire une haute et forte morale. Il disait un jour au chevalier de Méré : « la parfaite honnêteté que je mets au-dessus de tout... ». Voilà en effet le dernier mot de ses *Maximes*. Elles sont, à qui va plus loin que les apparences, un manuel pour la formation de l'honnête homme, une sorte de réplique française au *Discreto* de Balthazar Gracian.

A. Adam,
Histoire de la littérature française au XVIIe siècle
(tome IV, 1954).

QUESTIONS

1. Étudiez, à propos du « vague des passions » (*René*, de Chateaubriand), le rapport profond qui existe entre la vivacité de l'imagination et l'irrésolution de la volonté.

2. Distinguez la mélancolie de La Rochefoucauld et celle des romantiques.

3. Recherchez ce que La Bruyère pense de la « fausse modestie ».

4. La Rochefoucauld, sur ses vieux jours, n'a-t-il pas souvent éprouvé pareille satisfaction avec Mᵐᵉ de La Fayette ? (Cf. Sainte-Beuve, *Portraits de femmes*, pp. 261 et sq.)

5. Illustrez cette déclaration de quelques faits, empruntés à la biographie de l'auteur.

6. Est-il exact que La Rochefoucauld ait ignoré l'ambition ?

7. Rappelez certaines circonstances où La Rochefoucauld a manifesté un fidèle attachement à ses amitiés, dussent ses propres intérêts en souffrir.

8. Montrez pourquoi La Rochefoudauld, sans être exempt d'un certain tour d'esprit romanesque, et tout en demeurant un fervent admirateur de l'*Astrée*, ne pouvait se complaire aux fadaises de la galanterie mondaine.

9. Recherchez, dans les *Maximes*, ce qu'il pense des grandes passions et des âmes de forte trempe.

10. Comparez ces réflexions avec le célèbre « fragment » de Pascal et avec les pages consacrées à l'amour-propre par les autres moralistes du XVIIᵉ siècle.

11. A propos de ce passage et de la maxime 3, caractérisez l'heureux emploi des *images* — toujours sobres et expressives — dans les *Maximes*. Montrez avec quelle sûreté et quelle souplesse l'auteur décrit les obscures démarches de ce Protée insaisissable qui anime du dedans tous nos actes.

12. Sur la tendance à « persévérer dans son être », rappelez les doctrines des stoïciens, de Telesio et de Spinoza.

13. Au début des *Entretiens d'Ariste et d'Eugène*, le P. Bouhours développe d'ingénieuses comparaisons entre la mer et les passions du monde. On recherchera des images analogues dans les oraisons funèbres de Bossuet. (Cf. aussi la Cinquième Réflexion de La Rochefoucauld).

14. Est-ce encore le cas aujourd'hui, avec tous les progrès et toutes les conquêtes du féminisme ?

15. N'est-ce point là une idée familière à plusieurs « philosophes » du XVIIIᵉ siècle — comme d'Holbach et Helvétius — qui, par exemple, veulent envisager exclusivement les résultats *pratiques* et *sociaux* de la bienfaisance ?

16. Définissez : 1º la compétence ; 2º la clairvoyance.

17. La « lutte pour la vie » (Darwin) implique-t-elle les mêmes ruses que le jeu ?

18. N'y a-t-il point ici une condamnation de certain machiavélisme ? La Rochefoucauld, dans ses relations avec Mazarin, n'avait-il
pas fait l'expérience de ces dangereuses « finesses » ?

19. La *Fortune* : *a)* chez Alexandre d'Aphrodisias ; *b)* chez
Machiavel ; *c)* chez Bossuet. (Cf. notre *Pensée italienne*, IV, et notre
édition des *Oraisons funèbres*.)

20. Dégagez le pessimisme amer de ce passage. Cf. aussi :
Réflexion sur la retraite.

21. Vauvenargues est-il aussi sévère pour la jeunesse ? Pourquoi
cette différence d'attitude ? (Cf. aussi Aristote, *Rhétorique*, II, 12 ;
et Bossuet, *Panégyrique de saint Bernard*.)

22. N'est-ce point le cas de certains « parvenus » ou « nouveaux
riches » ? Cf. dans La Bruyère (pp. 159, 187 et 233, *op. cit.*) et le
portrait de Giton.

23. En ajoutant à ces maximes les « réflexions sur les diverses
sortes d'esprits », dégagez les ressemblances et les différences entre
les idées de La Rochefoucauld et celles de Boileau, doctrinaire de
l'école de 1660, sur la Raison, le Jugement, le Goût, etc.

24. On a cru relever une contradiction entre cette maxime et
celle qui porte le numéro 258 : « Le bon goût vient plus du jugement
que de l'esprit. » Quel est votre avis ? Quel complément Vauvenargues ajouterait-il ?

25. Pourquoi ? Est-ce seulement parce que les sots lui servent de
« plastron » et de « repoussoir » ?

26. « L'esprit qu'on veut avoir gâte celui qu'on a. » Voltaire a-t-il
toujours eu autant de *jugement* que d'esprit ? Notre tort, en France,
n'est-il pas, trop souvent, de « faire de l'esprit » sur les grands
sujets, sur les problèmes les plus graves ?

27. N'y a-t-il pas, dans le domaine moral, et même dans l'univers matériel, des forces cachées que nous ne « voyons » pas, qui
échappent à nos sens et à nos mesures, mais auxquelles nous sommes
cependant obligés de « croire », parce que nous en constatons les
effets ?

28. La tendance au « moindre effort », dans la vie intellectuelle.
Comment y obvier ?

29. Citez des exemples d'orateurs qui ont dû leurs plus éclatants
triomphes à l'exploitation du pathétique, ou qui se sont mon-
trés plus soucieux de « persuader » ou « d'émouvoir » que de
« convaincre ». L'orateur idéal n'est-il pas celui qui, tout en par-
courant avec aisance le riche clavier du sentiment, est capable
d'ordonner, selon une dialectique serrée, de solides raisons ? A ce
point de vue, comparez Bossuet et Bourdaloue, mais sans exagérer
les oppositions.

30. Est-ce le cas de Tartuffe ? (Cf. l'Onuphre, de La Bruyère.)

31. Est-ce le cas de Pénélope, dans *l'Odyssée* ? « L'absent » n'est-il
point « poétisé » par l'éloignement ? Quelle est, à ce sujet, la conception qui domine *le Messager* d'Henry Bernstein ?

32. A rapprocher de la fin du portrait de La Rochefoucauld par lui-même.

33. A comparer avec le jugement de Pascal sur le stoïcisme, vu à travers Épictète (*Entretien avec M. de Saci*) et avec l'appréciation que porte La Bruyère sur l'éthique de la même école.

34. Cette affirmation ne vous semble-t-elle pas bien absolue, bien tranchante ? Est-ce l'orgueil qui, en pareil occurrence, inspire les parents, les directeurs de conscience, les éducateurs dignes de ce nom ?

35. Citez des éloges dont on use volontiers dans la vie courante, et qui sont cependant lourds de réserves et même de mépris.

36. Est-ce là — comme on l'a prétendu au XVIIIe siècle — l'attitude morale de Pauline à l'égard de Polyeucte ?

37. Si nous étions à la fois plus modestes et plus sincères, ne devrions-nous pas, au contraire, apprécier beaucoup les qualités ou les dons *complémentaires* des nôtres ? Par exemple, l'idéal, réalisé par certains maîtres (cf. notre édition des *Pensées* de Pascal), ne serait-il pas de concilier, autant que possible, l'esprit de finesse et l'esprit géométrique ? Pourquoi le bon sens serait-il hostile à tout enthousiasme ? Pourquoi, en pédagogie, la « méthode » ne chercherait-elle pas à reproduire l'entraînante souplesse de la vie ? Pourquoi le plus haut lyrisme ne se traduirait-il pas, comme chez un Gœthe ou chez un Moréas, dans une forme aux lignes pures ?

38. Aujourd'hui encore, trop de gens, par orgueil ou naïveté, n'aiment-ils pas à se vanter de hautes relations (par exemple, dans le monde politique), au risque de subir ensuite les éclaboussures de certaines compromissions ?

— Sur l'ensemble, comparer Rivarol *(De l'homme intellectuel et moral).*

39. Rappelez l'histoire de Séjan, favori de Tibère.

40. Bien distinguer l'envie, basse et venimeuse, de la généreuse et féconde émulation (cf. La Bruyère, pp. 120, 317-318). Cureau de La Chambre range l'émulation parmi les passions « mixtes ». Pourquoi ?

41. En certains cas, la jalousie n'est-elle pas une conséquence du « monoïdéisme », un état passionnel causé par une « image » permanente et qui nous torture ?

42. Étudiez, dans le théâtre de Racine, les caractères d'Hermione et d'Ériphile.

43. Est-ce, par exemple, le cas d'*Othello*, dans le drame de Shakespeare ?

44. Que pense Vauvenargues de l'amour de la gloire ? Les poètes, les artistes, les humanistes de la Renaissance n'avaient-ils point déjà contribué à exalter ce sentiment ? Cf. Ronsard (éd. Maury).

45. Quelle est, au contraire, la doctrine que l'on a résumée en cette formule : « La fin justifie les moyens » ?

46. A ce propos, qu'a fait Bossuet dans l'*Oraison funèbre de Condé* ? Quels reproches certains contemporains lui ont-ils adressés ? (Cf. notre édition des *Oraisons funèbres*, op. II, coll. Larousse).

47. Le sentiment de la « dignité personnelle » chez les héros de Corneille.

48. Est-ce le cas de Tartuffe ? (Cf. aussi le sermon de Bourdaloue, 1670.)

49. Est-ce l'avis de Guillaume Du Vair, dans le *Traité de la Constance* ?

50. Est-ce ainsi que la considère Aristote (*Ethic. ad Eud.*, v; *Ethic. ad Nic.*, III, § 1, mag. mor. c. 26) ?

51. Est-ce le cas d'Auguste, dans le *Cinna* de Corneille ? Consultez aussi le *De clementia*, de Sénèque.

52. Ailleurs (m. 358), La Rochefoucauld déclare que « l'humilité est la véritable preuve des vertus chrétiennes; sans elle, nous conservons tous nos défauts, et ils sont seulement couverts par l'orgueil, qui les cache aux autres et souvent à nous-mêmes. » Rechercher dans les autres extraits des moralistes du XVIIᵉ siècle, qui sont des chrétiens convaincus, des affirmations identiques, mais plus nettement accusées et plus volontiers développées.

53. On consultera à ce sujet un des plus curieux « traités » de La Mothe Le Vayer, dont beaucoup d'idées ont été ultérieurement reprises par Bayle (cf. notre *Pensée italienne et courant libertin*, pp. 54-60; 673-689).

54. Comparer le *Sermon sur la mort*, de Bossuet (cf. notre édition). Cf. aussi ceux de Massillon et de Bourdaloue sur le même sujet; Diderot (Lettre du 23 septembre 1762), et Guyau (l'*Irréligion de l'avenir*).

55. « Philosopher, c'est apprendre à mourir », disait Montaigne, répétant les conseils des sages de l'antiquité. Racontez les derniers moments de l'auteur des *Essais* et ceux de La Rochefoucauld (cf. Sainte-Beuve, à propos de Mᵐᵉ de La Fayette, P. F.).

56. En ce qui concerne le suicide, et la position des philosophes et des religions en face de ce « problème », cherchez des renseignements dans la savante et vigoureuse thèse de M. Albert Bayet.

57. « Opiniâtre » a-t-il ici même sens que dans la maxime 265 ?

58. Pourrait-on appliquer cette maxime, d'une part à Célimène, d'autre part à Alceste ?

59. Comparez la maxime 487. Si nous nous reconnaissons volontiers ce défaut, la raison n'en est-elle pas qu'en bien des cas, la paresse — état passif, imposé par un tempérament indolent — ne représente pas une attitude agressive ou nuisible à l'égard du prochain ?... Et pourtant ce défaut n'a-t-il pas, malgré les apparences immédiates, des conséquences souvent très fâcheuses non seulement pour nous-mêmes, mais encore pour la société ?

60. Comparez les célèbres vers d'Ovide : « *Donec eris felix, multos numerabis amicos... Tempora si fuerint nubila, solus eris.* »

61. Rapprochez de ces maximes sur l'amitié des passages empruntés aux autres moralistes (2ᵉ partie de l'opuscule).

62. *a)* Sur les rapports de l'estime raisonnée et de l'amour, quelle est la théorie de Descartes *(Traité des passions)* ? Ne la retrouvons-nous pas chez les personnages de Corneille ? *b)* la *seconde* partie de la maxime ne s'explique-t-elle point par ce fait qu'une trop grande admiration, sur le plan moral ou intellectuel, nous transporte tellement au-dessus de nous-mêmes qu'elle laisse assez loin derrière elle les élans d'une affection quelque peu banale ? Est-il nécessaire de découvrir là, avec La Rochefoucauld, l'influence d'une secrète envie ? — Quant à l'amour instinctif et purement physique, qui ne dépasse point le niveau de l'animalité, il peut, contrairement à ce que dit La Rochefoucauld, exister sans l'estime (on en cherchera quelques exemples dans le roman et dans le théâtre modernes).

63. L'histoire de l'amitié de Montaigne et de La Boétie n'est-elle pas la meilleure réfutation de cette maxime ?

— Sur l'ensemble, marquer la *distinction* entre l'amitié et la *sympathie* (cf. Descartes, *Lettre à la princesse Elisabeth ;* A. Comte, *Philosophie positive,* IV).

64. A comparer avec les vues de Stendhal sur l'amour.

65. A illustrer d'exemples tirés du théâtre de Marivaux.

66. Cherchez, dans le théâtre de Shakespeare et dans celui de Racine, des exemples à l'appui de cette maxime.

67. A rapprocher : la délicate pièce de Denys Amiel, *l'Image.*

68. Montrez que, dans *le Joueur* de Regnard (cf. notre édition), Valère est pardonné aussi longtemps qu'il est aimé. Seule, une grave indélicatesse lui aliène le cœur de sa fiancée.

69. Illustrez ces deux maximes par des citations et des exemples empruntés aux œuvres — lyriques ou dramatiques — d'Alfred de Musset.

70. Est-ce exact, en ce qui concerne La Rochefoucauld ? N'a-t-il pas d'abord mené de front l'ambition et l'amour ? N'a-t-il pas achevé son orageuse carrière dans la calme oasis d'une tendre liaison avec Mᵐᵉ de La Fayette ?

71. Du moins, d'une certaine façon, jusqu'à un certain degré et jusqu'à un certain âge ! (Cf. *Don Juan.*)

72. Rapprocher les maximes 220 et 346 de plusieurs « pensées » de la section III (sur « l'humeur »).

73. Recherchez dans le *De oratore* ce qu'en pense Cicéron.

74. Comparez, à propos de la véritable éloquence, les idées de La Rochefoucauld avec celles de Fénelon *(Dialogues sur l'Eloquence)* de Vauvenargues (Introd. I) et avec la pratique de Bossuet dans ses sermons.

75. A rapprocher : La Bruyère, chapitre *des Ouvrages de l'esprit* (p. 61), et le vers fameux de Boileau qui caractérise à merveille certain genre de faconde oratoire : « Un déluge de mots sur un désert d'idées. »

76. N'était-ce point là ce que faisait Racine ? Cf. aussi La Bruyère (p. 144).

77. A comparer avec les extraits de Pascal, de La Bruyère (pp. 38, 76, 79, 95 et 130), et de Chamfort (cf. Sujets de devoirs).

78. A comparer : La Bruyère (pp. 425 et 287) : « Les bienséances mettent la perfection, et la raison met les bienséances... *mais* les hommes changent... les bienséances. »

79. La Bruyère leur reproche leur ton « décisif » (p. 228). Dans la maxime 495, La Rochefoucauld ajoute que, chez eux, « un air capable et composé se tourne d'ordinaire en impertinence ». Connaissez-vous, dans les comédies de Molière, des « petits marquis » auxquels conviendraient fort ce jugement ?

80. A comparer — pour le *fond* et pour l'*accent* — les pages des moralistes « chrétiens », comme Nicole, Malebranche, etc.

81. Cf. Tartuffe : « Laurent, serrez ma haire avec ma discipline. »

82. A comparer : « Charron, *Connais-toi toi-même* » (d'après la maxime socratique), de *la Sagesse* (I, 1), Pascal, pensées 166 et 72, et Vauvenargues, à propos des dons de psychologie nécessaires aux hommes d'État, aux diplomates.

83. A comparer Maine de Biran, sur l'Ennui (*Pensées*, 1817).

84. A comparer — en dehors de la comédie de Molière — l'avarice, d'après Massillon *(Discours synodaux)* et les deux sortes d'avarice, d'après Bossuet (*Méditations sur l'Evangile*, XXXVe journée). Cf. aussi Vauvenargues (Introd., II, 29).

85. A commenter à l'aide du chapitre de La Bruyère sur les *Biens de fortune*. (Cf. aussi Pascal : les trois ordres de grandeur.)

86. Qu'est-ce que Pascal entend par « l'esprit de finesse » ? Section I de notre édit. coll. Larousse.

87. Citez quelques exemples d'esprits *analytiques* et d'esprits *synthétiques*.

88. Citez des locutions assez courantes dont le *sens* varie avec le *ton*.

89. Avantages et dangers de la « spécialisation ».

90. A rapprocher des *Femmes savantes* de Molière. (Cf. aussi Mme Necker de Saussure, *Etudes de la vie des femmes*, I, IV.)

91. A rapprocher de Diderot, commentant la formule d'Aristote *(Essai sur le mérite et la vertu)*. Pascal, en revanche, estimait que « nous sommes plaisants de nous reposer dans la société de nos semblables, misérables et impuissants comme nous... » (Pensée 211).

92. A rapprocher de Malebranche (*Traité de morale*, 2e partie, XII).

93. A rapprocher : La Bruyère (p. 110).

94. « L'ennui naquit un jour de l'uniformité. » A commenter à l'aide de la Réflexion suivante et du chapitre de La Bruyère, sur *la Société et la conversation*.

95. A rapprocher — en dehors de Montaigne *(De l'art de conférer)*, de La Bruyère *(loc. cit.)*, de Méré et des autres moralistes figurant dans ce recueil, — Vauvenargues *(Essai sur quelques caractères)*, Amiel *(Journal intime)*, Taine *(l'Ancien régime*, III).

96. A rapprocher : La Bruyère (pp. 122-129). Et aussi les portraits d'Hermagoras, d'Acis; l'impertinent et le diseur de riens; le grand parleur de Théophraste; la 72ᵉ lettre persane de Montesquieu; le poème de l'abbé Delille, sur *la Conversation*. Cf. aussi Saint-Évremond (2ᵉ partie de cet opuscule).

97. A comparer — pour l'*inspiration* et pour le *ton* — avec *le Songe d'un habitant du Mogol* (de La Fontaine). Expliquer les raisons des *différences*, en caractérisant brièvement « la sagesse » du fabuliste.

98. A comparer : Pascal (pensées 100 et 101).

99. Esquissez, à la façon de La Bruyère, le portrait de ce qu'on appelle vulgairement « une mauvaise langue ».

100. A comparer avec Harpagon.

101. A illustrer de quelques exemples « cornéliens ».

102. « Vous ne songez pas, écrit Méré dans une lettre souvent citée, qu'il est bien rare de trouver un honnête homme. J'ai un ami qui ferait ce voyage des Indes pour en voir un seulement. Peut-être qu'il est trop difficile, mais il m'assure toujours que ce n'est qu'une pure idée, et qu'on n'en voit que l'ombre et l'apparence. Quoi qu'il en soit, plus on approche de cette idée, plus on a de mérite, et les meilleurs esprits des siècles passés demeurent d'accord que c'est en cela principalement que la félicité consiste, et je crois qu'ils jugent bien. Car il est impossible d'avoir cette honnêteté sans la connaître, ni de la connaître sans l'aimer éperdument, et c'est ce qui fait qu'on est heureux de la posséder. » Le « type » de l'honnête homme ne peut-il donc être qu'un *idéal* vers lequel on tend, sans être assuré de le réaliser pleinement ?

103. A comparer : Pascal *(Pensées*, coll. classiques Larousse, pp. 18 et 19).

104. A comparer : La Bruyère (chapitre *De la cour)*.

105. A comparer : Pascal *(ibid.*, p. 17) et *Discours sur les passions de l'amour*.

106. A comparer : Pascal (la Rhétorique, *Ibid.*, pp. 15 et sq.).

107. Les « confidents » et les confidentes du théâtre classique n'ont-ils pas d'autre raison d'être ?

108. Citez quelques exemples « romantiques » (pièces lyriques, monologues de théâtre, etc.).

109. Citez, à l'appui de notre remarque, quelques *fables* célèbres.

110. A comparer avec la série d'articles sur l'*art de vieillir*, publiés par M. Louis Bertrand dans la *Revue des Deux Mondes* (1933-1934).

SUJETS DE DEVOIRS

Lettres et narrations :

— Imaginez que Vauvenargues écrit à l'un de ses amis pour réfuter, dans ses principes fondamentaux, la doctrine de La Roche-foucauld. Pauvre, toujours souffrant, malheureux dans toutes ses entreprises, il conserve la sérénité de son âme, l'équité de son jugement. Il proclame que « le bien où nous nous plaisons ne change pas de nature, ne cesse pas d'être le bien », que l'homme est capable de bonté et de désintéressement. A « l'amour-propre » il oppose cet amour de soi qui sait se répandre au dehors, se réfléchir sur les autres êtres, et qui implique cette générosité exaltée par Des-cartes et par Corneille. Il « remercie la nature d'avoir fait des vertus indépendantes du bonheur ». (Cf. *Vauvenargues*, éd. Gilbert, t. II, p. 75 et sq., où il réplique aux maximes 3, 4, 7, 14, 17, 18, 20, 24, 26, 35, 41, 44, 46, 63, 67, 68, 74, 77, 86, 92, 114, 138, 203, 228, 244, 251, 268, de La Rochefoucauld. Pour les *Réflexions et Maximes*, de Vauvenargues, on se reportera à notre édition inté-grale, avec notes et variantes [Paris, Croville-Morant].)

— Supposez que Condé écrit à l'un de ses amis pour lui donner son impression sur les *Maximes* qui viennent de paraître. (Bien observer la *date ;* se rappeler que Condé était très lié avec l'auteur.)

— Même lettre, mais signée de La Fontaine.

— Dépeignez une « conversation » dans le salon de Mᵐᵉ de Sablé, en vous inspirant de Sainte-Beuve (*Lundis*, XI et *Portraits de femmes*), et en choisissant un thème familier à ce milieu précieux, mais influencé par le jansénisme.

— Imaginez qu'au cours d'une visite à son château de Verteuil, La Rochefoucauld est amené à discuter les bases de sa doctrine avec un prêtre de campagne, ancien disciple de saint Vincent de Paul.

Dissertations :

— Discutez ce jugement de Sainte-Beuve :

« Le moraliste, chez La Rochefoucauld, est sévère, grand, simple, concis... Il appartient au pur Louis XIV. »

Comparez avec les maximes sur l'*honnêteté* (chez La Roche-foucauld et chez les autres moralistes du XVIIᵉ siècle), les pensées 35, 36, 68 de Pascal; puis, ces lignes de Chamfort :

« L'honnête homme détrompé de toutes les illusions est l'homme par excellence. Pour peu qu'il ait d'esprit, sa société est très aimable. Il ne saurait être pédant, ne mettant d'importance à rien; il est indulgent, parce qu'il se souvient qu'il a eu des illusions comme ceux qui en sont encore occupés. C'est un effet de son insouciance d'être sûr dans le commerce, de ne se permettre ni redites, ni tracasseries. Si on se les permet à son égard, il les oublie ou les dédaigne. Il doit être plus gai qu'un autre, parce qu'il est constamment en état d'épigramme contre son prochain; il est dans le vrai, et rit des faux pas de ceux qui marchent à tâtons dans le faux : c'est un homme qui d'un endroit éclairé voit dans une chambre obscure les gestes ridicules de ceux qui s'y promènent au hasard : il brise en riant les faux poids et les fausses mesures qu'on applique aux hommes et aux choses.

— Ressemblances et différences entre La Rochefoucauld et Pascal, entre La Rochefoucauld et La Bruyère : *a)* au point de vue du *caractère; b)* au point de vue de la *doctrine.*

— La Bruyère déclare lui-même *(Discours sur Théophraste)* qu'il est « moins sublime que Pascal, moins délicat que La Rochefoucauld, et qu'il tend seulement à rendre l'homme raisonnable par des voies simples et communes ». Quel est votre avis ? (Cf. Nisard, *Histoire de la littérature française,* III, xii.)

— Le reflet : 1° de la Fronde; 2° de la société précieuse dans les *Maximes* (à ce propos, consulter aussi les *Mémoires* du duc et, si possible, ceux de ses contemporains).

———————

TABLE DES MATIÈRES

DATE DUE

Imp. Larousse, 1 à 9, rue d'Arcueil, Montrouge (Seine).
Octobre 1934. — 1935-1er. — No 2327. — No de série Editeur 2279.
IMPRIMÉ EN FRANCE (Printed in France). — 34 401-G-1-63.

d'une sensibilité pathétique, la reconnaissance à l'art de se ménager des appuis pour l'avenir. Dans l'histoire, et autour de nous, combien de fois l'altruisme, le dévouement à d'admirables œuvres d'assistance, d'éducation, de relèvement et de progrès social, ont-ils foulé aux pieds cet égoïsme instinctif, même sans être stimulés par l'espérance d'une béatitude supraterrestre !

Au surplus, pourquoi prétendre toujours saisir un rapport de cause à effet où il n'y a souvent qu'une coïncidence non nécessaire ? Si la gratitude a chance de nous attirer de nouveaux bienfaits, est-il démontré que ce sentiment naisse toujours chez nous d'une préoccupation aussi diplomatique ? Enfin, pourquoi feindre d'oublier qu'en dehors de l'amour-propre, il faut, très fréquemment, chercher l'origine de nos actes dans l'hérédité, dans l'habitude, dans la suggestion, dans l'imitation, dans le goût du changement, etc., etc. Bref, quoiqu'il y ait introduit de légères atténuations, comme pour réserver des exceptions à une « règle » trop brutale, La Rochefoucauld n'a donné du problème moral qu'une solution étrangement *simpliste*[1], mais qui, précisément pour cette raison, a produit grand effet, comme tout arrêt tranchant et lapidaire[2]. Le principal bénéfice à retirer de son livre, c'est le conseil de pratiquer, chacun pour son propre compte, cet examen de conscience quotidien, lucide et sans complaisance, qui, dissipant les sophismes de l'orgueil et de l'hypocrisie, enseignera la sincérité avec soi-même[3] et cette modestie intelligente, cette sûre perception des limites et des faiblesses individuelles, qui est le point de départ de tout perfectionnement intérieur.

Les sources et la portée de la doctrine. — Sur ce point, les avis — comme on le verra dans les *Jugements* — sont très partagés. Nombre d'auteurs de manuels résolvent avec aisance la question en attribuant le pessimisme assez sombre de La Rochefoucauld à l'influence du milieu *janséniste*[4]. Reconnaissons qu'il y a des ressemblances assez frappantes entre certaines maximes du moraliste et certaines pensées de Pascal[5]. Mais : 1º dans ce siècle très chrétien, beaucoup de ces remarques sur la corruption de la nature humaine étaient presque des lieux-communs traditionnels ; 2º la première édition de l'ouvrage de La Rochefoucauld est postérieure de deux ans à la mort de Pascal ; si celui-ci a pu entendre parler des travaux préparatoires auxquels servait de cadre le salon de Mᵐᵉ de Sablé[6], il n'a exercé aucune action sur la genèse du livre, où se retrouve,

1. Cf. Huet (*Huetiana*, p. 251) ; **2.** Cf. ce que pense Grimm de la « vérité » du genre « maximes » (*Correspondance*, 1ᵉʳ juillet 1755) ; **3.** Cf. Ode de Mᵐᵉ Des Houlières ; Ode de La Motte sur l'amour-propre, avec réponse en vers de M. de Saint-Aulaire (*Mémoires de Trévoux*, avril et juin 1769). Suard, *Mélanges de littérature* (1803-1805) ; **4.** Brunetière, par exemple, serait assez de cet avis (*Études critiques*, IV, 159-160 ; *Manuel*, p. 166 et sq.) ; **5.** L. R. 45 et P. 106 ; L. R. 504 et P. 169 ; L. R. 10, 11, 182, et P. 359 ; L. R. 207, 209, 210, 231 et P. 414 ; L. R. 42 et P. 439 ; L. R. 563 et P. 100 ; L. R. 128, 136, 490 et P. *Discours sur les passions de l'amour*, 3ᵉ partie ; L. R. 264 et 463, et P. 452 ; L. R. *Réflexions* (XVI) et P. 3ᵉ partie du Discours déjà cité ; **6.** En qui Arnauld et La Rochefoucauld avaient « grande confiance ».

en revanche, comme dans les *Pensées*, parues en 1670, le reflet de certaines pages de Montaigne; 3° tel ou tel port-royaliste[1], s'arrêtant à des analogies extérieures, approuvant la sévérité du psychologue, a pu sincèrement croire à de profondes affinités entre les doctrines d'Arnauld et celles de La Rochefoucauld qui, du reste, à plusieurs reprises, a ultérieurement essayé d'abriter ses conclusions sous l'autorité des Pères de l'Église. « Les *Maximes* ne s'appliquent, dit-il, qu'à l'état de nature ou de péché, et non aux âmes soutenues par la grâce divine[2]. » Tentative d'interprétation encore plus hardie que celle de La Bruyère s'ingéniant à subordonner le plan — un peu flottant — de ses *Caractères* au dernier chapitre sur les « Esprits forts »!

Car, en fait, La Rochefoucauld — sans, d'ailleurs, se montrer le moins du monde agressif à l'égard de la Foi — fait table rase de la religion dans ce qu'on pourrait appeler son « système ». Et ce n'est vraiment pas de sa faute si le succès des *Maximes* — qui semblaient donner une base rationnelle aux dogmes de la chute et de la grâce — a peut-être incité le Petit Comité à publier, en 1670, les fragments hérités de Pascal!... Une seule fois, il fait allusion à la Providence, en une longue phrase[3] qui n'est guère de son style, et qu'il s'est hâté de supprimer... Si le jansénisme pousse Pascal apologiste à préconiser une incessante lutte contre l'amour-propre, forme générale de cette concupiscence qui vicie notre nature, source d'illusion et de mensonge à l'égard de nous-mêmes et à l'égard d'autrui, expression de cette misère morale que le Rédempteur seul est capable de guérir, La Rochefoucauld, se rappelant son expérience de mondain et de frondeur, se borne à noter, avec une froide impassibilité de clinicien, sans songer à nous convertir à une éthique supérieure, les souples métamorphoses de ce Protée que l'on devine dans la pénombre de notre conscience. Veut-on saisir sur le vif le rayonnement du jansénisme? Qu'on feuillette les écrits de Mme de Sablé, de Jacques Esprit[4], de Nicole[5]. Mais — phénomène significatif! — alors que La Rochefoucauld laisse délibérément de côté, dans son texte, tout ce qui serait *essentiel* pour un port-royaliste : le péché originel, la Rédemption, la Grâce (et cela, nonobstant l'émotion soulevée par les *Provinciales*), il adopte, au contraire, de façon très explicite, les articles capitaux des doctrines chères aux épicuriens et aux libertins[6]. Sans recourir à la prédestination, comme les disciples de l'évêque d'Ypres, et au grand scandale de Mme de Schomberg, il fait litière de la liberté

---

1. Par exemple, l'un des deux qui avaient eu connaissance du manuscrit; l'autre est d'une opinion contraire (cf. Portefeuilles de Vallant); **2.** Les deux *Avis au lecteur* ; l'article rédigé, de concert avec Mme de Sablé pour le *Journal des Savants*, et presque identique au Discours-Préface de 1665, postérieurement supprimé...; **3.** Pensée DCXIII. Les *très rares* maximes concernant la religion appartiennent au recueil posthume; **4.** Cf. les extraits donnés dans notre seconde partie; **5.** *Ibidem*; **6.** Cf. notre *Pensée italienne et courant libertin* (Paris, Champion), où l'on trouvera de nombreux textes (chap. I-V : Pomponce, Cardan, Machiavel, Vanini, etc., avec les jugements des polygraphes, des mémorialistes, des théologiens, des apologistes).

There it was again. ⟨...⟩ watched the green ⟨...⟩ while a spidery feel⟨...⟩

Headlights flashed in the side mirror, approaching fast, blinding her for an instant. She held up a hand to avert the glare, but it didn't help.

A loud, dark vehicle roared up beside her in the left lane.

Her foot hit the brake, but it was too late.

Sparks flared in the corner of her vision and the Volvo rocked as metal screeched against metal. Her hands locked on the wheel but when the vehicle struck again, she couldn't hold it on the road.

The Volvo leaped the edge of the shoulder and careened down the steep slope beside the highway.

The wheels jolted through thick grass, too fast, out of control. She braced her arms, her breath frozen, the headlights lurching pell-mell toward a line of trees a hundred feet from the road.

In the few seconds before the airbag deployed and knocked her senseless, her last conscious image was a flash of dark metallic green.

★

"...very likeable heroine...a good, solid, well-plotted mystery with...lots of surprises."

—I Love A Mystery

"The unlikely pair of Chantalene and Thelma make engaging sleuths in this appealing southwestern mystery."

—Booklist

Previously published Worldwide Mystery title by
M.K. PRESTON

PERHAPS SHE'LL DIE

SONG
OF
THE
BONES

M. K. PRESTON

W🌐RLDWIDE®

TORONTO • NEW YORK • LONDON
AMSTERDAM • PARIS • SYDNEY • HAMBURG
STOCKHOLM • ATHENS • TOKYO • MILAN
MADRID • WARSAW • BUDAPEST • AUCKLAND

If you purchased this book without a cover you should be aware
that this book is stolen property. It was reported as "unsold and
destroyed" to the publisher, and neither the author nor the
publisher has received any payment for this "stripped book."

SONG OF THE BONES

A Worldwide Mystery/December 2004

First published by Intrigue Press.

ISBN 0-373-26512-3

Copyright © 2003 by M.K. Preston.
All rights reserved. No part of this book may be reproduced
or transmitted in any form or by any means, electronic or
mechanical, including photocopying, recording or by any
information storage and retrieval system, without permission
in writing from the publisher. For information, contact:
Intrigue Press, 1310 South Washington, Denver, CO,
80210, U.S.A.

All characters in this book are fictitious, and any resemblance to
actual persons, living or dead, is purely coincidental.

® and TM are trademarks of Harlequin Enterprises Limited.
Trademarks indicated with ® are registered in the United States
Patent and Trademark Office, the Canadian Trade Marks Office
and in other countries.

Printed in U.S.A.

In memory of Paul H. Snyder,
who farmed the Oklahoma soil for fifty years,
and told me wonderful stories.

Writing is a solitary endeavor,
but getting published requires help.
My thanks to The Group—Jeff, Ann and T.A.—
and to trusted readers Bette, Patti and Kathryn.

ONE

LIDDY CAME TO HIM in the night, appearing at the foot of his bed, just as before. The old man didn't believe in ghosts or gauzy apparitions, but he did believe in the spirit world. Liddy wasn't a being of light or some wind-carved shape in the clouds. She was real. He curved his hand around her arm— not to make her stay, but to remember the feel of her, young and firm, her skin cool as cistern water.

It was spring, and the smell of wild honeysuckle floated through the open window. Or maybe that was Liddy's scent now; she always had smelled like flowers. But beneath the floral aroma, he scented trouble.

The weight of her gaze had awakened him, and he wondered how long she'd been there, watching him sleep. She retreated to the foot of his bed without speaking. He sat up in the bed facing her and waited. Shadows veiled her eyes, but her skin glowed white as candle flame. He could feel her anger like a dark wing-beat in the room. And still she said nothing.

So he began to talk, his voice a low singsong in the darkness, the way he used to tell her stories, as they lay quietly apart before sleep. He had told her stories about the war, and about *Apokni,* the grandmother who raised him. Stories more real to him than yesterday. But Liddy had heard them all before. This time, because he knew how Liddy loved wild things, he told her about the foxes…

THE FIRST TIME he'd heard the sharp, strangled yap, it woke
him from his shallow sleep. He'd lain awake a long time in
the darkness, listening, his heart thudding slowly in its brittle
cage. *What the hell was that?* The noise sounded more like a
startled water bird than a canine.

The next day as he walked at the edge of the pasture, he
found scat loaded with blackberry seeds. He poked it with his
walking stick and bent closer. Could be coyote, but it didn't
look quite the same. He thought of the strange noise in the
night. Something new had come to live on the creek.

The old man waited.

It was several days before he met the fox by accident, just
after sundown on the path coming back from the pond. It
turned to stare at him, haunches facing forward on the path,
the lithe body curved back like a horseshoe so that it looked
at him over the lowered brush of its tail. The nocturnal eyes
glowed hollow in the fading light, neither startled nor afraid.
Like Liddy's eyes.

He stood still, and for a moment they watched each other.
Perhaps the fox coveted the three small perch that hung from
his stringer. Finally it turned and melted into the tall grass
with scarcely a rustle.

The next morning he saw the fox in the abandoned orchard
north of the house. He watched it through the bent blinds of
his bedroom window. It was a gray fox, the old man decided,
though a vivid, red fox color spilled between the peaked ears
and streaked along the backbone to the black tip of its brushy
tail. He had a horse that reddish color once, like chestnut but
with more fire.

Then there were two of them. The second was smaller, a
she-fox. Foxes were rare here. Maybe they'd been forced from
their usual territory, to live here in isolation. That night he
hid motionless in the brush and tracked them with his ears.
In the morning he followed them to a den carved beneath a
shale outcropping along the creek bank.

There are kits, Liddy, three of them. With thin tails and oversized, comical ears. Come back at first light, and I'll show you.

That's when Liddy spoke to him, her voice hollow in the darkness.

Silly old man. I didn't come back to look at foxes.

What did you come for, then?

She didn't answer. The dark wings beat a wind in the room.

Why did you come? I can't undo what's been done.

He wanted to make her say it but she wouldn't. She stood there in silence. As always, it was a test of wills between them.

He sat cross-legged in the bed, waiting for her to speak or go away. He would not beg. His knees grew stiff and his feet full of needles. Slowly his eyelids began to droop, and his mind wandered. When he caught himself and jerked his eyes open, she was gone.

The old man's chest filled with sadness.

Liddy girl, there are other things in this world besides money.

Her answer was a live thing in the darkness. *Silly old man. I didn't come back for the money.*

That was the first sign. He didn't sleep again.

AT DAYLIGHT the old man walked the path to the pond, his fishing pole balanced on his shoulder, stringer hanging from a rear pocket. He didn't feel well. The sickness hadn't affected his body, still strong from chopping wood and other daily chores. This weakness invaded his spirit, like a warning.

And now this. At his feet lay the carcass of a baby fox.

He laid the pole in the grass and squatted. It was the smallest fox, the runt of the litter. He saw no marks on it, no apparent reason for its death. Sometimes the smallest of a wild litter didn't survive because it couldn't compete for food. But this little fox didn't look starved. It looked perfectly healthy.

The old man grasped one paw in his fingers and carefully turned the fox over. The body was stiff and released a swarm of flies, their bodies iridescent in the sunlight. Brown ants foamed around the closed eyes. He found no bullet hole, no teeth marks, no blood. Nothing of this earth that would have caused the animal's death. The darkness that had inhabited him for days deepened into sorrow.

This was the second sign.

Apokni believed that an unexpected death, especially of something young, required penance. He knew what he must do. Removing the stringer from his pocket, he hooked the end meant for fish onto the tail of the little fox and dragged it home.

At dusk he laid the wood for his fire on a patch of bare ground near the old cistern in front of the cabin. At the center he placed cottonwood logs from a deadfall by the creek. Green wood made too much smoke. He covered the logs with smaller limbs, keeping the brush pile low.

With his Bowie knife, the old man cut four small branches the same length, each with a Y at one end. He sharpened the other ends into a point and rammed them upright through the brush in the shape of a rectangle. He placed four straight sticks in the vees of these supports to make a base for the platform. Smaller sticks placed side by side across the base formed its bed. He crouched beside the brush pile and examined his work.

When he was satisfied, he put on his gloves and laid the carcass of the small fox on the platform, careful not to disturb the balance. From the cabin, he retrieved an article of Liddy's clothing, something white she'd worn next to her skin, and from the shed he brought a garden rake and a can of gasoline. He doused the wood with gasoline and stood well back to strike his match and toss it onto the pyre.

The first match fell short and died in the dirt. The second

hit its mark. Flames exploded in a whispered rush, throwing heat against his face.

It was fully dark now. He watched the smallest twigs at the edge of the fire ignite and shrivel. Flames snaked up to the larger branches. The fire breathed in and expanded, paling as its heat grew more intense. Tongues the color of sunlight licked the brushy tail of the fox.

Deep within the old man's chest, from a memory older than his years, arose the ancient chant of his grandmother. The night drew in around him and the moon rose. The old man stood beside the fire singing, his voice nasal and clear.

He sang and his eyes saw a different fire, one they had seen before the cells of memory developed in his infant brain, part of his origin story. A coarse blanket wrapped him snugly on a cradleboard; shadows flickered against his face as his mother and grandmother tended the fire. He heard his mother's wail. Saw the tiny swaddled form of his twin above the flames, divided in the womb but forever joined.

The old man's voice turned to gravel and faded away. He sat on the ground then and took a small seedpod from a tiny cloth bag in his pocket. He chewed the button and watched the largest of the logs turn pewter at the edges and glow red-orange within. He thought of the mother who was lost to him, first her mind, then her body. He had no memory of her face, only the long, dark hair.

He saw the shack on the reservation where he and his grandmother lived, her grave where he'd hidden pouches of silver coins stolen from his menial job where he was treated badly. Money so his grandmother would be wealthy in the spirit world. Pouch after pouch of it, until someone stole it from her.

The old man floated. He sang again, a song of loss beneath the moon.

Other memories came out of sequence, disorderly as life itself. He remembered Naomi, her waterfall hair and earthy smell, the only woman besides *Apokni* he'd ever loved. He saw the fire in her eyes the day she left him. Took her young daughter and left. Saw his fingers crushing the neck of Naomi's beloved white bird before that; and before that, his burning rage when he discovered she'd been with someone else.

Saw the strange, knowing eyes of the little girl when she turned to look at him as her mother took her away. And those same gold eyes a decade later, their innocence gone. Eyes that aroused his lust, haunted his nights, and now his old age. Liddy was his curse, his obsession. He sang again, his voice brittle as wasted passion.

By midnight the flames had died away. Nothing but ashes and bones remained of the platform and the kit fox. The cottonwood logs at the center of the fire collapsed and opened, brilliant red flowers edged in silver. They pulsed and breathed.

It was time.

He rose smoothly, his joints lubricated by the chewed weed. With the garden rake he spread the coals flat and smooth, forming a path. Then he tossed the rake aside and bent to fold up his pants legs, over and over until they reached his knees. His feet were bare, his knotted bones like pale, burled wood in the moonlight.

The old man straightened. He stood at one end of the glistening path and lifted his face to the stars. His head felt light, his spirit thirsty. He raised his arms and waited for the call. Then he stepped out onto the coals.

He walked with a measured step, without haste, looking straight ahead and not at his feet. He felt the lumps beneath his soles but not the pain. His chest expanded with hot air, swelling until he thought his bones would split open. Then he tipped his head back and opened his mouth.

He exhaled deeply and his spirit poured out, blooming umbrella-like above his body. He was brilliant and shining, alive like the coals but brighter, illuminating the dark all around.

Beneath him, he watched his body close its eyes and keep its feet moving. The song of his grandmother rang in the air.

The vision came to him as a recent memory: a young woman riding a horse along the pasture ridge, a black-and-white dog ranging ahead, the trio outlined against the horizon. At first glimpse he had thought, *it's Liddy,* and it stopped his breath.

Everything about her was Liddy, the long thighbones, the erect carriage—everything but the hair. This girl's hair was petroleum-black, and even from that distance he could tell it was curly. Liddy's was straight and tawny. He had wanted to see the girl's eyes, wondered if they were Liddy's, too.

Now he understood the vision, and the knowledge electrified him: *This was Liddy's alternate form, the shape she had taken to exact revenge.*

Then it was over. His spirit was sucked into his body like an inhaled draft of wind.

The old man stepped off the coals onto the cool earth. His knees trembled and thirst parched his throat.

In the cabin, he opened a cold beer and rubbed the soles of his feet with shortening. He seldom drank beer, but tonight he drank two.

Forewarned was forearmed. He had seen the black-haired girl before, knew where she lived alone in a small white farmhouse. There was no hurry. Hunting was in his blood. And a true hunter loves the hunt more than the kill.

TWO

"I DON'T BELIEVE in divorce," Thelma Patterson said. "I want him dead." Her knitting needles never missed a stitch in the intricate pattern of pastel yarn that draped her round lap.

Chantalene grinned at Thelma across the cluttered desktop. Had to admire a woman who knew what she wanted.

"I assume you mean *declared legally dead*," Drew corrected, in lawyerly fashion. He had perched on the front edge of the desk, giving Chantalene a pleasant view of his Levied rear end. Thelma sat in the single chair reserved for clients in the tiny office Chantalene and Drew shared.

"Whatever." Thelma's brown eyes followed the movement of her needles. "Just so we get his name removed from the deed to my farm. If I hadn't been distraught after my father's death, I'd never have set it up as joint tenancy anyway."

Thelma glanced up then, the busy hands relaxing for a moment. "Well, that's not true," she admitted, and sighed. Her gaze drifted past Drew and Chantalene and seemed to settle on some point in her memory. "I put both our names on the deed to bind Billy Ray to me. He was nine years younger, and I knew all along he married me for money. But I didn't care. I was twenty-nine and figured if I didn't marry Billy Ray I'd be alone all my life. I was looking for security, same as he was. Just a different kind."

But neither of them got it. After three years of marriage, Billy Ray had disappeared without a trace—even without a trace of Thelma's money. Chantalene kept this thought to herself, because she wouldn't hurt Thelma's feelings for all the Egg McMuffins at McDonald's. Thelma was like a surrogate aunt, especially since Chantalene had no real aunts, only a great-grandmother in Arkansas that she'd met once when she was eight years old. In fact, Thelma had been her only real friend in Tetumka since she was orphaned at age twelve.

But Thelma also made a career of knowing everybody else's business—which usually didn't amount to much in the tiny burg of Tetumka. Chantalene figured turn about was fair play, and she was delighted to be meddling in Thelma's failed romance. It alleviated the boredom of posting local farmers' tax returns on the computer, which constituted the bulk of Drew's law practice.

Thelma's fingers resumed their rhythmic pattern and her smile brightened again. "Imagine thinking I needed a husband in order to be happy." She winked at Chantalene. "That was back in the dark ages. Nowadays, we know better, don't we?"

"Damn straight," Chantalene said.

She caught Drew's slight blush at this exchange—and so did Thelma. Chantalene hadn't told Thelma the major issue that stood between herself and Drew; she didn't have to. Thelma knew. Just as Chantalene knew without Thelma's telling her that the legal issue was only part of the reason Thelma had hired them to find Billy Ray Patterson. For nearly thirty years, Thelma had wondered what happened to the younger man she'd married. And so did Chantalene.

"If you want us to pursue the search, I'll need more information about Billy Ray," Drew was saying. "We traced down all the Pattersons in Tulsa but couldn't find one who's related."

"I'm not surprised," Thelma said. "Who knows where his family really lived? He used to take off sometimes, and he *said* he went to Tulsa to see his sister. But he made excuses to keep me from going with him, and he wouldn't bring his sister to visit us. If I pressed too hard he got angry, so I let it slide. For some reason, Billy Ray didn't want me to meet his family.''

Thelma's head bobbed over the clacking needles. Chantal-ene imagined her smooth, rosy face as a thirty-year-old new-lywed, trying hard to hang onto a doomed marriage.

''Maybe he was ashamed of them,'' Drew said.

''Maybe so. Or ashamed of me.'' Thelma lifted penciled eyebrows behind her glasses. ''I know he hated his father, who ran off and left his mom with three kids when he was small, someplace in Texas. He told me he had a brother close to his age and an older sister. His mother left them alone a lot. I got the impression she was a drinker. He'd lost contact with her.''

Thelma finished a row of stitches and deftly switched the blanket to the opposite side. She knitted for every newborn within a fifty-mile radius of Tetumka. Chantalene wondered whose child would be the lucky recipient of the intricate, pastel afghan.

''Childhood memories seemed painful for Billy Ray, so I didn't push him to talk about it,'' Thelma said, inserting a bone needle and looping a strand of yarn over it. ''Every time he left, he'd promise to be back in a few days, and he was. But I always worried that one day he wouldn't come back. And finally he didn't. After he'd been gone a couple of weeks, I knew I'd never see him again.''

Her voice was matter-of-fact, but Chantalene sensed old pain behind the words. ''Did you look for him then?''

''I drove to Tulsa and hunted up every Patterson I could find,'' Thelma said. ''Tulsa wasn't so big back then, but I had the same luck you did. His sister had married and I didn't know her last name. All I knew was that he called her Sunny. I took a picture of Billy Ray to the Tulsa police and reported him missing, but I don't think they took it seriously. They never found anybody who'd seen him, or his pickup.''

"Maybe you should consider hiring a private detective," Drew said. "I could find one for you out of Tulsa."

Thelma shook her head. "Don't like working with people I don't know."

Drew shrugged. "We managed to learn that the Social Security Administration has no record of taxes paid on Billy Ray's number since he's been gone, but no notice that he's deceased, either. Without something else to go on, I'm stumped."

"If he hasn't worked and paid taxes in twenty-eight years, he probably *is* dead, don't you think?" Chantalene asked.

"Not necessarily. He may be indigent, though if he is, he hasn't applied for benefits or that would show up on his government record. Or he might have an illegal source of income which he doesn't report."

That thought struck them silent for a moment.

"What do you know about Billy Ray's brother?" Drew asked.

Thelma shook her head. "Never met him either, but I think he's dead. Shortly after Billy Ray left, I got a call from the New Mexico State Police. They'd had a fatality on the highway out there, and both the car and driver burned to cinders. But the driver's wallet was somehow thrown clear, and they found my phone number scribbled in it. The officer asked me if I knew a Donnie Patterson with an address in Texas—I can't remember the town. It scared me because at first I thought he meant it was Billy Ray. When he read me the name and address again, I said I didn't know him. I was so flustered I couldn't think to ask questions. Later, I figured it must have been Billy Ray's brother, and that's why he had our phone number."

"Or maybe it was Billy Ray, with an alias," Chantalene said, her interest rising. "Would the New Mexico State Police keep a record of that address for this many years?"

"I doubt it," Drew said. "Especially if they found his family in Texas and closed the case."

Still, it wouldn't hurt to check. Chantalene made herself a note.

"I don't think the court will declare him legally dead without more information," Drew said to Thelma. "But if you're willing to give up knowing exactly what happened to Billy Ray, we could file a petition asking to remove his name from your property on the basis of desertion. I think the court would be sympathetic."

Thelma pursed her lips a moment, her fingers still working. "All right, let's do it. There's an oil company interested in leasing my land for exploration, and if I keep putting them off I stand to lose a lot of money." Her eyes betrayed the joy of dispensing good gossip, even if she herself was the subject.

"Wow, that's good news," Drew said. "There hasn't been any oil activity around here since the late seventies." He smiled. "We can't let you miss a chance to become Tetumka's only wealthy dowager. We'll get the papers drawn up for your signature right away."

Thelma jabbed the points of her knitting needles into a ball of yarn and gently folded the blanket into her canvas bag. "Just give a holler when you're ready."

And that was literal, because Thelma was the town's postmaster and the post office was right next door.

Thelma glanced at the clock imbedded in a steer skull that hung on the office wall, one of Drew's estate-sale purchases. "I'd better get back to work." She carried her tote bag toward the door and Drew hopped off the desk and opened it for her.

"How's your wheat crop looking?" Thelma asked him.

"Not bad. We could use some rain."

"It's almost April, then you'll have more rain than you want."

Chantalene waved to Thelma and Drew closed the door.

"Speaking of April," he said, "we've got three weeks to finish all these tax returns before the deadline."

"No sweat," Chantalene said, "unless you take on another last minute client like Grant Selby."

"You can't build a client list by turning people down."

Chantalene knew he'd felt sorry for Grant when the farmer came in last week with an egg crate full of crumpled receipts and panic on his whiskered face.

Drew pulled a yellow legal pad from his briefcase and handed it to her. "I plowed through all his records last night and distilled it down to this. Would you have time to get it on the computer today?"

"Right after I contact the New Mexico State Police."

"Don't bother. I feel sure the court will let Thelma change the deeds without proving Billy Ray's death."

"Maybe so, but then Thelma will never know why her husband deserted her."

Drew bunched his eyebrows. "You mean *you'll* never get to know. I'll write up the petition tonight and type it on the computer this weekend."

Chantalene sighed. "We need another desk in here. And a modem to connect with my computer at home…"

He waved away the idea. "Too much technology. And there's no room in here for another desk. When you're at home you're supposed to be studying for your classes, anyway, not typing taxes."

She made a face. "I'm an indentured slave around here. All I do is process data."

"I never said the tax business was exciting."

"At least let me go to court with you when you present Thelma's petition."

"No problem."

"Stop saying that! It drives me nuts."

"No problem." He gave her a toothy smile and gathered folders from the desk to stash in his briefcase. "Mrs. Sherwood is supposed to come by and pick up their tax return today. Be sure to collect our fee.''

"Where are *you* going?"

"I've got to pick up fence posts in El Rio. And get a haircut. Want me to bring you anything?"

She picked up the yellow pad with Drew's ballpoint scratchings indenting the pages. "Bring me some excitement. Nothing interesting ever happens around here." She huffed a breath that blew a corkscrew of black hair off her forehead.

Chantalene stood on the crumbled sidewalk in front of their office while Drew climbed into his red pickup and drove away. Half a century ago, in Tetumka's more prosperous history, their office had been a creamery. Her eyes scanned the other two establishments that now made up the main drag: the post office, and the general store. She wasn't given to sighing but she sighed now, awash in that left-behind feeling she always got when Drew went to town without her, if you could call El Rio a real town. It was the county seat, but it was still rural Oklahoma.

God, would she ever get to live somewhere *exciting?* She kicked a tickle-weed off the dusty curb and went back inside.

Gandalf the computer purred from the desk like a gray plastic cat. The afternoon had grown warm and so had the office. She pulled her hair up into a frizzy ponytail, fastened it with a rubber band and kicked off her shoes. Cross-legged on the chair, she tucked her flowered skirt over her knees and began typing, nagging at herself to sit up straight.

A few minutes later she was slumped over the keyboard, totally engrossed in Grant Selby's itemized deductions (the man had lost 150 chickens in a hailstorm last spring; didn't the stupid things know enough to run for shelter?), when the office door swung open.

Chantalene swiveled her chair away from the monitor and faced a tall, middle-aged stranger with an athletic build and electric-blue eyes. A stunningly good-looking man.

He removed a cowboy hat from salt-and-pepper hair. "Howdy, ma'am." A smile stretched beneath his bushy moustache and etched deep creases in his cheeks.

She returned the smile. *Did I say nothing interesting ever happens around here?* "May I help you?"

"I'll bet you can." His deep voice held a hint of mischief. She saw his eyes take in her disheveled black hair, the red and black skirt that had slipped up to expose the points of her knees.

"Heard you been lookin' for me," he said. "I'm Billy Ray Patterson."

THREE

"YOU'RE JOKING." Chantalene said.

"No, I'm Billy Ray Patterson."

Chantalene stood up from the desk. It just seemed like the kind of thing she shouldn't hear sitting down. "Where the hell have you been?"

The stranger smiled, his tanned face crinkling around blue eyes. Sharp, observant eyes that contradicted his Texas drawl. "Not one to shy around the question, are you?"

"No," she said, "I'm not."

"Mind if I sit down first? The trucker I hitched with let me off on the main highway. These boots weren't designed for walkin' that far."

Indeed, they were the high-heeled kind cowboys wore to keep their feet in the stirrups. His plaid shirt looked wilted, and she was pretty sure the faded jeans would maintain their bow-legged shape even after he took them off. Chantalene gestured toward the lone chair, wondering ironically if its wooden seat retained the body heat of the stranger's abandoned wife, who'd sat there half an hour ago. If, in fact, this was Billy Ray Patterson.

"Do you have identification?" she asked.

He dropped a tattered duffle bag behind the chair and pulled a leather wallet, curved as a crescent moon, from the hip pocket of his jeans. He extracted a driver's license and handed it to Chantalene before folding his lanky frame into the chair.

The license was from Wyoming. The name said Billy Ray

Patterson all right, and the photo looked like him, without the traces of gray in his hair. If the birth date was accurate, he'd be about fifty now, the right age for Billy Ray.

"This expired five years ago," she noted.

He nodded. "Yup. But I was the same fellow back then."

"Or it's a forgery," she said, frowning. "Phony drivers' licenses aren't hard to get."

"I wouldn't know."

Chantalene sat down. They looked at each other.

What should she do now? She'd never thought about what would happen if they actually found Thelma's husband. Why was Drew never around when she needed him?

The stranger hung his cowboy hat over a bent knee. "Is it Thelma who's lookin' for me?" he asked. "Is she all right?" His voice sounded gentle, concerned.

"She's fine," Chantalene said. "In fact she works right next door in the post office." What if Thelma popped in? The shock could give her a coronary.

The stranger's eyes followed her nervous glance toward the door and he stiffened in the chair. "Next door?"

"Yes. But I don't think it's a good idea to surprise her."

"No, ma'am," he said quickly. "I don't either."

They regarded each other a moment in silence. "You have me at a disadvantage," he said.

"I beg your pardon?"

"You know my name, but I don't know yours."

"Oh. Chantalene Morrell. If you don't know who I am, how did you know we'd been looking for you?"

He inclined his head toward the entrance. "Name on the door said Drew Sander. Somebody in Tulsa told me a fellow by that name was making inquiries. I assume you work for him."

"I work *with* him. So you do have relatives in Tulsa."

He nodded. "Yes, ma'am. My sister's family. They're not talkative folks, though."

Apparently he wasn't either. Chantalene kept quiet and waited, a tactic she'd learned from Drew. Most people were uncomfortable with silence, he'd told her, and they'd start talking to fill up the empty spaces.

But the cowboy seemed accustomed to silence. He picked up his hat and began turning it round and round, shaping the brim. The blue eyes watched her with interest and patience.

Sure enough, in a moment, she felt uncomfortable. "What's your sister's name?" she asked. "We couldn't find her."

"Sunny Ray Diehl," he said.

He spelled the last name and she wrote it down, then fell back on good manners. "Would you like something to drink? I have hot tea in my Thermos."

"I'd appreciate something cold, if you've got it. It's warmin' up out there."

She fished an orange soda from a small cooler Drew kept behind the desk. Yesterday's ice had melted but the water was still cold. She dried off the can with a paper towel and handed it to him.

The cowboy's hands were work-roughened and carried the small scars of an outdoor life. She'd always believed you could tell a lot from people's hands. He wore no rings.

He drained the can in one draft. "That hits the spot. I'm obliged." As if to prove it, he began to talk.

"I've been cowboying the last ten years or so. Wyoming and Montana. Lately out in the Great Basin." He smiled. "Man doesn't need a current license to drive cattle and horses."

Chantalene picked up her pen again. "You can supply names and addresses of your employers then?"

"Yes, ma'am. But you'll have to promise me something. Ask them whatever you want about me, but don't get 'em in trouble with Uncle Sam. See, they paid me in cash or live-stock, at my request, so it couldn't be traced. If they got nervous about it, I moved on to the next ranch."

"Who did you think was looking for you? Surely you weren't worried about Thelma finding you after all these years."

He narrowed his eyes at her, as if assessing. "There's no simple way to explain it," he said finally. "Let's just say I've spent my last twenty years putting distance between me and my first thirty." He paused. "I did some pretty crummy things when I was young, Miss...Morrell, is it? Like the mushroom?"

"Unfortunately." She'd never been happy about sharing her name with a fungus, even with the addition of a couple extra letters. Luckily, not many folks knew what a morel was.

"Crummy things like abandoning your wife?" she asked.

He nodded, examining the empty soft drink can in his hands. "Like abandoning Thelma. And worse. Spent some time in a California prison."

Her neck stiffened. "Which one?"

"San Juan, down south in the desert."

"What did you do to get there?" She warned herself not to push too hard lest he rise from the chair and disappear again before she could unravel the mystery—or figure out how to tell Thelma. But her curiosity was hard to quell.

The alleged Billy Ray looked at her with the beginning of a frown pinching his eyebrows. The smile was gone, and without it his face hardened. "Ask the warden. I'm not lookin' to relive all that. I've stayed out of trouble and haven't hurt anybody ever since I got out."

A shiver ran down Chantalene's back. She wondered whether he meant *hurt anybody* the way he'd hurt Thelma, or something more physical. She was still debating whether or not to ask, when she saw a shadow pass the window and stop at the office door.

Oh no. Was it Thelma?

She caught her breath as the door opened, then released it when she saw the grizzled face of Grant Selby.

The farmer hesitated before stepping inside. "Morning, Chantalene." He glanced at the stranger, nodding an apology. "Sorry to interrupt."

"Come on in, Grant," Chantalene said. Nobody in Tetumka called each other Mr. or Mrs. "You didn't find more tax receipts, did you?"

Selby hovered in the doorway, blushing. "No, ma'am. Just stopped by while I was in town to see if y'all needed anything else." A wispy white feather clung to the knee of his overalls. She wondered whether the chicken who donated it was dead or alive.

"No. As a matter of fact, I was just posting Drew's figures to the computer. We'll have a preliminary return ready to go over with you tomorrow."

Selby raised unruly eyebrows, elevating the bill of his ball cap at least an inch. "You guys work fast," he said. "Sure takes a load off my mind. I'll stop by tomorrow, then, and settle up."

He glanced at the stranger again, about to bid them goodbye, but instead he squinted and dropped his hand from the doorknob. "Well, I'll be a red-legged rooster. Billy Ray Patterson!" He fairly shouted the name.

The cowboy got to his feet. "Yes, sir." Confusion was plain on his face.

"Grant Selby," the farmer explained, sticking out a stubby hand in greeting. "Just down the road a piece from Thelma's place."

"Mr. Selby! Sorry I didn't recognize you."

Grant brushed his hand across a six-inch beard. "It's been a long time, and I didn't have all this fur on my face back then. But I swear, you look just the same. Plus a few years, of course." Grant was grinning, clearly amused to see his erstwhile neighbor. "What brings you back to town?" Then, quickly, "Sorry. That's none of my business."

"It's all right," Patterson drawled, smiling now. "I came to see Thelma. Mend some fences, I guess."

Grant chuckled and bobbed his head so hard Chantalene thought his cap might fly off. "Hang onto your socks!" he said, and laughed again. Chantalene had never heard Grant Selby laugh this much in all the years she'd known him.

"I gotta go," Grant said. "Good to see you, Billy Ray. And good luck."

"Thanks."

Selby closed the door. The cowboy looked at her and shrugged.

"Okay, you *are* Billy Ray Patterson," she conceded, keeping her voice neutral. "You came back to see what you'd inherited, didn't you? You thought Thelma had died and we were looking for you because your name showed up on her estate."

He stared at his hands, the color in his weathered face deepening. "Yes, ma'am." Then he met her eyes. "But I'm glad I was wrong."

If he wasn't sincere, he was an awfully good liar. Either was possible. "I guess you'll be anxious to see her then."

He nodded. "Anxious is exactly the word. But not right now...I'd like to clean up some. I don't suppose you know of a place I could get a shower."

"We're fresh out of motels around here." She thought of taking him to her house, rejected that idea, and decided on Drew's. That's what Drew got for going off to El Rio without her.

"I have to wait for another client, but then I'll take you out to Drew Sander's house. He'll want to talk to you anyway, and you can clean up there. He should be back from El Rio in an hour or two."

"I'd be beholden."

"In the meantime, if Thelma walks in, you're on your own."

His smile was rueful. "Fair enough."

Chantalene turned away and began posting Grant Selby's tax figures onto the computer. Billy Ray was polite enough not to watch her work. From the corner of her eye she could see him thumbing through the only magazine in the office, an old issue of *Farmer Stockman.*

What had this mild-mannered cowboy done to wind up in San Juan prison?

She was so interested in him that she had to double check every figure she entered to avoid mistakes. She could hardly wait to see how Thelma would react. She pictured Thelma next door behind the service window that faced a small lobby cramped with post boxes and ancient posters of the missing and wanted. Thelma was jovial and compassionate by nature, but Chantalene also had seen flashes of her righteous indignation, and this guy had left her without so much as goodbye.

Half an hour later, Patsy Sherwood arrived to pick up their completed tax returns. Mrs. Sherwood cast a quizzical glance toward Billy Ray, whom Chantalene didn't introduce for fear Patsy would go straight next door and talk to Thelma. At first Chantalene wondered why Patsy didn't recognize him, then remembered the Sherwoods had moved here a mere ten or fifteen years ago. Billy Ray was long gone by then.

It was past four o'clock by the time Patsy left. Chantalene switched off the computer and gathered her Thermos and book bag. "I'm parked in the alley behind the building," she told her visitor, "right beside Thelma. Let me step out and be sure we won't bump into her before you come out."

"Good idea," he said.

When she was satisfied the coast was clear, she motioned Billy Ray out the back door and locked it. They hurried into the alley like two thieves and crawled into the silver Volvo. Drew called it her car, but in fact it was his, on sort of permanent loan. Chantalene took the back way out of town so that Thelma's curious eyes wouldn't spot her passenger.

On the four-mile drive through the countryside, Billy Ray scanned the fields and farms. "Monkey Jenks still live around here?"

"Yes, a few miles west. Do things look the way you remember?"

"Pretty much. But my directions are a mite fuzzy."

"Thelma's place is a mile east," she said, pointing, "and about two miles on north."

"That seems right." His voice sounded far away. "It's been a long time."

For a moment she managed to glimpse the flat wheat fields and hilly pastureland through the eyes of a stranger, but she blinked and the moment was lost. She'd lived here all her life, and the landscape was as familiar as her own bed. She tried to picture the high prairie country of Wyoming and Nevada. How did it *smell,* how did it *feel?* Someday she'd love to know.

She imagined what this uncombed cowboy must have looked like in his twenties; no wonder Thelma fell for him. The image made her smile. She liked thinking that Thelma had experienced at least one passionate love affair in her life.

He caught her glancing at him and smiled back as if he'd read her mind. She felt amazingly comfortable with him, considering his clouded history and the fact she'd met him only hours ago. Maybe it was a kinship of outsiders; two born wanderers among the rooted farm folks.

She centered her breathing and waited. In a moment she perceived a vivid outline of light around him, like the halo around a summer moon. The ability was a gift she'd inherited from her gypsy mother—that and prescient dreams, and raging black hair. Her breathing quickened; she'd never met anyone with such a variegated aura. Over the years, she'd learned two things about auras. The first was not to discuss her per-

ception with the superstitious locals, who perceived any unusual talent as either wicked or insane. The second was to
trust what her instincts told her about a person when she had
such an experience.

The aura around Billy Ray Patterson was...confusing. She
tried to sort through the tangle and identify the sensations.
The closest she could come was *agitation,* an impression that
contradicted the placid exterior of the man sitting beside her.
That probably meant the fellow wasn't exactly what he
seemed.

But then, who was?

A late March sun warmed the afternoon and scented it with
spring. Chantalene parked in front of the two-story farmhouse
Drew was gradually restoring to a grandeur it had never
known.

"Nice house," Billy Ray said.

"You may remember Matt and Rose Sander, Drew's parents. Of course, the house was all white frame then, without
the brick facing."

"The Sander place. Sure." He nodded as if remembering.

Drew wasn't back yet. They got out and Chantalene used
her key to the front door. Billy Ray stood on the front porch
holding his duffle until she invited him inside.

"Drew's bathroom is right down the hall," she said.
"Clean towels in the cabinet above the commode."

"I'm much obliged."

He removed his hat and disappeared into the bathroom.
When she heard him lock the door, whatever doubts she might
have had about being alone with him melted away.

Chantalene pulled off her sandals and went into Drew's
kitchen to survey the supper possibilities. Perhaps they could
invite Thelma, too. Given the circumstances, both halves of
the estranged couple might be more comfortable meeting
again in the company of others.

In the refrigerator, she found a cut of raw red meat still in its grocery store wrapper. She poked it with a finger and decided it was pot roast. Yuk. But neither Drew nor Thelma were vegetarians like her, and she'd bet money the cowboy liked beef. She seasoned the roast with garlic and celery salt and put it in the oven.

She had started to peel potatoes when she heard Drew's pickup in the driveway. A little thrill passed over her, partly because she had big news for him, and mostly because his arrival always affected her that way. She dried her hands and went out to meet him, smiling.

Drew stepped down from the red truck and grinned, his eyes pleased and hopeful, blond hair tousled in an appealing way that suited his open face. Right now that face was a billboard; as soon as he'd spotted the Volvo in the driveway, he expected she would stay overnight. He wanted her to stay every night. She enjoyed those occasions as much as he did, but she wasn't willing to make it permanent. Not yet, anyway. That wouldn't be fair to either of them, given the wanderlust she'd never had an opportunity to satisfy. At thirty-five, Drew was nine years older and he'd spent nearly a decade in New York, while she'd rarely been out of southeastern Oklahoma. She assured him often that her restlessness was geographical, not sexual, but Drew viewed the distinction skeptically.

He left the pickup door open and kissed her hello. For one lovely moment she forgot all about the stranger in the bathroom, but she pulled back before it was too late.

"Hold on, we're not alone."

He frowned. "What?"

"I've brought someone you'll want to meet. He walked into the office right after you left today."

"He?"

"Um-hum. Billy Ray Patterson."

Drew's arms dropped from her waist and his eyes widened. *"No shit?"*

She giggled. "Apparently not. Grant Selby recognized him when he stopped by the office this afternoon."

"I'll be damned. I really didn't think the guy was still alive."

"Neither did Thelma. He says he's been cowboying out west, all over the Great Basin area."

Drew pushed the pickup door shut and they moved toward the house together, walking slowly and keeping their voices low. "Does Thelma know?"

"Not yet. He hitchhiked from God-knows-where and wanted to clean up before he saw her. I didn't know what else to do so I brought him here. One of us better talk to Thelma quickly, though, before Grant does."

"Good point. I'll give her a call."

"I thought we could invite them both for dinner this evening. Thelma may want her attorney present—and I wouldn't miss this reunion for anything."

They shared a mischievous grin. "It could be a humdinger," he said.

Her smile faded. "Will this keep Thelma from purging his name from her property deeds?"

Drew shrugged. "He still deserted her. But he could definitely complicate things."

They entered the house just as the subject of their conversation came out of the bathroom. For a split second, all three of them stood speechless.

The man standing before them scarcely resembled the soiled drifter who'd appeared in the office a few hours ago. In a clean denim shirt and jeans, his damp hair combed into waves and his creased cheeks freshly shaven, the cowboy errant looked little short of stunning.

"Wow," Chantalene said. "You clean up just fine." She stood up straighter and brushed the hair from her forehead. Drew's posture stiffened as her smile widened.

Billy Ray didn't bother to blush. "I sure feel better." He

stepped forward and stuck out his hand to Drew. His rolled-back sleeves revealed powerful, tanned forearms and a gold watch. "Billy Ray Patterson."

"This is Drew Sander," Chantalene said.

"Obviously," Drew said.

The smile never left his face, but Chantalene noticed his extra-firm handshake. *My god, he's actually jealous.* A mean little smile pulled at her mouth, and Drew caught the smirk.

"You have a nice home here," Billy Ray said. "I appreciate the hospitality."

"No problem."

For an awkward beat, the men assessed one another and nobody said anything.

"How about a beer?" Chantalene suggested. "You guys can talk things over while I finish peeling potatoes."

"I'll do that," Drew said, his eyes still on Billy Ray. "Why don't you drive over and talk to Thelma in person. See if she'll join us for dinner."

Hard-ass. But she smiled, too sweetly. *"No problem."*

Without retrieving her shoes, she walked out the front door, leaving the two of them faced off in the living room. *Men.* Only a thin veneer of civility separated even the best of them from wolves vying for dominance in their territory. Still, Drew was sometimes so *good*, it was fun to catch him acting like an idiot.

And he was probably right about warning Thelma in person. This was going to be quite a shock. She could hardly wait to see Thelma's face when she learned Billy Ray was back.

FOUR

A SLEEK BLACK SEDAN sat nosed-in beside Thelma Patterson's front gate, dwarfing Thelma's little red Dodge. Chantalene frowned. Who besides a funeral director would drive a black Caddy? The IRS? The Mafia? Nobody in Tetumka, that was for sure.

Whoever it was, Chantalene would have to out-wait him to talk to Thelma alone. She let herself through the gate and climbed the steps to the wide and shady front porch. An empty swing creaked pleasantly on its chain, occupied by the invisible spirit of a March wind that tinkled an array of chimes suspended under the eaves.

The wooden frame of the screened door rattled under Chantalene's knock. She admired Thelma's white farmhouse, which had aged with more grace than the twentieth century though it wasn't much younger. The condition of the old homestead was a credit to the skills of its mistress. Thelma tended not only to the painting and decorating, but also to the plumbing, wiring, and general repairs. If anything, the house was over-loved. Shrubbery crowded around the exterior, and inside, the rooms were plump with flowered chintz.

Chantalene pictured Thelma growing up here, an only child. Her mother had died when Thelma was young, and Alzheimer's began its insidious work on Samuel Mills while his daughter was still in her teens. At an age when most kids were playing basketball or leading cheers, Thelma had shouldered adult responsibilities. When Samuel died, she inherited the house and a section of farmland, and later bought an adjoining farm to bring her holdings to nearly a thousand acres. Thelma had run the farm with the help of hired hands until she took the postmaster job. Nowadays she rented the fields to a neighboring rancher, which paid the land taxes and ensured her a comfortable living.

Thelma's smile appeared from the shadows behind the screen as she opened the carved front door. "Chantalene! Come in!" She wore the same flowered dress she'd had on that morning. Her guest must have arrived before she had time to change.

"Hi, Thelma. Sorry to bother you while you have company, but something's come up I need to talk to you about."

"It's only the man from the oil company," Thelma said, adding in a stage whisper, "He'll be gone in a minute and we'll have some tea." She held open the screen and chuckled as Chantalene stepped inside. "Leave it to you to go barefoot in March!"

On one end of Thelma's overstuffed sofa in the living room, a man Chantalene judged to be about forty sat forward, arms propped on his spread knees. His military-style haircut made his hair appear colorless and emphasized his angular face.

"This is Mr. Hill, with Ballenger Energy Corporation," Thelma said. "My neighbor, Chantalene Morrell."

The man stood and smiled, assessing her with small hazel eyes. "Miss Morrell." His suit didn't look quite as new as the Caddy. Oil companies in the region had seen better days.

"Sorry to interrupt," she said.

"I was just leaving." He flashed Thelma a smile that seemed to be his idea of flirting. "It was a pleasure to see you again, Mrs. Patterson. I'll check with you in a few days, but meanwhile," he pulled a business card from his jacket pocket and handed it to Thelma, "here's the number for my mobile phone. If you've made a decision—or hear from Mr. Patterson—will you give me a call?''

"Why, of course!" Thelma's smile was so sunny Chantalene knew she had no intention of calling. She squelched a smile until Mr. Hill's serge backside had disappeared out the front door.

Thelma peeked out the window, watching to see that the city fellow didn't ding her prized red buggy. "He practically parked on top of it," she complained, then dropped the curtain and motioned Chantalene to the kitchen.

"They're driving me crazy about that lease. That's his *third* visit!"

Chantalene detected the mischief in Thelma's smile. She was clearly enjoying the oil company's attention.

"Now," Thelma said, "come to the kitchen and I'll make us something to drink. Iced tea or hot?"

"Iced, please. No sugar."

Despite her evident curiosity about the unexpected visit, Thelma herded Chantalene to the well-oiled table in her kitchen and attended to hostess duties. First things first, her demeanor said, the better to enjoy whatever newsy tidbit might come next. She clinked ice into two tumblers and poured fresh sun tea from a gallon jar.

"You may want to add a little Jack Daniel's to yours," Chantalene teased. "I have some pretty big news for you."

Thelma stopped in mid-motion, an iced tea spoon in one hand and a glass in the other. She turned to face Chantalene and lost her habitual smile.

"You've found Billy Ray," Thelma said, deflating Chantalene's big surprise.

"Yes. Rather, he found us."

Thelma set the glasses on the table, forgetting the lemon, and sank into a chair. Her eyes tightened at the corners. Chantalene was reminded of the panic she'd seen on Billy Ray's

face that afternoon when he'd thought Thelma might walk
into the office.

"He's alive, then," Thelma said, and her chin trembled
ever so slightly.

"Oh, yes. And looking quite well."

"You've *seen* him?"

Chantalene leaned forward and put her hand over Thelma's,
an out-of-character gesture that served as a warning. "I just
left him, Thelma. Billy Ray is at Drew's house right now."

Thelma's round body shrank in the chair. "He's *here?*"

Chantalene nodded. "And he wants to see you."

She didn't add the motive Billy Ray had admitted to her.
Thelma was a sharp cookie; she'd figure that out soon enough.

Thelma's gaze drifted to the kitchen wall, watching some
memory play out that only she could see. A range of emotions
passed over her face, and Chantalene kept quiet and waited
for Thelma to come back.

"When?" Thelma said.

"Tonight, for dinner at Drew's house, if you're willing."
A spark of curiosity returned to Thelma's eyes, and Chantalene smiled. "You neglected to tell me Billy Ray was a hunk."

Thelma blushed, then chuckled. "*Hunk* wouldn't cover it.
He was the most beautiful man you've ever seen."

"He still is."

Thelma turned the foggy tea glass in her hands without
drinking. Her tone was tinged with nostalgia. "I don't think
I want to see him. I'd rather remember the way we used to
be."

"Don't worry. He's aged well."

Thelma's smile was half-hearted. "He would. But I'm
twenty pounds fatter and every crow in the county has left
tracks on my face."

"Nonsense. You look terrific."

Thelma wagged her head, and her eyes drifted away again.

"All I've done in twenty-eight years is knit for other people's babies."

An image illuminated in Chantalene's mind like a flash photo: a young Thelma, dazzled by love and filled with dreams of children and grandchildren. The unexpected truth of it caught in her chest. Thelma's dreams had disappeared like a wisp of smoke, without reason or explanation. More than most people, Chantalene understood that feeling. Her own mother had disappeared, leaving a twelve-year-old girl to wonder why she'd been abandoned. And when it happened—she'd almost forgotten—Thelma Patterson had brought her a handmade doll in a crocheted dress. At the time Chantalene had felt too old for dolls and put the toy away. Only now did she understand the poignancy of that gift.

She looked at Thelma with softer eyes, remembering her own search for her missing mother. Thelma never knew why she was abandoned. Now that the answer was within her reach, perhaps she was afraid to know.

"You never told me how you met Billy Ray," Chantalene said.

A wistful smile curved one side of Thelma's mouth. "He was a hired hand with the combine crew that cut our wheat every spring. They'd start in Texas and follow the harvest north. Dad used the same outfit every year since I was old enough to remember, a family business run by a man named Weaver."

Talking always agreed with Thelma, and the color returned to her face. Chantalene kept quiet and listened.

"After Dad got sick, I gradually took over the farm, doing the things I'd helped him do for years. When harvest time came close, I didn't have to worry about hiring cutters. I knew it wouldn't be long before I'd see a procession of red combines in the distance, rolling down those shale roads toward the farm. It was funny how Dad remembered old man Weaver after he couldn't remember anything else."

Thelma took a deep breath. "One year Billy Ray came with them. He was tall and slim, with black curly hair and eyes so blue it hurt to look at them. Full of fun, always laughing. And only nineteen, although I didn't know that until later."

The pleasure in Thelma's voice made Chantalene smile. She'd give a year's tomato crop to have seen that wandering cowboy at nineteen.

"I was twenty-eight," Thelma said, "an old maid by country standards. In high school, I wore glasses and made straight As. Had plenty of girlfriends—probably because I wasn't any competition with the boys—but I never had a date. Not one.

"From the first day I met Billy Ray, he treated me with respect. He was so polite, but not condescending like so many men were toward women who worked in those days. Billy Ray seemed impressed that I was running the farm by myself. Dad was too sick by then to work in the fields; most of the time he stayed in the house and watched TV. Billy Ray talked to me like a real person, the way he'd have talked to a man who was running a farm. Yet every time I looked at him, there was something in his eyes. He saw me as a woman, too." Thelma smiled. "And Lord, he was handsome. He fairly took my breath away."

"You got married that same summer?"

"No. We spent only a few minutes alone, actually. When I'd bring lunch to the field, he'd time his break so the others would be finished and back at work. Once I rode in the truck with him to take a load to the grain elevator. It was the most exciting thing that had ever happened to me. Then the cutting here was finished, and he went north with the crew."

Thelma's eyes grew misty. "But he wrote to me. From every stop they made. He hadn't promised to write, and I can still remember my sense of wonder when that first letter appeared in the mailbox.

"Billy Ray wasn't educated, but he was gifted with words. He made me see the rolling hills, golden with wheat ready to be harvested, and feel the summer heat on his back. I felt the lonesomeness of being on the road, and his restlessness to keep moving.''

She sighed. ''I fell in love with his letters. It was safe, you see, because I couldn't write back. By the time his letters arrived, he had moved on to the next town, or state. Toward the end of the summer, he began to write about coming to see me when harvest was over, but I never believed it. It was just a lovely part of the fantasy.''

''But he did come back,'' Chantalene prompted.

Thelma nodded. ''He showed up at the farm one October afternoon. I was coming in from the barn where I'd been bucket-feeding a calf, and I looked a mess. When I saw who it was, my mouth fell open and I couldn't say a word. He sauntered up to me, all grinning and gorgeous, and said, 'You didn't believe I'd come, did you?' He put one hand under my chin and kissed me, right there in front of the chickens.''

Thelma laughed and lifted her glasses to blot her eyes. Chantalene wiped her own nose with her paper napkin.

''He stayed a week,'' Thelma said, ''and the next week we drove to El Rio and got married at the courthouse. He went back to Tulsa—or somewhere—to get his clothes, and he moved in.

''I don't know if Dad ever understood we were married. Who knows what he thought in that poor scrambled mind. But he liked Billy Ray, and Billy was good to him. Dad died that same winter, and when we settled the estate, I put both our names on all the property. I had no illusions about what attracted Billy Ray to me, but I was willing to settle for that if he was.''

Chantalene frowned. ''Maybe you did have illusions. What if he really loved you, and you're selling him short?''

''He left, didn't he?'' She shrugged, as if that act were self-explanatory. ''Even the title to the land wasn't enough to tie him to a plain woman.''

"Maybe. Or maybe he left for some reason that had nothing to do with you. Wouldn't you like to see Billy Ray and give him a chance to explain?"

"*Achieve closure,* like they say on TV?" Thelma's smile twisted to one side.

"Something like that. Or just out of curiosity."

"Sure I would. That's the real reason I asked Drew to look for him. But I expected to learn he was dead, or maybe happily married to somebody else. Once I had a dream about seeing his children, being kind of a godmother to them." She swallowed. "Isn't that sick?"

Thelma met her eyes, and Chantalene saw years of sadness there. "I wanted to know what he'd done with his life, but I never wanted to face him again. It took a long time for that wound to scar over."

"I understand," Chantalene said. "It's your decision. You certainly don't owe him anything."

She stood up. "I imagine Billy Ray will spend the night. If you change your mind, come over any time this evening. Otherwise, I'll call you tomorrow."

When Chantalene left, Thelma was sitting in the kitchen, an old scrapbook on the table in front of her. Closed.

FIVE

DREW HEARD Chantalene's car scatter gravel in his driveway as she drove off to see Thelma. Alone with the too-handsome cowboy, he felt the heat of embarrassment on his face. He had just behaved like a hormonal teenager, and nobody was more surprised about it than he was.

It was the first time in their eighteen-month relationship he'd had occasion to see Chantalene react to any man except the aging farmers she'd known all her life. His neck hair had raised like a dog's, and he felt ridiculous. But geez! She had looked at Billy Ray Patterson as if he were an ice cream cone.

The cowboy watched him with amused interest. This fellow didn't miss much; Drew would have to remember that. "I think I promised to peel potatoes," he said. "Come to the kitchen and I'll get us a beer."

Billy Ray Patterson followed him into the big country kitchen where Drew's mother and grandmother had once cooked meals for harvest crews. Neither of them would recognize it now with its modern appliances, but the ambiance was still there, at least for Drew. It was his favorite room in the house, and he was gradually teaching himself to cook.

Patterson took a seat at the wooden table and Drew opened the refrigerator. "Bud Lite or Michelob?"

"I appreciate the offer," Patterson drawled, "but I quit drinkin' some years back. It finally came clear to me there was a connection between alcohol and most of my troubles."

"Hmm. That's too bad." Drew popped open a blue and silver can. "How about iced tea?"

"That sounds great."

Billy Ray added three spoons of sugar to the tall glass Drew gave him, and commenced stirring. He slumped back in a kitchen chair, remarkably at ease for a man who was about to re-meet the wife he'd once deserted. He stretched out long legs that ended in a pair of well-worn boots. Justin's, Drew guessed.

Chantalene had laid six potatoes on the cutting board along with the paring knife. Drew washed his hands and started peeling. "Chantalene says you've been working cattle in the Great Basin area for the past few years."

"Yessir. And Wyoming, and before that in California. I been astraddle a horse most of the last decade." His speech clopped along at a pace even slower than that of the farmers Drew dealt with every day. It was something he'd had to readjust to after living in New York for so long.

"I didn't know any ranches still used cowboys and horses to work cattle," Drew said. "Around here the ranchers use those four-wheelers."

"Yeah, lots of those up north, too. But there's still some high country ranges where those things aren't practical. And besides that, some guys just hate the racket."

Drew smiled. "Me, too. There's something fundamentally wrong with engine noise in wild places."

Billy Ray nodded. "There sure is. Noise pollution is almost as bad as water pollution, in my book." He drank his tea.

Drew chunked a peeled spud onto the chopping board and started another. When Patterson spoke again, Drew heard a change in his voice, some guard temporarily dropped.

"If you like unspoiled country, you ought to see some of the ranches out there," he said. "Wide, flat pastures run right up to the base of these blue-gray mountains. Always a little snow on the peaks, even in summer. When the low pastures get hot and dry, they herd the cattle up onto the high ranges, and up there it looks like spring again—lush grass and wild-flowers.''

"It sounds beautiful."

"It sure is. You can sit your horse on one of those buttes and see across the valley for miles and miles. Not a sound except for wind and birdsong. Once I sat at eye level with a hawk that was circling for prey." He paused again to sip his tea. "It's lonesome, too."

"That why you came back? The lonesomeness?"

The cowboy shrugged. "Naw. I liked it. Bein' lonesome gets addictive."

Drew squinted at him, surprised at the insight.

"Now that I'm here," Patterson said, "I'd really like to see Thelma. But I admit that when I got wind a lawyer was lookin' for me, I thought maybe something happened to her and I'd inherited the farm. I'm not proud of thinkin' that, but there it is. I guess the idea of working a piece of land that's my own instead of somebody else's sort of appeals to me these days."

"I know what you mean," Drew said. "I gave up a good salary in New York to come back and work the family farm, even though I knew you couldn't make a decent living from it now." He took the roast from the oven and dumped chunks of potato and mini carrots into the tinfoil wrapper holding the beef. The fragrance of roast beef floated through the kitchen.

"Man, that smells good," the cowboy said.

Drew had to agree. His stomach growled as he re-sealed the foil and slid the dish back in the oven.

"So how's the farming?" Patterson asked.

Drew smiled. "Not as pure and noble as I remembered. Of course, there were other reasons I came back, too, like a mar-riage gone sour."

"That's too bad. I've had some hard experiences, but not that particular one."

"Is that right?" Drew brought his nearly empty beer to the table and took a seat. "Then why did you take off and leave Thelma?"

Billy Ray looked at him. "I walked right into that one, didn't I?"

Drew met his eyes. "I'm Thelma's lawyer, and her friend. You should be aware that I'll do what I can to protect her interests."

The cowboy nodded. "I'm glad to know she's got that kind of loyalty."

Drew kept quiet and waited.

"I know I owe Thelma an explanation," Patterson said, "and maybe I owe you one, too, since I've shown up. But it's a long story with a lot of family history in it."

"In that case I'll have another beer."

Drew refilled Billy Ray's tea glass and opened another Bud. He sat down again, looked at the cowboy and waited.

Patterson took a deep breath. "The summer I met Thelma, I was a jingle-brained kid working for a traveling harvest crew. I never told her I'd signed on in order to escape the consequences of a minor scrape with the law."

"How minor?"

The cowboy sighed. "I was waitin' in the car when a couple buddies of mine decided to knock over a liquor store. Luckily I wasn't old enough to go in with them. I swear I didn't know about it ahead of time, but somebody recognized me and I decided to make myself scarce until the whole thing blew over."

"You couldn't have convinced the police you were innocent?"

"Not likely. That's where the history comes in."

The cowboy rubbed the sweat off his tea glass with calloused thumbs. "I had a brother, named Donnie Ray, just a year younger'n me. We grew up like twins in a little town called Cut and Shoot, Texas. Honest to God," he added, when

Drew frowned. "Our daddy was a roughneck on the oil rigs and gone for months at a time. Mama spent a lot of time quenching her loneliness at the local honky-tonks, so we didn't have much supervision. Finally he didn't come back at all, and after that Mama kept us movin'. If it wasn't for our sister Sunny, Donnie and I would have ended up wards of the state. Sunny was six years older, from our mom's first marriage. She did the best she could with us, but at eighteen, she got pregnant and moved to Tulsa. Her marriage didn't last, but she had a job there and stayed on, so Donnie and I were pretty much on our own."

He stopped for a slug of iced tea. "Somehow we lived through being teenagers, but we spent a lot of time in trouble of one sort or another. Nothin' serious—we skipped school, shoplifted beer, stuff like that. We also played poker with a group of older guys and usually won. That kept us in pocket money."

"So that's why the local law wouldn't have believed you weren't in on the liquor store robbery," Drew said.

"Right. We got by with a lot because the other kids covered for us. We were sort of like Tom Sawyer and Huck Finn to them, I reckon. We always took up for the underdog in a fight, and our knuckles stayed bruised most of the time." Suddenly he looked embarrassed. "I haven't talked this much in twenty years. I reckon you've had enough."

Drew shook his head. "We have time. It may take Thelma a while to overcome her shock when Chantalene tells her you're here."

"I reckon so. She must have thought I was dead long ago."

"Hard to say what Thelma believed. Somebody called her from New Mexico once and said a fellow named Donnie Ray Patterson was killed in a wreck. She didn't even know your brother's name."

Drew saw a look of old pain flicker across the cowboy's face. "Donnie Ray and I were close."

"That's where you went when you told Thelma you were going to visit your sister? To touch base with Donnie?"

"Pretty much. I really did visit Sunny sometimes, but mostly I hung out in the bars with Donnie Ray, hustlin' pool and drinkin'. One of those times we met up with this fellow named Songdog Jones. That's where our real trouble started."

"Songdog, like a coyote?"

"Yeah. His real name was Oswald, but everybody called him Songdog. He was a lot older, kind of dark and quiet, with a wicked sense of humor. We were real fascinated with him.

"Old Songdog spent a lot of time at a high-stakes bingo parlor hidden away in the hills on Indian land. We bugged him to take us along. This was the '70s, and other forms of gambling were illegal so lots of people went there, Indian or not. The place was owned by the tribe, but it was managed by white guys. Some real slick Willies." He said the phrase with distaste and studied the scuffed tips of his boots a moment before going on.

"Songdog claimed the management was skimming off hundreds of dollars every week and cheating the tribe. He said it was money that should have been going to the Indian kids for schools and medical care. That didn't set well with us, especially with Donnie Ray. He always had a soft spot for little kids. So we sat at the tables a few nights and watched the fellows that ran the place real close. We figured out where they kept the till.

"One night the three of us had a few beers and decided the only right thing to do was to cheat the cheaters and steal the money. Songdog said the management couldn't report it to the police, because it was stolen in the first place. We agreed we'd give half of it back to the Choctaw tribe and split the other half among us for our trouble."

"The Robin Hoods of the West," Drew said.

"Like I said, most of my bad decisions I made while I was

drinkin'.'' He shoved his tea glass back on the table as if even that might damage his judgment.

"So you burglarized the place?"

He nodded. "Broke in after hours. There wasn't even an alarm. That was the easy part. What we hadn't counted on was the size of the haul, which turned out to be a whole lot more'n old Songdog thought." He glanced at Drew. "Just over a quarter of a million dollars."

Drew whistled through his teeth. "I didn't know bingo was such big business."

"Me neither. That was a mountain of money in those days. We figured they'd either been saving it up for a long time, or the place was a front for some other kind of business. Sure enough, it turned out the operation was controlled by a rich family down in Dallas with some heavy political connections. Rumor had it they were mobbed up, too. The family didn't take kindly to some two-bit hoodlums ripping them off."

Drew shook his head. "Buzzard luck."

"One of Songdog's buddies warned us that the family had sent some muscle after us, and these guys weren't playin'. We had two choices—run like hell or get planted with the cactus out in Big Bend somewhere. That night Donnie and Songdog stashed the loot, thinking that'd be our life insurance in case they found us, while I played in a pool tournament to win us some road money."

He lowered his eyes and swirled the ice cubes left in his glass. "I hated to run off without tellin' Thelma, but I figured the less she knew about it, the better. Honest to God, I was trying to protect her. I didn't want those thugs to track down my other life and cause Thelma any harm.

"So we took off in the middle of the night, headed west. At a truck stop in El Paso, Songdog ran across some gal he used to know and that's where we parted company. Donnie and I high-tailed it north across New Mexico, nervous as cottontails in short grass. We didn't have any notion where to go. We took turns driving and sleeping, but about five a.m. one morning we were both asleep when the pickup collided with one of those concrete abutments beside an overpass. I was thrown out and when I came to, the truck was in flames.'' The cowboy's Adam's apple worked up and down in his throat. "There was nothin' I could do.''

He paused a long time before he went on. "I lit out on foot with nothing but my watch, about a hundred dollars, and the clothes on my back. I blamed myself for Donnie's death. Still do. I shoulda stayed awake.''

"That's rough,'' Drew said.

"Anyhow, I hitchhiked clear to California. Got to drinking and doing stupid things, trying to get myself killed too, I guess. Finally got into a bar fight that landed me some prison time.''

Drew frowned. "Prison time for a bar fight?''

"It was my third assault charge. Prison was the best thing that coulda happened to me. I sobered up by necessity, and I had lots of time to examine what kind of man I was. I didn't much like what I saw. I swore if I ever got out I'd make a different kind of life, for Donnie Ray as well as for me.''

He drained the ice-melt from his glass. "Took every re-hab class they had in the prison, and I read a lot. Soon as I got out, I signed on as a ranch hand with an outfit that didn't do background checks, and I learned to cowboy. I liked being outdoors. It was a solitary kind of life and it suited me. When that job ran out I drifted north and got on with another ranch, and I been doing that ever since.''

"But you stayed in touch with Sunny, and she told you we'd been looking for you.''

He nodded. "I got to thinkin' that one of these days I'll be too old to cowboy and need someplace to settle.''

The sound of a car in the driveway drifted through the kitchen window. "Sounds like the ladies are here,'' Drew said.

Billy Ray's jaw tensed. "It's times like this I miss drinkin'."

Drew stood up and headed for the living room. "So what happened to the stolen money?"

The cowboy rose to follow. "I got no idea. I didn't want it after Donnie Ray died. I figured old Songdog'd probably circle back and get it, but I heard he died of a heart attack not long after he took up with that young thing down in El Paso."

"A younger woman can be a dangerous thing," Drew allowed.

A smile played at one corner of Billy Ray Patterson's mouth. "I'll have to take your word for that."

SIX

DREW'S HOUSE SMELLED LIKE carnivore heaven when Chantalene returned from Thelma's. She might not eat meat, but she loved the smell of it cooking. Drew and Billy Ray Patterson, lounging amiably in the living room, looked at her expectantly when she walked in.

"You're alone?" Drew asked. "How did it go with Thelma?"

She passed up the empty armchair and sank onto Drew's new area rug, wrapping her arms around her knees. "Not great." She glanced at Billy Ray and saw anxiety etched on his face. "Thelma's not coming."

Billy Ray released his breath.

"She doesn't want to see you," she said gently. "She only wanted to find out what had become of you."

He nodded. "Can't say I blame her."

"Maybe she'll change her mind," Drew said. "I've known Thelma to do that."

"Right," Billy Ray said, but he didn't smile.

The aroma of the roast and potatoes drifted into the silence. Chantalene's stomach growled. "When will the roast be done?"

Drew checked his watch. "Probably by the time we get the junk cleared off so we can set the table."

They scooped armloads of books and tax forms from the round dining table Drew used for a desk, stacking everything on a bookcase. Billy Ray followed them to the kitchen, willing to help but obviously out of his element.

Chantalene smiled at him. "Here. Pour us some tea, will you?" She put out tall glasses and the cowboy set about filling them with ice.

Drew transferred the roast and vegetables to a platter while Chantalene tossed a salad. He set a fourth place at the table and she flashed him a look.

"She *might* come," he said. Always the optimist.

When they were seated, Billy Ray touched his cloth napkin uncertainly but followed suit when Chantalene placed hers in her lap. Drew cut the roast and dished up generous portions for himself and their guest while she mounded potatoes and carrots on her plate and covered them *au jus.*

Among Drew's numerous gifts was his ability to draw intelligent conversation from any living being. He was interested in all people and all subjects with a genuineness that put others at ease. Chantalene munched her salad and watched him work. Soon Billy Ray was relating a story about bringing range cattle down from the high country before the first winter snows.

A blustery March wind assailed the house with appropriate sound effects. The cowboy was a good storyteller, with an eye for detail and an understated sense of humor. He talked about the wild Mustangs that roamed free in remote parts of Wyoming, and she felt the loneliness of hitchhiking back to Oklahoma after his last wrangling job in Utah had run out. Listening to him, she thought of the letters Thelma had described. She could have listened to his soft drawl for hours.

Throughout the meal, the empty place at the table lay like a reminder of someone deceased. Twice Chantalene caught Billy Ray glancing toward the empty chair, then at the door. Was it dread or longing that kept him waiting for his estranged wife?

"Too bad we don't have dessert," Drew said, when they'd all cleaned their plates and pushed back from the table.

"I couldn't eat another bite," Billy Ray insisted. "That was a terrific meal. I'm mighty obliged."

He might be rough around the edges, but you couldn't fault him for politeness. Chantalene lingered with their guest while Drew carried plates to the kitchen and made coffee.

With Drew gone, silence settled over the table. Then they both spoke at once. "You first," he said.

"I was going to ask what your plans are now, if Thelma won't see you."

His tanned face creased into a thoughtful expression. "Drew was kind enough to say I could bunk over tonight. Then I'll be moving on, I reckon. Look for work somewhere." His voice was low but not regretful. "What about you?"

The question caught her off guard. "Me?"

"I get the feeling you'd rather not stay in Tetumka forever," he said.

His blue eyes had sharpened, a distinct contrast to their wistful expression a few minutes before. Was her wanderlust that obvious? She was still deciding how—or whether—to answer that question when someone rapped on the front door.

The two of them froze as if caught in some forbidden act.

Drew came in from the kitchen and opened the door, which was clearly visible from the dining room table. "Thelma!" he said, his voice exuberant. "I'm glad you came." He stepped aside.

Thelma Patterson hesitated in the doorway, a silk scarf loosely protecting her short curls from the wind that rippled her skirt. Despite her plump figure and wire-rimmed glasses, Thelma made a dramatic impression, poised on the threshold of her past. The conflicted emotions that lay open on Thelma's face hurt Chantalene's heart. She held her breath.

Billy Ray's face was not so easy to read. He stood up, his

eyes riveted on the woman framed by the open door. "Thelma?"

He crossed the room like a calf at the end of a rope and stopped within arm's reach of her.

"You look different," Thelma said, as if that surprised her.

Billy Ray's eyes hadn't left her face. "You look just the same."

His voice was deep and soft, the same tone in which he'd described a sunset over the Tetons. A lump rose in Chantalene's throat.

Thelma's smile was sad. "And you still know just the right lie, don't you?"

"I never considered them lies if they made somebody happy." Billy Ray held out his hand to her. "Will you come in?"

Thelma looked at the palm extended toward her, then at his face again. Seconds elapsed with the scene frozen like a still photograph. Then Thelma took his hand and let him lead her into the living room.

Drew flashed Chantalene a triumphant smile. He came to the dining table where she stood shaking her head in amazement. "Let's do dishes and let them have some time alone," he said.

"And miss the fun?" she whispered. "Would Thelma do that for us?"

But Drew insisted. They carried the remaining dishes into the kitchen.

Luckily, Drew's kitchen had no door. Chantalene could hear snatches of conversation from the living room—until Drew turned on the tap full blast to fill the sink with sudsy water. She scowled at him. He threw a clump of soap bubbles that landed on her right breast.

"So sorry!" he exclaimed, and started toward her with the dishtowel. "Let me get that for you."

"Forget it," she said, dodging. She wiped the bubbles from

her blouse, deposited them in his ear, and felt a quick wish
that they were alone in the house. The romantic scene she'd
just witnessed had put her in the mood.

Drew washed and she dried, chatting idly to give Thelma
and Billy Ray the illusion of privacy. It was impossible not
to wonder what the two of them might be saying to each other,
and Chantalene caught Drew listening, too, between the clatter
of dishes. She heard the words ''farm'' and ''daddy'' from
Thelma, but the cowboy's voice was a low rumble, meant for
Thelma's ears only.

When the kitchen was spotless, Drew followed her into the
living room. Thelma sat in one of the plaid chairs, her hands
gripping the armrests. Billy Ray leaned forward on the sofa,
his knees only inches from Thelma's, his gaze intent on her
face. Neither one spoke when Drew and Chantalene joined
them.

Oblivious to the tension, Drew plopped into the empty
chair, leaving the vacant end of the sofa for Chantalene.
''How's it going?'' he said amiably.

Thelma sat speechless, a rare occurrence.

''Twenty-eight years needs a lot of explaining,'' the cowboy said.

Chantalene could take a hint, even if Drew couldn't. She
rose from the sofa as if the seat were hot. ''Why don't Drew
and I take a drive.'' She looked at Thelma for confirmation.
''Are you all right?''

Thelma's face looked flushed and rigid, but she nodded.
''Put on your shoes, girl. You'll catch your death of cold.''

Chantalene scooped up the sandals that lay where she'd left
them that afternoon. *You catch colds from germs, not from
cold feet.* But she smiled. ''Yes, Mom.'' She extended her
hands to Drew and pulled him up from the chair. ''Come on.
We can go by the office and look over the Selbys' taxes.''

They shut the front door on their way out, leaving a heavy
silence behind them.

On the seat of Drew's red pickup, with her bare feet curled under her, Chantalene realized Drew actually was driving toward the office. Sometimes the man was so literal.

She leaned against him and laid her hand on his thigh. "I was only making an excuse. Surely you can think of somewhere we can go besides downtown Tetumka."

Drew grinned at her with malice of forethought.

His truck had a nice, wide seat and an adjustable steering wheel. They parked on the service road to an abandoned oil well and helped the March wind rock the car.

Afterward, she made Drew repeat every word Billy Ray had told him while she was gone.

"He's lived an interesting life, I'll say that for him," she said.

"Weeks alone on a cattle range is interesting?"

She shrugged. "He's seen the whole western half of the country."

There it was again, that longing. Drew heard it, too, and looked away.

It was an hour and a half before they returned to Drew's house. Chantalene still carried her sandals, her hair falling loose and frizzy above her shoulders.

Apparently, things had gone well at home, too.

Billy Ray and Thelma met them at the door, and Billy had his battered duffle in his hand. Thelma's eyes were red but her face looked radiant.

"We're going home," she announced.

"What?" Chantalene said. "What do you mean, *going home?*"

But Thelma and her man were already off the front porch and headed for Thelma's car. He tossed his duffle in the back seat and opened the driver side door for Thelma, then went around to ride shotgun.

As they drove away, Billy Ray Patterson bid them goodbye with a tip of his cowboy hat and a smile. "Thanks for everything!"

Chantalene and Drew stood speechless on the front porch while Thelma's red taillights disappeared into the blustery March night, leaving all their questions unanswered.

SEVEN

THE OLD MAN returned to his cabin at daylight. Two rangy
chickens squawked from their makeshift nests beneath a bush
beside the cabin. He reached beneath the foliage and removed
two eggs, still warm, and carried them indoors to the rusty
refrigerator.

In the bedroom, he emptied an item from his pocket and
added it to the collection on top of the three-legged bureau:
a red-handled hairbrush, a silver teaspoon with the floral pattern on the handle nearly worn away, a pencil embedded with
teeth marks. The small, red-and-black scarf still carried the
scent of her hair.

He arranged the items carefully to the north, south, east and
west. In the center he placed a candle, unlit, and a yellowed
paper that carried Liddy's picture. *Have you seen this girl?*
Her eyes stared up at him, defiant.

He had seen her, all right. Even the fire ceremony where
he'd burned the hair from her brush had not succeeded in
driving her away.

His head felt strange and heavy, but he dreaded sleep. He
put on his boots and took his fishing pole and walked toward
the pond.

At a certain place on the path, he veered off toward a
thicket of sandplums, across the creek and upwind from the
foxes' den. Crouched motionless in the thicket, he could see
the mouth of the den but the foxes could not see him. From
here he had often watched the kits before their parents re-

turned from hunting. In the beginning they were three, now only two. They played like kittens, crouching behind rocks with only the pointed ears showing, opaque and blood red in the early sunlight. He liked the way their dark eyes peered over the rocks while they bunched their bird-boned bodies, ready to pounce when a sibling walked by.

The foxes were the only thing that made the old man smile.

But today when he hunkered down in the thicket, the den was starkly quiet, the earth at its mouth undisturbed. The den was abandoned.

The empty hole gaped like the mouth of someone dead. The familiar darkness filled up the old man's chest. Living things sensed this darkness and fled from him. This was Liddy's legacy, her curse.

He rose from his hiding place—no need for quiet now—and continued to the pond, his steps heavy in the brush.

Sometimes when he sat by the pond with his line in the water, time spun out in circles. Past and present existed together; he was forever old and at the same time young. It happened sitting in his chair by the cabin window, too. Often he lost whole afternoons that way. He would come back to himself surrounded by darkness, but when he went to bed, he was swept up by visions instead of sleep.

He slept now. He was hungry and he dreamed of slow catfish and shiny perch that swam past the grasshopper impaled on his hook. He dreamed of fish sizzling in his skillet, the white meat flaky and warm on his tongue. And then he dreamed of Liddy.

He saw himself crouched outside the shape-shifter's house, watching. In his dream the night turned to daylight around him and he rose and walked straight to her house, the black and white dog asleep on the porch. But once he was inside, the house turned into his cabin, years ago when Liddy lived with him. She was drying her hair beside the open window, her head thrown forward in the sunlight. She brushed with

long, slow strokes that pulled sparkles of light through her
hair, and she was singing. Liddy had a fine, clear voice, a
perfect ear for melody. Sometimes when she was sleeping he
heard the singing of her bones.

Liddy once sang at a beer joint in Texas. The local cowboys
came to hear her country songs and to fall in love with her
with their eyes. The owner made sure they didn't touch her
but had no such rules for himself. She was only fifteen.

That's where he'd found her again. He wasn't so old back
then.

He hadn't seen her since she was seven, the day Naomi
took her and stormed out of the house. He hadn't even thought
of Liddy; in fact, he'd done his best to forget Naomi and put
those days behind him. For a while he worked construction,
moving from one town to the next, and then he got a job as
a gravedigger for the county. The job kept him busy and he
liked working alone, maneuvering the big backhoe among the
gravestones, its noise blotting out everything else as it gouged
into the raw earth. Once they'd given him the wrong plot
number and he'd dug into an unmarked grave, the giant teeth
of the backhoe scraping up one corner of the concrete vault
from its resting place. It gave him a chill.

He hadn't recognized Liddy at first, but she knew him.
She'd spotted him in the meager audience as she was singing
a tune about lost love that he'd never heard before. He
watched her and thought she looked familiar. And when the
song was over she came back to the booth where he was
sitting alone with his beer, graveyard mud drying into a dusty
puddle around his boots on the concrete floor.

"Hi," she said, and sat down across from him. "Don't you
know me?"

He looked at her, the translucent eyes fearless and far too
knowing for her smooth young face. He saw Naomi there,
and calculated quickly how long she'd been gone.

"Liddy," he said. "You're Liddy, aren't you."

She smiled and settled into the booth. "Buy me a drink?"

"You're too young."

She gave him that universal look of teenaged disdain. "They have *Cokes* here."

She turned and yelled at the barkeep. "Red. Can I get a Coke?" Red was a young fellow, not the owner, and he waved back. He set a bottle dripping ice water onto the bar and Liddy went and got it.

"So how the hell have you been?" she said to him. Like some crony, some construction cowboy he used to work with.

"I'm okay. How about you?"

She cast her eyes toward the back room, where the boss stayed. "Not so hot."

"Where's Naomi?"

She shrugged. "Who the hell knows? She shacked up with some creep that wanted more than he was entitled to, and I split." She took a drink from the curved bottle. "Not that it's any better here."

The neck of his beer bottle felt cool to his fingers. He saw the dirt under his nails. "Why do you stay, then?"

She shrugged again. The jukebox started up Willie Nelson. "It's a living. Someplace to crash."

"So you're tough now, are you?" He smiled at her then, but he didn't like seeing her this way. She was just a kid. She ought to be in school, going to football games with her friends on Friday night. Not shacked up with the owner of a beer joint and singing to earn her meals.

She didn't answer him, just drank her soda.

"You can stay with me, if you want," he said. "I have a little house outside of town."

She looked at him. "Yeah, right. How would I be better off?"

"I won't bother you. There's an extra bedroom. You could go back to school." He drank his beer. "Just an offer. Doesn't matter to me."

She glanced over her shoulder at some cowboy entering the bar, then toward the back room again. "Where is it? Your house."

The next night when he came home from work, she was sitting at his kitchen table, a brown grocery sack on the floor beside its chrome legs. All her worldly goods. She didn't say anything, just looked at him, nervous, like she thought he'd kick her out.

He took his boots off beside the door and walked in his stocking feet to the refrigerator, an appliance older than she was. He took out two colas and handed her one. "I'll show you your room."

She stayed with him three months but wouldn't go back to school. Who knows what she did in the daytime, when he was working. Then one night she came into his bedroom. He'd been in bed an hour but he wasn't asleep. It was summertime and he had only a sheet on the bed. She slipped in beside him not wearing anything, cool as water.

"What are you doing?" he said into the darkness, thinking, *no, this is not right.*

"What do you think I'm doing?" And then she touched him.

"Why?" Knowing he was lost now, nothing he could do.

"Because I don't have to," she said. "Because you've been good to me." Her skin was exquisite and smelled faintly like flowers.

Then one day when he came home from work she was gone.

THE OLD MAN AWOKE, surprised to find himself there in the grass. The sun hung low above the pasture, and his fishing pole was gone. He sat up.

In the middle of the pond, the cane pole floated like a disembodied limb. It was moving slightly, pulled at the tip by something unseen in the murky water. A big catfish had caught the hook and dragged the pole in. No way to get it unless he swam out there. He debated. That was his supper, but he hated the feel of that muddy slime beneath his feet.

He picked up his empty stringer and headed home. Sooner or later the pole would float back to the bank. Tonight he'd have noodle soup from a can.

When he passed the thicket he thought of the foxes again, gone, like Liddy.

Only Liddy didn't stay gone; she kept coming back to torment him.

The dreams had tired him. He didn't ask for much, just to live out his days alone and in peace. But she wouldn't allow that. He'd known from the beginning it was wrong, yet he hadn't resisted. He'd let her possess his mind and his body, and lead him to the blackest of sins.

Clearly, no ritual or fire ceremony was enough to exorcize this demon. If he didn't put an end to it, she would suck out his soul.

EIGHT

CHANTALENE HADN'T HEARD from Thelma all weekend, and
when she arrived home from class at East Central U on Monday afternoon—a two-hour drive—the first thunderstorm of
spring had temporarily knocked out the phone lines. There
was no use driving to the office; she couldn't risk Gandalf's
sensitive innards by booting up during an electrical storm. So
she spent the evening studying for her mid-term test in British
Lit, reading Chaucer aloud while lightning split the sky and
the lights flickered. She felt wired, the Middle English rolling
off her tongue like thunder.

She loved a good storm. Too bad Drew had gone to
Oklahoma City to call on a tax client. They could have had
some fun on a night like this. Then again, maybe not. He'd
be too worried about hail damage to his wheat crop.

Bones wasn't any fun, either. Usually an outside dog, she
was huddled in a black-and-white lump underneath the
kitchen table. Bones hated thunder.

Neither tornado nor hail materialized from the clouds, and
early next morning Chantalene opened the front door to a
world washed clean. Bones bounded off the porch steps like
a freed prisoner and set about her morning rounds, sniffing
out the smells of the night. Chantalene scooped oats into
Whippoorwill's feed bin, and the gelding whinnied gratefully.
Then she stood on the bottom rung of the corral fence to
survey her half-acre of asparagus plants in the adjoining field.

Delicious green arrows sprang up from the sandy soil, but

the field was too muddy for picking. She'd have to cut them soon, though, or they'd be lost. Her potato patch, a wide brown swath of worked soil south of the asparagus, was already planted with Red Pontiacs. Before she'd started working with Drew, the truck garden was her only source of income. This year, with a salary to count on and less time to work the fields, she would cut down on labor-intensive crops like tomatoes and squash.

Her chores finished, she showered, turbaned her hair, and reached on the dresser for her hairbrush. It wasn't there. Not in the bathroom, either. Huh. How in the world did you lose something in a house this size?

And what was that slightly funky smell that hung in the house? Must be something the wind blew in.

She combed out the tangles and dressed in black jeans and an untucked red blouse to head for the office, negotiating the muddy driveway with one wheel on the grassy shoulder. In her roadside mailbox, two slightly damp letters that had arrived the day before waited for her. One was from Gamma Rose. She smiled and tossed them on the seat to read later.

Three hours later, she hit the print command on Gandalf's keyboard and watched Monkey Jenks' 1040 form and Schedule C churn out from the printer, while she massaged a knot that burned between her shoulders. Monkey's income was down this year. When he lost Martha, he seemed to have lost his heart for farming. But then, it hadn't been a good year for any of the local farmers. Maybe the oil company who'd contacted Thelma would offer Monkey a lease contract, too.

She stretched and picked up her two letters from the desk. Gamma Rose, the Gypsy great-grandmother who had raised Chantalene's mother, had to be at least ninety now. As far as she knew, Gamma Rose was her only living relative. If Chantalene didn't go see her soon, it might be too late.

The other letter was from her advisor at ECU. Mrs. McBride had scribbled a note on the margin of a flyer about an

intern program at a small western history museum near Santa
Fe. "This could be a great opportunity," Miz Mac's hurried
handwriting read. "You have enough hours to declare a major
in history, which they require, and they furnish a small salary
and furnished apartment for the year." Chantalene also had
enough hours to declare a major in psychology, and a good
start on criminal science. Miz Mac kept advising her to focus
on one area instead of choosing classes like a kid in a cafe-
teria. But how could she settle on one field when there was
so much she didn't know?

Chantalene read the flyer and pictured herself on her own,
going to work each day in a place like Santa Fe. It sounded
like fun—until she thought of being away from Drew for an
entire year. Of course, he could come for visits. Long, lost
weekends when absence made the lust grow fonder....

She'd never been able to resist filling in blanks, if she knew
the answers. She picked up a pen and idly filled out the first
page of the application while the Hewlett-Packard regurgi-
tated its last page. When the printer hummed into silence, she
stuck the flyer and application under the keyboard and gathered the tax forms into a file folder, ready for Monkey's signature.

The cooler behind the desk held nothing but yesterday's
melted ice, so she pulled on her faux Birkenstocks and crossed
Tetumka's unnamed main street toward the market, stepping
over puddles of rain in the crumbled asphalt. Sunshine
streamed down on her shoulders.

Three pickup trucks sat along the curb in front of the local
grocery, a big crowd for a weekday. Beneath the whitewash
on the sign out front, the faded outline of "Bond's Market"
lingered like a ghost. The store was nameless, too, ever since
the former owner died on the premises. Bad karma, but she
was desperate for a cold drink. She pulled open the screened
door and stepped inside.

The dim interior smelled dusty and the wooden floor

creaked beneath her feet. She took an orange soda from the cooler along the sidewall and pressed the cold can to her temples. In a back corner, four local joes played pitch at a card table, whiling away an afternoon when their farm work was caught up. Grant Selby was there, along with John Sherwood and the Hahnemann twins, whom she could never tell apart. One of them was supposed to be minding the register. Carrying her purchases to the counter where a "No Out-of-Town Checks" notice was printed in red crayon, Chantalene heard Grant telling a story his buddies found enormously amusing.

"I can't believe she took him back," one of the brothers said.

"Why not? Would you want to live out there by yourself the rest of your life, if you was her? Keepin' up an old place like that's a lot of work, and Thelma's no spring chicken any more."

"She's always done all right. Besides, unless Billy Ray's changed, he's likely to make more work for her instead of less."

"Yeah, but he's still a good lookin' dog," Grant drawled. "And her feet'll stay warm on a cold winter night." This brought delighted chuckles from the group.

Chantalene's neck bristled. "Hey! Somebody want to take my money?"

One of the ditto brothers looked up from his cards. "Hi, Chantalene. Just help yourself. Register's open."

Amazing how much respectability she'd earned by working with Drew. Two years ago, these fellows would have kept a suspicious eye on her while she was in the store. Now they ignored her, like anybody else. It was disappointing.

She rang up her purchases on the ancient cash register and bagged the cans. From a nearby rack, Twinkies whispered her name, and she donated the last of her money.

The orange pop tasted sweet and cold and half of it was

gone by the time she re-crossed the street to the post office. The old gossipers in the store might find it amusing, but Chantalene had felt uneasy about Thelma ever since that night, and a bit miffed because Thelma hadn't called. She decided to stop by and check on her.

Tiny brass bells tinkled above the wooden door as she shoved it open. A gust of wind fluttered the faces of the missing and wanted on a cluttered bulletin board beside the door. She glanced at the faces as she passed, a habit she'd picked up in sympathy for all those folks who wondered about missing loved ones. Not so long ago, she'd been one of them.

She moved past the bank of antique mailboxes and on to the window, expecting to see Thelma's smiling face. Instead, the pale visage of Annabelle Dickson peeked out, a monochrome in tan. Annabelle didn't wear make-up, and her cardboard-colored hair was always pulled back in a low ponytail. Even her eyes seemed faded, but straight white teeth brightened her smile.

"Hi, Chantalene. How'd you like that storm?"

"I liked it fine, but now it's too muddy to cut my asparagus."

"Save a few bags for me, will you?" Annabelle said in her cobwebby voice.

"Sure thing." Annabelle was one of her best customers. Mrs. Field Mouse had five healthy and well-mannered kids at home.

"Where's Thelma?" Chantalene asked.

"Off today. I'm the substitute, but nobody knows it because Thelma misses work so seldom."

"She's not sick, is she?"

A frown pinched Annabelle's forehead. "I don't think so." She looked ready to say something else, but just then they heard the back door of the post office open, admitting a gust of wind before it slammed shut. The suction rattled the wooden grate beside the window.

A male tenor voice called out. "I'm back from the route, Annabelle!"

Hank Littlejohn poked his head into the cubicle where Annabelle sat. "That old hermit out by the county line hasn't picked up his mail for three days. Wonder if he's dead in there." He glanced at the window. "Oh, hi, Chantalene."

Chantalene waved to Hank and caught a wink from Annabelle. The long-legged mailman looked like Ichabod Crane and was just as skittish. He'd made the same complaint before about one of their isolated mail patrons, but he refused to knock on his door, leaving Thelma to check on the old fellow. Chantalene had ridden along.

"I'd better get back to work," Chantalene said. "I'll bring the asparagus by as soon as I get it picked."

"Are you going to call Thelma?"

"Yeah. I think I will."

"I'm glad. She didn't sound like herself on the phone," Annabelle crooned. "Bye-bye." A librarian without her stacks.

Passing the bulletin board on her way out, Chantalene stopped cold. Pinned to the center was a face she recognized—the strange girl who kept appearing during her meditation sessions lately, and sometimes even in her dreams. The girl's aura was disturbing, as if something was drastically wrong. But Chantalene was sure she'd never seen the girl before.

She reached up and snapped the paper loose from its pin. The flyer was faded and curled at the edges. Beneath the photo ran the words, "Have you seen this girl?" Chantalene had undoubtedly seen the flyer before, but she hadn't connected the animated young woman in her visions with this grainy photo. Dark eyes engaged the camera knowingly, and the smile was one-sided. The photo looked like a blow-up from a high school yearbook. *Most Likely to Seduce the Science Teacher.*

It was the same face, all right. Those eyes must have tun-
neled into her subconscious memory and popped up like a
prairie dog months later. Maybe years later; this flyer had
obviously been there a very long time.

Huh. One mystery solved. Now if she could just find that
darned missing hairbrush. On impulse, she folded the flyer
into her pocket. Nobody would miss it, and maybe if she
studied the photo later she could figure why the girl's image
got stuck in her brain.

Walking next door to the office, she tried to remember the
last time Thelma had missed a day's work. Maybe never. She
tossed her empty pop can in the trash—no recycling in Tetumka—and picked up the handset on the desk phone.

The message light was blinking so she punched that button
first.

"Hi, I'm home," Drew's baritone said. "Call me." Then,
singing, "Maybe it's late, but just...call me..."

Chantalene laughed, and the tiny office seemed suddenly
lighter. When Drew was gone, she felt lost in her own home-
town. Worse, she couldn't seem to outgrow a fear that he
simply wouldn't return. Like her mother, years ago, or the
way Billy Ray had abandoned Thelma.

Knowing you're paranoid doesn't mean everybody's not
out to get you.

Before calling him back, though, she dialed Thelma's number. Luckily Thelma answered instead of Billy Ray.

"Hi, stranger. Missed you at the P.O. Is everything all
right?"

"Oh, I'm fine!" Thelma chirped. "I just took a day off.
As a matter of fact, I need to see you and Drew this afternoon—about my taxes."

"Your taxes?"

"Yes, I have some—new information. See you later.
Thanks for calling!"

The buzz of the dial tone cut off Chantalene's response. She looked at the receiver. "What the hell...?"

They weren't doing Thelma's taxes. Thelma always did them herself.

Chantalene pushed the program button for Drew's number. "I just had the strangest conversation with Thelma," she told him.

"Hi, I missed you, too," he said.

"Listen; she said she had some new information to give us *about her taxes.*"

He paused. "That is odd."

"And she sounded weird. Too cheerful, as if she were covering up."

"She probably was, if Billy Ray was within earshot. Bet you a dollar she's decided not to file her petition in court."

Chantalene scowled. "I'd hate to see her back off. Showing up after twenty-eight years doesn't earn him any rights to her property."

"That, partner, comes under the heading of nunaya." *Nun-a-ya business.*

"Of course it's our business. You're her attorney, and I'm her honorary niece, sort of."

"If she asks for legal advice, I'll give it to her. But I'm staying out of her love life, and so should you."

"Stop sounding so professional. I've seen you with your clothes off, remember."

He laughed and his voice changed. "Come over tonight. I'll cook for you."

"*Umm.* Wish I could. But I have a mid-term coming up in Early Brit Lit and about a hundred more pages of Middle English to wade through."

"Yuk."

"*Ye aulde yukke.*"

"How's the data input going?"

"It's boring as hell, but I've almost caught up with you."

"Great. See you shortly."

He arrived an hour later carrying peanut butter sandwiches and two accordion folders that he laid on the desk beside the computer.

"What's this?" She opened one of the files and her eyes widened. "You took on more tax returns at this late date?"

"Just two."

"One of these is a corporation!"

"A very small company. Only five employees. If hail takes out my crop, I'll need all the customers I can get."

"Geez! You enjoy overworking, don't you? You get off on it."

"If you don't want to help, fine. I'll type them myself." He tugged on the back of the chair. "Get up."

"Forget it. Let go."

In the midst of their tug-of-war, the door opened and Thelma Patterson stepped inside. "Is this a bad time?" Clearly she didn't care; her voice had a schoolteacher edge.

Drew backed away from the chair. "Hi, Thelma. Come on in."

Chantalene's irritation passed straight to Thelma. "Why did you hang up on me earlier? And what's this about your taxes?"

"Sorry about that. He was right there; I couldn't talk." Thelma's face looked pinched behind her glasses.

"Don't tell me you've changed your mind about correcting your property deeds."

"No." She looked at Drew. "No, I want you to go ahead with that."

He motioned Thelma to the lone chair and assumed his favorite perch on the edge of the desk. "All right, Thelma. What's bothering you? I know good and well you filed your tax return a month ago."

Thelma's penciled eyebrows squeezed together, and her face flushed. She looked from Drew to Chantalene and back again, her mouth working with the effort to say what she'd come to say. "You're probably not going to believe me."

"Believe what?" Drew said.

Thelma's chin trembled, and Chantalene sat forward, alarmed. She'd never seen the intrepid Thelma so flustered. "Thelma? What is it? Is this about Billy Ray?"

Thelma's eyes settled on Chantalene as the most likely ally. She lifted her chin and her voice took on a tone of defiance.

"That man in my house is *not* my husband. He's an impostor!"

NINE

THELMA'S FACE turned re-entry red.

Chantalene's mouth fell open. Had she heard Thelma right?

"Thelma," Drew began gently, "everybody in town recognized Billy Ray." He was trying not to sound patronizing, a struggle he didn't entirely win.

Thelma set her jaw. "So what? I did, too, at first. Or thought I did. But I've been living with the man for three days now, and I'm telling you, *he is not Billy Ray.*"

"People change," Drew said. "I imagine you aren't the same woman he remembers either."

Thelma snorted. "I'd say not. He can't *remember* someone he's never met before."

Drew switched to his let's-look-at-this-logically voice. Usually this tone made Chantalene want to bite nails, but that was when he aimed it at *her*. Right now it seemed completely appropriate. "Is that it?" Drew asked. "He doesn't remember details you think he should? Things that were important to you?"

Thelma's face twisted. "Oh, he's got the details down. Too well. He knows more about my marriage than I remember." She started to say something else, but instead clamped her mouth tight.

Chantalene saw the distress in Thelma's eyes. Underneath the bravado, she was scared, and Thelma didn't scare easily. Chantalene imagined herself in Thelma's shoes: What if the man she'd taken into her house—maybe her bed—was a stranger?

Drew cleared his throat. "Then why do you think it isn't Billy Ray? Is it...something physical?"

Thelma's face blazed again and Chantalene sprang from the chair. "Drew, why don't you go get us some fresh coffee." She came around the desk and sank to her knees beside Thelma, handing her a tissue. The freckled hands were trembling.

Drew stayed on the edge of the desk, frowning. "You don't drink coffee."

She gave him a withering look.

"Nevertheless..." He hopped off the desk. When the door closed behind him, Thelma slumped in the chair and blotted her nose with the tissue.

"He's like Billy Ray in many ways, but in others..." Thelma let that thought trail away, then met Chantalene's eyes. "I swear to you, he's an impostor!"

Chantalene nodded. "All right. But what is it that makes you certain, Thelma? What's different that the years wouldn't have changed?"

Thelma swallowed hard. "Mostly the little things. At first I thought I was imagining it, and I was too embarrassed to say anything to you. But then the other night when I was, um, really close to him...he doesn't *smell* the same."

Chantalene sat back on her heels. "I see," she said slowly. "Wow."

"I don't mean cologne or anything artificial," Thelma said quickly. "It's his own scent." Her eyes searched Chantalene's face for understanding.

"I can still remember the way my mother smelled," Chantalene said, "and my father. I'll never forget."

Thelma squeezed Chantalene's arm and nodded vigorously. For a moment she was too choked up to speak. *"Thank you,"* she whispered.

Any doubts dissolved from Chantalene's mind. And she thought again of the cowboy's reference to prison time. Did Thelma know about that? Her skin crawled like a caterpillar farm.

Thelma twisted the tissue in her hands. "What's going on, Chantalene? Who *is* he?"

"We'll find out, I promise. But meanwhile, you should throw him out of your house—or move out yourself."

Thelma shook her head. "What excuse would I give? And what if he won't go? I don't think he's dangerous. He's been nothing but a gentleman so far, but if I cross him, that could change. And I will *not* move out of my own house and leave it with a stranger." Her voice was firm, but her lower lip trembled and she bit down to stop it. "I can keep up the pretense for a few days."

Nothing Chantalene said would change her mind. Chantalene promised to act fast and Thelma agreed to call her every day.

"If he does anything that scares you," Chantalene warned, "I'm getting you out of there if I have to drag you."

"Believe me, you won't."

"IT'S LUDICROUS," Drew said, moving around Chantalene's kitchen that evening in a familiar way that gave her an odd sensation, like *nesting*. It felt homey, but alarming. After dinner, she would definitely shoo him away so she could study.

Drew stirred the pasta loose from the bottom of the pot. "I tried to be patient with her, but the man *looks* like Billy Ray, he has ID, everything checks out. How else would he know things about their brief marriage, and about her farm? And about her dad, before he died?"

Chantalene dumped a heap of chopped vegetables into the wok. "I don't know. Maybe he's that brother who supposedly was killed in the car wreck. That could account for looking like Billy Ray. But a person's basic scent doesn't change, even with age. Maybe women are more attuned to smell than men. If I didn't see you for thirty years, I'd still remember your smell. Your *personal* scent."

He grinned and sniffed the back of her neck. "I like the way you smell, too."

"That tickles! You'll make me burn myself."

"I think you're over-rating olfactory memory," he said.

"No, I'm not. I read about it in one of my psych books." She shook her head. "I guess it's true about guys. They just don't get it." She added sauce to the vegetables and stirred lightly. "Take up the fettuccini, will you?"

"In my undervalued opinion," Drew said, pouring the contents of the steaming pot into a colander in the sink, "Thelma's having some natural panic about her impulsive decision to take the man back into her house. Like a bride who goes on a crying jag a week into the marriage."

"Bullshit."

"Of course she feels like he's a stranger," Drew went on. "He is. They've lived their lives apart. But for better or worse, he's still Billy Ray."

"Is not. Let's eat."

By mutual consent, they avoided the subject the rest of the evening. Chantalene was glad; this way she didn't have to tell Drew, at least tonight, that she'd promised not only to help Thelma find out the true identity of her would-be bedfellow, but also what had happened to the real Billy Ray.

Thelma was no flighty bride; she was a gutsy woman in a scary situation. If Drew didn't believe Thelma, neither would anyone else until they had some concrete proof. More than most people, Chantalene understood what it was like to know the truth and have no one believe you. She would not desert Thelma the way Tetumka citizens had once deserted her.

ON HER COMMUTE to class the next morning, Chantalene tried to review facts for her British Lit exam, but her mind kept

returning to Thelma and her counterfeit husband. She figured
they had two leads—the prison in California and the auto
wreck in New Mexico. There was the sister in Tulsa, too, but
she doubted the sister would tell her the truth even if Chantalene found her. She had the impression that Sunny had spent
her life covering up for her brothers.

She would check out his prison story first. He had told
Thelma that, under the influence of alcohol, he'd beaten a man
in a bar fight, but that he'd paid his debt to society and not
touched a drop of booze since. For Thelma's sake, Chantalene
hoped that was true.

If her semester's credit weren't riding on this test, she
would cut the class. At least she could make her long distance
calls from campus, where Drew wouldn't overhear and tell
her she was crazy. She checked the seat beside her to make
sure she'd brought the file they'd compiled while searching
for Billy Ray Patterson. She touched the manila folder, then
grimaced. The file was there, all right, but she'd forgotten her
lit book with her study notes in it. Great.

Oh well, if she didn't know the stuff by now, it was too
late anyway.

Dr. Davis's second-floor classroom smelled of chalk dust
and jock sweat. The professor, a slight, effete man three times
her age, clearly loved his job, especially on test days. His
smile was evil as he passed down the aisle handing out essay
questions.

"Choose two of the three questions and write your answers
in essay format," he instructed.

Chantalene heard a few muffled groans and was careful to
hide her pleasure. She'd never met a written exam she
couldn't baffle. She scanned the questions.

"Question 1. In the Beowulf epic, the hero Beowulf meets
Grendel, the monster who is devastating the countryside, does
battle and kills him, then immediately has to overcome Grendel's mother. After that he takes on a third enemy, a fiery

dragon, and they fight until both are mortally wounded. Discuss the theme of the poem, including the values presented, and then evaluate whether this epic has any relevance to you as a student in the twenty-first century."

Ye gods. Dr. Davis wouldn't like her answer to that one. Quickly she outlined her answers to the two other questions, which weren't much better. Thank heaven he didn't expect them to write in Middle English.

An hour and a half later, she handed in her test booklet and gave Dr. Davis her best smile. "Could I please use the telephone in the English department conference room? I have some business calls to make and need privacy. I promise to put any charges on my phone card." She produced the card as evidence.

"I'm sure you will." Dr. Davis patted her test paper. "I know how to find you."

The room was empty and she locked the door to avoid interruptions. She spread the Patterson file on the table along with an area code map from the phone book.

First, she dialed Tulsa information, but the operator found no listing for Sunny Ray Diehl, or anyone else with that last name. No surprise there.

A clerk in the warden's office at San Juan prison confirmed that one Billy Ray Patterson had served three years there on a charge of manslaughter. "Manslaughter could mean anything from reckless driving to a plea-bargained murder charge," she said. "What did he do?"

"The charge is a matter of public record," the man said, "but we can't give out details except to a law enforcement agency. No matter how much I like your voice."

Chantalene scowled. "Did I forget to say the attorney I work with is part of the Oklahoma State Bureau of Investigation?"

He laughed. "Nice try."

"Can we at least get a copy of his fingerprints?"

"Your local police can," he said.

Swell. Next she called the New Mexico State Police headquarters.

"This is the county sheriff's office in El Rio, Oklahoma," she said, crossing her fingers like a wayward child. "We're doing a background check on a Billy Ray Patterson, sometimes known as Donnie Patterson. Our information shows he spent some time in New Mexico," she paused, consulting her notes, "around 1972. Would you have information from that far back posted on your computer?"

"Hold on, please," the woman's voice said. Chantalene heard the clicking of keys.

"We have no record on a Billy Ray Patterson, but under Donnie Ray Patterson we show a traffic fatality in 1972. Body burned beyond recognition but the officer who worked the scene found his wallet."

Bingo.

"Does it show who claimed his remains?" Chantalene asked.

"No, and it looks like the case file never was closed. Apparently, local police had some unanswered questions about the accident, but that kind of information isn't in the file."

"What about a name and phone number for someone who worked the case?"

Another pause. "A detective Watson Wilson was the investigating officer for the Los Padres Police Department. I doubt if he's still around, but I can give you the department phone number."

"Thanks. You've been a big help."

Chantalene scribbled the number and dialed.

In Los Padres, she got lucky.

TEN

DETECTIVE WATSON WILSON had risen through the ranks to become police chief of the small town in 1979, where he served until his retirement in 1998. He still lived in Los Padres, and his number was listed. He answered on the third ring.

This time Chantalene dropped the name of the Opalata county sheriff, for authenticity. If Sheriff Justin found out what she'd done, there would be hell to pay, but she had explained herself out of worse scrapes with him in their long and spotted history.

Watson Wilson's voice was gravelly and slow, like somebody's grandpa. He liked to talk and he had a clear recollection of the flaming wreck of Donnie Ray Patterson's pickup.

"Poor devil ran off the road and into a concrete bridge abutment right about daylight. Went to sleep at the wheel, most likely. Gas tank ruptured and blew. Happened just a mile or so out of town where our jurisdiction overlaps the highway, so the state police called me. Wreck was still smoking when I got there."

"Were you able to locate his family?"

"Nope. That one phone number—for the lady in Oklahoma—was the only lead we had. He had a Texas driver's license, I remember, with an outdated address. Couldn't locate anybody that knew him. County finally buried him as a transient, but I kept the file open hoping a missing-persons report would match up someday." Wilson wheezed, a sound meant for a sigh, Chantalene decided. "Somebody knew who he was, though. I don't think he was alone in that pickup."

"There was another body?"

"Nope. Motorist who reported the fire said he saw a fellow running along the highway, 'bout a mile before he came to the burning wreck. Said the fellow wasn't trying to hitch, just hightailing like he was in a hurry to put some distance behind. Motorist didn't think anything of it until later."

"Did the motorist give you a description of the man?"

"Now you're askin' my memory to be better'n it is. All that would be written down in the file, though."

So far everything matched the cowboy's story. Maybe he traded ID with his dead brother. But why?

"Would the police still have that wallet?" she asked.

"It's probably sealed up in the basement at the station. That's where we keep property from old cases we can't close."

She noticed that retired Chief Watson talked about his old job in the present tense. "Chief, if I came out there, could you help me get a look at that billfold?" She crossed her fingers again. "We just might be able to help you close that case."

His interest perked up. "Somebody there knew the fellow?"

"I'd hate to say anything yet. But we're making inquiries on behalf of the lady whose phone number was in that wallet."

Watson Wilson cleared his rocky throat. "Sure, young lady. You come right ahead and I'll help you all I can." He chuckled. "Be the first interesting thing's happened since I retired."

Chantalene hung up and dialed the Tetumka post office. "Thelma? Can you talk?"

"Nobody here but me. If someone comes in, I'll tell you."

Talking fast, Chantalene filled Thelma in on her conversation with Watson Wilson.

"Can you leave tomorrow?" Thelma said. "I'll pay for your trip and your time. I'd go myself but I don't want to leave him alone in my house, especially since that oil company fellow might show up again."

Chantalene bit her lip. Tax season. How could she abandon Drew before the deadline when she was supposed to be his partner? Especially when he'd think she was wasting her time, and Thelma's money. "Are you still doing okay at home?"

"So far. He's sleeping in the guest room, and he's very polite."

"I can go Saturday morning, if you can hang on one more day," she said. "Before then, I need to know everything I can about the real Billy Ray. Do you have old pictures of him I could take? Photos of his family, samples of his handwriting, anything like that?"

"Nothing about his family, but I do have a scrapbook. You're welcome to anything we can find. My *roommate*," she said dryly, "is helping Grant Selby work cattle today, so he's out of the house. If you can meet me at home this afternoon, I'll get Annabelle to cover for me here."

"I'll be there by two," Chantalene promised.

Several more hours lost from the office. *Looks like an all-nighter with Gandalf.* Just thinking about it made her neck ache.

CHANTALENE PULLED INTO Thelma's driveway at ten after two, finishing off the chocolate chip granola bar she'd bought from a vending machine at school. The black Cadillac crouched in front of the house, and Chantalene scowled.

The Suit was back. That oil company must think Thelma was sitting on a black goldmine. She'd have to wait him out and talk to Thelma alone. She parked beside the Caddy and walked around it toward the house. The sedan ticked like a lethargic bomb, expelling road heat.

Thelma's front door stood open behind the screen. Chantalene tapped on the doorframe, then poked her head inside. "Thelma? It's me."

"Come on in!"

Chantalene opened the screen and stepped into the living room. Old farmhouses like this one didn't waste space on entryways.

"You'll have to excuse me now, Mr. Hill," Thelma was saying. "My friend and I made plans."

"Of course." His voice took on a flirtatious tone. "I should have called before stopping by, but heck, I just enjoy visiting with you!"

Oh brother.

Mr. Hill, today in a brown suit and turquoise-encrusted bolo tie, got up from the sofa and beamed her a smile that stretched upward to his crew cut. "Miss Morrell! Nice to see you again!"

She tried to decide if it was his phoniness or his bad taste that irritated her so much. "You're good with names," she said.

He winked. "No man forgets the name of a beautiful lady."

Chantalene gave him a phony smile. "I believe you have something stuck in your teeth." It was a metaphor, but it shut his mouth.

Thelma stepped between them and steered Mr. Hill toward the door. "I'll let you know as soon as I have things cleared up so I can sign your papers."

In the instant before he turned away from Chantalene, a look passed through Hill's eyes that startled her. *He's the kind of guy who would beat his wife.*

But the look had dissolved by the time Hill turned back to Thelma, all charm. "Our investors are getting restless, Mrs. Patterson. I'd sure hate to see you lose this opportunity."

By the front door, he stopped at the coat rack where a man's denim jacket hung alone on the hooks. He touched the coat and his eyebrows shot up like Roman candles. "Mr. Patterson is back?"

"No." Thelma's tone was emphatic, and Chantalene knew she believed what she said. Hill looked unconvinced. Thelma held the front door open, lifting her chin. "The jacket belongs to a man friend, Mr. Hill. I may be middle-aged, but I'm not dead."

Chantalene laughed aloud as Hill slid out the door and Thelma shut it firmly behind him.

"That fellow's beginning to get on my nerves," Thelma muttered, and motioned Chantalene toward the kitchen.

"With good reason. He's sure curious about your *mister*."

"That's what I mean. He's all flirty and polite, but when it comes to signing a lease, he acts as if *my* signature isn't good enough." She pointed to the kitchen table. "Sit. Have you had lunch?"

"Sort of. But I could use something cold to drink."

"I'll get it while you look through these." Thelma placed a scrapbook and a faded cigar box on the table. "You'd better hurry. I've no idea when *he* will get back."

Chantalene smiled at Thelma's refusal to call her housemate Billy Ray. She'd switched to a sort of capitalized *He*, undeified by her tone of voice.

Thelma busied herself at the kitchen counter while Chantalene lifted the lid of the cigar box. Inside lay the letters Thelma's young husband had written before they married— the letters that made Thelma fall in love. Chantalene lifted one of the brittle envelopes but couldn't bring herself to open it. She set the box aside and opened the scrapbook.

On the first page, she found Thelma's marriage certificate, mounted with gold photo corners. Chantalene examined the surprisingly graceful signature of Billy Ray Patterson. She'd once read a book on handwriting analysis. From the large loops on the ascenders and descenders, the book's author would have concluded that Billy Ray had a generous nature.

She turned the page to a black and white snapshot of the newly married couple with a local magistrate, the Opalata County Courthouse rising above them in the background. Thelma looked young and slim; Billy Ray even younger, and blazingly handsome. The image definitely bore a resemblance to the mysterious wandering cowboy. Chantalene frowned. Could Thelma be wrong?

Thelma placed a glass of iced tea on a coaster, her eyes avoiding the snapshots. "I'll keep an eye out for him." She hurried toward the living room. Obviously she couldn't watch her past examined, even by a friend.

Feeling like a voyeur, Chantalene peeled back another page in the history of Thelma's one great romance.

Photo after photo of Billy Ray filled the album. Most seemed to be taken by Thelma. Billy waving from the tractor seat. A shirtless Billy Ray heaving bales of hay onto a flatbed truck. Thelma's adoration of him was obvious and unqualified. Had the affair been completely one-sided? A heartbreaking thought.

Occasionally, an anonymous shutterbug had captured the two together. One of those rare shots renewed Chantalene's faith. In the photo, Thelma posed playfully in a flowered dress and spring hat—her new Easter outfit, no doubt. She looked radiant, but it was the figure in the background that drew Chantalene's attention. His eyes fixed on Thelma, Billy Ray's smile bloomed with pride, his eyes shining. At that moment, love clearly etched the handsome face.

Chantalene loosened the photo from its corner holders and closed the scrapbook. Her throat felt tight as she sipped her tea. She took a deep breath before opening the box of letters.

Thelma had kept them in order by date. Chantalene unfolded the one on top, postmarked in June 19, 1969. Billy Ray's youthful handwriting inched across lined pages torn from a tablet. Chantalene read in silence, aware of Thelma's quiet movements in the front room—straightening the house, needlessly sweeping the mat by the front door.

The first letter was a travelogue of moving north with the harvest, impressions of a small town boy passing through country he'd never seen. Gradually, the missives grew more personal—journal entries of a lonesome young man who was sensitive to the natural world and articulate despite his faulty spelling and grammar.

"This week I finally got to run the combine instead of just driving the truck," he wrote. "It takes some practice, but by the second day I had that big machine tamed like a bunny. I can turn it on a dime & pick up a little patch a wheat standin in a mud puddle without even gettin the tires muddy! Of course next thing I know I've ran the header to low and scooped up some dirt when the tires hit a bump. The boss hollered *Hey Rookie!* and that brot me down to earth real quick!

"But sometimes, sitting up so high above all that horse-power, I feel larger than life—like if I really tried, I could do anything. It's odd, though, cause the next minute I look up and I'm way out in some field that runs clear to the sky, and realize how small I am in this world. It's the closest I ever come to knowin what God is, I guess. And I gotta say, it's pretty lonesome."

Chantalene bit her lip, goose bumps scattering down her arms. She knew just the feeling he meant.

The last letter read, "When I get back, I'm gonna take you to El Rio on a real date. We'll catch a movie and eat at that fancy place—Sandhill's, was it? You can ask a neighbor to stay with your dad one evening—I won't take no for an answer!"

Thelma hadn't believed he would really come, but it was easy to see why the letters charmed her. Chantalene fell in love with them a little bit, herself. Not only that, she kept remembering the stories the cowboy had told at dinner on his first night in town, and she had no trouble picturing him as the author of these letters.

Except for one thing. The newcomer's grammar was nearly flawless. Unless he conjugated verbs in prison or on the back of a horse, how would he have managed to polish his language skills so much?

If he wasn't Billy Ray, why was he pretending? Was it as simple as Thelma's money? And what had happened to the man who wrote the letters?

Closing the box, she kept one letter in which the handwriting and signature were clearest and carried it to the living room. Thelma stood by the window, looking out through a lace curtain. Chantalene doubted Thelma was really seeing the front yard or the road that led to her house.

"I'd like to take a photo with me, and make a copy of one of the letters for a sample of his handwriting."

"Certainly," Thelma said. "Anything you need." When she turned, Chantalene saw a telltale glisten at the corner of her eye. "I've put five hundred dollars cash in this envelope. Will that be enough for your plane ticket and expenses?"

"More than I need. I'm going to drive instead of fly."

Thelma frowned. "Are you sure? It's got to be six hundred miles!"

"I know. But I'd have to drive to Oklahoma City or Dallas and wait to catch a flight, then fly into an airport that's still a hundred miles from Los Padres, and rent a car. I think it'll be faster and cheaper to drive straight through."

Chantalene never knew quite how to react when people hugged her. Thelma smelled like flowers and felt like a warm pillow. She turned Chantalene loose and did her best to smile.

"I can't tell you how I appreciate this. I don't know what I'd do if *nobody* believed me. Speaking of that, have you told Drew that you're going yet?"

Chantalene chewed her lip. "No."

And she was planning to drive his car more than a thousand miles on a mission he'd consider a goose chase. Well, she had wanted some excitement. Be careful what you wish for, her mother used to say.

ELEVEN

IN BUSTLING DOWNTOWN Tetumka, Chantalene parked in front of the office—the only car on the street. Annabelle's dust-colored compact would be under the carport behind the post office, but Drew always parked his red truck in front and she'd expected it to be here now.

She fished for the key to the office door, then realized it was open. Drew sat behind the desk looking like a wilted sunflower. "Where's your truck?" she said.

"Dead battery. I walked over to your place and rustled your horse."

Her eyebrows raised. "Whippoorwill let you ride him?"

"Behaved like an almost perfect gentleman. He's parked on the grass behind the building," he said.

"That's amazing. Whip has never let anyone besides me ride him."

Drew shrugged. "Animals love me."

"Yes, we do."

She set her notebooks on the bookcase, making sure the Patterson file was on the bottom of the stack. "That battery must have been defective. You ought to wring a new one out of that car dealership."

"I don't think so." Drew's expression turned sheepish. "Apparently I left the interior light on all night."

"Ah-ha. The absent-minded attorney."

"You should talk. The office door was unlocked when I got here."

She stopped in mid-motion. "Are you sure?"

"Yup. You must have forgotten to turn the latch when you left yesterday."

She glanced around the crowded office. "Is anything missing?"

"Nah. The computer's the only thing here worth taking."

"I'm sorry. I could have sworn I locked it."

"No big deal. That lock wouldn't keep out a thief, anyway. It just protects us from kids or the curious."

One of the things she loved about Drew was that he didn't get uptight about minor things. Usually. Of course, sometimes they didn't agree on what was minor. She debated whether the moment was right to tell him about her impending trip to New Mexico.

Before she'd decided, he said, "I got one of those Oklahoma City accounts finished up this morning," he said. "All I have left to post is their state return."

"Wow. You must have stayed up half the night again. Want me to take over at the keyboard?"

"By all means." He leaned his head side to side and his neck crackled. "I'll go across the street and get us a soda. Orange for you?"

"Great," she said, still afloat in iced tea. "And a licorice stick, please."

When he came back, she would definitely tell him.

She sat behind the desk and tried to make sense of Anchor Brick Company's Schedule D. But when she glanced up at the steer's head clock, a cold prickly scampered down her backbone. *Something was wrong there.* Something besides that ugly clock.

Sitting still, she concentrated on the warning. In a moment, she realized one of the filing cabinet drawers was standing open half an inch. This *never* happened in their office. Drew was a compulsive neatnick, and Chantalene hadn't taken anything from that drawer for a week. This wasn't earthquake country—so that left one explanation.

Somebody else had been in that drawer.

Who? And why?

Suddenly she was dead certain she had locked the office door before leaving last night; she remembered doing it. Someone had picked the lock, not a difficult task, and looked through the files. For what?

She remembered to breathe again. Then another prickle: Did Drew really leave his interior light on in his precious truck? What if someone didn't find what they wanted in the office—the Patterson file?—and decided to look in his truck, under cover of darkness? If the culprit tried to shut the door quietly, the latch might not catch—and the interior light would stay on.

Ridiculous.

But possible.

She pictured herself telling this scenario to Drew, and heard his voice of logic. *Get a grip, girl. That's a lot of supposition.*

She was still debating this when Drew returned with two cans of soda, a licorice whip for her and a package of Ding Dongs for him. They might not have much else in common, but their love of junk food would hold them together. He pulled the spare chair up to the opposite side of the desk and cleared a space for his work by setting the "In" basket and phone/fax on the floor.

"Ten more days," he said, rolling his shoulders and stretching his back. "No matter how many hours we have to work between now and the fifteenth, it'll all be over by then."

Chantalene bit her lip. "I've got to take off this weekend. But I'll make up for it tomorrow and Monday."

His forehead crinkled. "*This* weekend? It's the last one before the deadline."

"I know. I'm sorry."

"Sorry? That's *it?*" Then he hesitated. "Is something wrong?"

She took a deep breath. "I'm going to New Mexico for Thelma." She saw his face cloud and talked faster. "The cop who worked that auto wreck involving Donnie Ray Patterson still lives there, and I talked to him. They have the wallet that belonged to the dead man. And the cop says there may have been somebody with him who walked away."

"So what?"

"I don't know so *what*." She hated sounding defensive. "But Thelma asked me to check it out, and I promised to help. Drew, consider just for a minute that Thelma's right. If this fellow isn't Billy Ray, who is he? Think how creepy it would be for her to have this *stranger* pretending to be her husband."

"It's a little hard to feel sorry for a woman who'd take a man home with her when the last she saw of him was his backside walking out the door thirty years ago. If she's changed her mind, why doesn't she throw him out?"

"What makes you think he'd go? His name is on her farm, and he has the whole community on his side, for some reason I can't fathom. Everybody seems to think he's just *ducky*. I can't understand why you believe *them* instead of her."

Drew huffed a tired breath and stretched his neck muscles. Chantalene heard his neck pop. "I can see how alarming it is to Thelma," he said. "But in a few days she'll change her mind again and realize this guy is her husband. She may not want to stay married, and that's her prerogative. But you saw them the other night. She certainly recognized him then."

Chantalene met his eyes. "Drew. If I didn't see you for fifty years, I could pick your tee shirt out of a line up if I was blindfolded. Just by remembering your smell."

He threw up his hands. "Here we go again. Nobody knows what the nose knows!"

"Okay, don't believe me. Or Thelma either. But you'd better believe this: When everybody in town thought my father was a criminal and I was a witch, Thelma treated me like a friend. I *am* going to help her, whether you agree with it or not. If you don't want me to drive your car, I'll borrow hers.''

Drew's usually pleasant face turned darker than she'd ever seen it. "Why do I waste time trying to reason with you? You'll do what you want anyway.''

She kept quiet, except for the bass drum hammering in her chest.

"Do at least one sane thing," he said finally. "Take Thelma with you. I can't go, because I've made promises to these clients." He swept a hand toward the tax forms scattered across the desk. "Two women on the road is at least a little safer than one alone.''

"Thelma will not go off and leave him there in her house," she said quietly. "I'll be fine, really. I am not so sheltered and simple that I can't take care of myself." She paused. "But thanks for worrying.''

He looked at her for a silent moment. Then he began to gather his work and stuff it into his valise.

"What are you doing?''

"I'm going home.''

She waited two beats, then said, "Take the car, so you don't lose your papers. I'll ride Whip home.''

He left without another word.

She sat in the empty office, listening to the ticking clock, the silence loud in her ears. She took deep breaths that were scented by Drew's anger and her regret. It was another olfactory memory she'd never forget.

Had she just chosen her friendship for Thelma over a relationship with Drew?

Dread weighted her chest—or was it foreboding? Her eyes focused on the drawer of the filing cabinet, standing ajar.

TWELVE

ROSE-COLORED LIGHT streaked the eastern sky when Chantalene pulled onto the Indian Nation Turnpike, her headlights searching north. At this hour she had the highway almost to herself. A roadmap of the Southwest, folded open, was tucked above the visor, but she wouldn't need a map for hours. Farther north, the Turnpike connected with Interstate 40, which bisected Oklahoma east to west. Once she hit I-40 and headed west, she'd be on autopilot all the way to the Texas Panhandle.

The highway sang beneath the tires. She enjoyed driving, and she'd learned as a child to be comfortable with solitude. For security, Drew's cell phone sat beside her on the seat like a sleeping pet. *These are the good old days.*

Then she thought of last night when Drew had given her the phone, and her moment of travel bliss evaporated. She had gone to his house to talk to him, hoping to make things right before she left for New Mexico. Instead they'd argued again. And somehow the argument shifted, as arguments do, to the big topics underlying the small ones. Usually the rational one, Drew had finally lost it.

"This crazy trip is just an excuse to put some trauma in your life," he'd accused. "You're *addicted* to it. You can't stand living like a normal person."

"Hey! I didn't go looking for this," she said, her voice rising. "Thelma asked for my help, and I'll be damned if I'm going to leave her hanging, like you and everybody else in town who choose to believe the woman can't recognize her own husband!''

His face went quiet. "You don't recognize yours."

He walked away from her then, and she felt a sinking inside.

They were back to the old theme. He wanted a commitment, a settled life. Kids, eventually. The idea sounded good to her as a fantasy for the future. But not yet. In her heart lurked a terror that once she settled in Tetumka and had children, the boundaries of her life would be as fixed as the death date on a tombstone.

Alone in the car with the open highway ahead, she hunted for any truth in Drew's accusation. She wouldn't cop to needing trauma; losing her parents and being a teenage runaway were enough of that for a lifetime. But she did want more than college classes and data processing. The truth was that she was on the road this morning not only for Thelma, but also for herself.

There was more to their argument, as well. She hated being dependent, and right now she was dependent on Drew's car and Drew's job. If it weren't for him, she'd might be serving fries through a window in El Rio for minimum wage. Drew was taking care of her as if they were married. He had accepted all the responsibility without getting what he wanted from the relationship, and that made her feel rotten.

Drew would never point this out, of course. Even in a fight he had rules he never broke. It was part of what she loved about him, but sometimes his ethics made her feel small. Maybe she'd won this particular battle, but he was the better man.

Chantalene took a deep breath and unclenched her grip on the steering wheel. The sky had lightened and she switched off the headlights, glancing at the car's digital clock. She pictured Drew just waking up, fuzzy-headed and warm from sleep, his eyebrows rumpled in all directions. She wondered if he felt as lousy about the argument as she did.

He'll come around when you prove Thelma right.

She thought about Thelma then, doing chores around her farm at this hour. Was the counterfeit husband afoot as well, or did he lie abed and let her feed the calves and chickens? She tried to imagine living with a man who pretended to be someone you used to love, when you knew he wasn't. Thelma had a lot of grit to hang in there while Chantalene went off in search of his identity.

In the early sunlight, redbud trees necklaced the creeks and watersheds with bright magenta, and sandplums bloomed white against a backdrop of new green. "Nature's first green is gold, her hardest hue to hold," she quoted. "Her early leaf's a flower, but only so an hour."

Robert Frost. But the poem ended sadly: "Then leaf subsides to leaf; so Eden sank to grief. So dawn goes down to day. Nothing gold can stay." She thought of Drew again.

At mid-morning she passed through Oklahoma City, grateful to miss rush hour traffic, and sailed west across increasingly flat land. She was making good time. Semi rigs whooshed past on both sides of the highway, rocking the Volvo with waves of diesel exhaust. In self-defense she nudged the cruise control up to seventy-five.

She crossed the Texas state line at noon and pulled into a truck-stop diner. Her joints crackled as she walked inside. The grilled cheese sandwich buttered her fingertips and the French fries were homemade—a fantastic mega-dose of cholesterol. In a frenzy of excess, she ordered a chocolate milkshake for the road.

A dark green pickup had parked too close to her car in the lot, and she could barely get her door open. "Inconsiderate jerk," she muttered, squeezing into her seat without caring if her car door added another ding to the pickup's dented side.

Then she realized that inside the dark-tinted windows, someone was sitting behind the wheel.

With the sun glaring overhead, she couldn't see a face inside the truck, just a shadow of bulky shoulders. But she knew the driver could see her plainly, and Drew's warnings rose in her ears. She slammed her door quickly and locked it. Leaving the parking lot, she glanced in the rear-view mirror, but the pick-up hadn't moved.

The sun was high and hot when she left I-40 in eastern New Mexico, turning south on a two-lane highway that curved through semi-desert landscape spread with low mesquite and yucca spikes. For a hundred miles, she didn't pass one bona fide town. A phrase on her New Mexico map kept returning to her: *Jornada del Muerto.* Journey of the dead? She wished she knew Spanish. French, too, and maybe Italian. Next semester she'd definitely enroll in a foreign language class.

At mid-afternoon she stopped for gas and bottled water at a roadside store. The hand-lettered sign out front carried three lines:

Watermelon
Pool chemicals
Jesus Saves

She turned west again on a narrow, empty road where a bullet-pocked sign pointed toward Los Padres. The Fathers? Or maybe in a broader sense, The Parents. The road began to climb, and the air that sliced through her windows felt dry and cool. She rounded a high curve around a rocky hill that in Oklahoma would constitute a mountain—and there it was, a sudden oasis of stucco and greenery, accented with tile roofs and flowers. The road led directly to the main street and a grassy park that formed the village plaza. In the center of the park, surrounded by a low, spoke-like fountain, a sculpture of three stocky priests extended sandstone hands to all who approached.

The padres cast long shadows in the afternoon sunlight. Small shops, their doors open to the clear, dry air, bordered a one-way street around the plaza. Enchanted, she drove around the square twice, then turned off on a side street to find a travel-mart where she could get a cold drink and use the restroom. In the parking lot, she dug out the scrap of paper with retired Chief Watson Wilson's phone number. Drew's cell phone had free roaming service, so she dialed from there.

An hour later, she met Chief Wilson in front of the police station. She identified him as soon as he stepped out of his ancient station wagon. He looked just like his voice.

His hair was silver, his face deeply tanned in spite of a wide-brimmed hat. Battered cowboy boots poked out beneath his loose-legged khaki pants, which Chantalene suspected were the bottom half of his old uniform. He wore a plaid sport shirt, open at the neck and tucked in over a slight paunch. And red suspenders.

"Glad you made it safe and sound," he said in the friendly, grumbly voice she recognized from their first conversation. "Hate to see a woman on the road alone."

Et tu, Watson?

"No problem," she said, and showed her teeth.

"You find the motel?"

"All checked in. Thanks." She'd also gassed up the car and eaten cheese crackers and fruit juice for supper. "Will we have trouble seeing the police records on a Saturday evening?"

Wilson adjusted the wire-rimmed glasses on his generous nose. "Actually it's a good time. The boys'll be busy finishing up the week's paperwork and won't pay much attention to what we're doing." He chuckled. "I still pretty much have the run of the place."

I'll bet you do. She liked Watson Wilson, and her conscience poked at her for the lie she'd told him over the phone about being with the El Rio sheriff's department.

He escorted her into a one-story adobe storefront where a sign made from terra cotta tiles read Los Padres Police. Inside, two dark-haired cops glanced up from their desks. One held a phone to his ear while writing on some kind of form. The other was working on a very old computer.

"Buenos noches, el Capitan," they said almost in unison, and grinned. Wilson returned their greeting and Chantalene saw their eyes switch from Wilson to her and back again. One of them rose to shake his hand.

"What can we do for you?" he said.

"This young lady came all the way from Oklahoma to check on a missing person that passed through here some years back," Wilson told him. "Thought I'd dig through the old files and see what I could find to help her out."

"Better you than me, eh?"

"Right. Wouldn't want to keep you from your paperwork."

The young cop laughed and retrieved a key from a desk drawer, tossing it to Wilson. *"Buena suerte."*

Chantalene followed him down a hallway and then a flight of cracked, concrete stairs that bent back on itself and ended at a metal door. Wilson unlocked it.

"Wait here until I get the light," he said.

In a moment she heard a snap and light flooded the basement room. She squinted. From a long cord in the center of the room, a bare bulb jittered shadows across the concrete floor. Fan blades began a slow swirl from another hanging fixture, and beneath the light sat a coffee-ringed card table. The place smelled like a cellar.

Chantalene paused in the doorway while a shiver ran across her back. She hated any enclosure without windows, especially basements and cellars. There was never enough air. Her chest tightened.

"Come on in," Chief Wilson said, "but watch out for spiders."

Perfect.

Wilson crossed to a bank of filing cabinets against one wall, checked the drawer labels, then opened one and fingered through files. In a moment he came out with a brown accordion folder tied with string and placed it on the card table. Chantalene checked the seat of the metal folding chair before sitting down opposite him.

The chief's thick fingers had trouble with the knot in the string—arthritis, no doubt—but finally he opened the foldover flap and removed the contents of the file. A vision of the ragged, enigmatic cowboy who'd entered her office only last week rose in Chantalene's mind. Her heartbeat quickened. Was the secret to Billy Ray Patterson contained in this folder?

Wilson picked up a manila envelope and dumped something out. Before her on the table lay the billfold of a dead man—all that was left of one Donnie Ray Patterson.

If that's who he was.

Inside the wallet, behind a plastic window, a faded Texas driver's license bore the name, but no photo. The wallet contained no other cards, no pictures. A ten dollar bill and three ones still resided in the money compartment. "Honest cops you have around here."

"Everything here is just like we found it," Wilson said, and he didn't smile.

From a second envelope, he removed a creased slip of paper about two inches square, holding it carefully by one edge. He laid it before her. Seeing Thelma Patterson's first name and phone number written there, the same number she had now, gave Chantalene an unexpected ripple of shock. The numbers and letters, written in pencil in a dark, firm hand, were well formed.

She swallowed. "I recognize this writing."

"Izzat right?" His tone was noncommittal.

From the file folder in her bag, Chantalene produced the letter from Thelma's scrapbook and laid the envelope next to the scrap of paper. It didn't take a handwriting expert to see the resemblance. A unique stroke forming the *T* on Thelma matched exactly.

"I'll be durned," Wilson said. "Who wrote that letter?"

"A man named Billy Ray Patterson, who was married to Thelma nearly thirty years ago. Donnie Ray may have been his alias. Or his brother."

The chief nodded, his brow creased. "Either that, or the dead fellow really was Donnie Ray, and Billy Ray was his alias."

Chantalene met his eyes and blinked, thinking that over. "Or the billfold belonged to the guy running from the scene."

"Yup." Wilson nodded, chuckling. "Ain't detective work fun?"

"I don't suppose we could lift fingerprints from the wallet after all this time," she said.

"Time wouldn't matter so much as the fact that every cop in the department, including me, handled the thing. Besides, we don't have fingerprints from the burned guy to match up with."

"No, but we have a live one back in Oklahoma, claiming to be Billy Ray Patterson. We have reason to believe he isn't who he says."

"Have fingerprints from him?"

Chantalene hesitated. "No. But I...we could get them."

She had a bizarre vision of sneaking into the cowboy's bedroom at night, rolling his limp fingers on an inkpad. Too many detective novels.

But Thelma could save something in the house that he'd touched—a glass, the raised toilet seat. Then she remembered the prison. His prints would be on file in California. *If* he was the same Patterson that served time there.

But Wilson was shaking his head. "Not a gnat's chance in a swarm of blackbirds you could get a useable print off the outside of that billfold. And if you did, it'll likely be one of ours."

"Could we give it a shot? I don't have much else to go on."

"We could try that little plastic window inside it." Wilson shrugged. "I've got nothing better to do today. There's a kit upstairs, and I used to be a pretty good hand with it."

She caught a quick spark in his eyes. Some people just weren't cut out for retirement.

While he went upstairs for the kit, Chantalene read the police reports on the accident and fire that ended the life of the supposed Donnie Ray Patterson. There wasn't much in it. From the torso up, the body was burned beyond recognition. He'd been wearing cowboy boots and jeans. The report identified the boots as Justin's.

If there was enough left of them to identify the brand, where were they?

She asked Wilson that question when he lumbered back down the stairs.

"Should be over there in property storage." He nodded toward one end of the room where tall, unpainted plywood shelves stood in rows like library racks. "I'll take a look after we do this."

He spread a clean newspaper on the table. From a beat-up plastic tackle box, he set out a baby-food jar of white powder, a tiny, soft brush that looked like a feather duster for Barbie, and a long-handled magnifying glass.

Her eyebrows pinched together. Was this how they did it in Dallas or L.A.? He saw her eyeing the magnifying glass. "That'll help us see if we've got anything. If we do, we'll take it upstairs and have Carlos photograph it to send off for I.D. We don't have all that fancy computer stuff here."

She nodded, and felt her pulse rise to her neck as he opened the wallet on the table, dipped the brush in the powder and delicately sifted it across the plastic window that covered Donnie Ray's driver's license. "I've always wanted to know how to do this."

Wilson glanced up at her and smiled. For a moment their eyes met like two kids in complicity over a homemade science project.

"This is magnetic powder," he said. "It sticks to the oils and perspiration left behind from the top ridges of skin in a fingerprint."

"Would the oils still be there after all these years?"

"If we're damned lucky." Wilson picked up the magnifier and began a centimeter by centimeter inspection of the whitened rectangle.

"Nothing," he said at last. "Want to take a look?"

She took the glass and leaned over the billfold. The power and clarity of the instrument impressed her; smudges and streaks outlined by white powder leaped into huge detail. But nothing resembled even half of a fingerprint. She sighed and put down the magnifier.

Wilson turned the wallet over and dusted the outside, repeated his examination and handed her the glass. *Nada.* He resacked the wallet and replaced it in the file. Then he took out the crinkled note.

"You can get prints from paper?" Chantalene said.

"They got one of Hitler's from a book he'd handled years before," he said. "For paper, it's a different process, though." He produced an aerosol can from the tackle box. The label said 6% Ninhydrin Solution. "Move back. These fumes can be toxic."

Holding the paper by one corner with a pair of tweezers, he shook the can twice and sprayed both sides. "This stuff reacts with the amino acids left by skin contact. It'll turn a fingerprint dark purple," he said, holding the paper suspended to let the solution dry. "Trouble is, it usually takes twenty-four to forty-eight hours for it to work."

"Two days?"

"You don't want to hang around Los Padres a couple days and check out the night life?" Wilson smiled. "Guess we'd better speed things up, then. Hand me one of those baggies out of the box, will you?''

He slipped the dry paper into a plastic bag she held open for him. Then he put everything, including the plastic bag, back in the tackle box and said, "What time is it?"

She glanced at her watch. "Six thirty. But that's Oklahoma time. Five-thirty here."

"Maybe we can still catch Sammy Sung at his dry cleaning shop. I'll give him a call upstairs."

"What?"

"Come on. Hurry."

Upstairs, Wilson thumbed quickly through the thin yellow pages of a phone book and repeated the number to himself as he dialed. Chantalene had no idea what was going on, but in the belief that Wilson's odd behavior had something to do with the slip of paper in the baggie, she kept quiet.

"Sammy?" Wilson boomed after a few moments. "Glad I caught you. Watson Wilson. Need a little favor, and I'm at the station now. If I high tail it down there, can you wait for me? Yeah. Great. Appreciate it."

He hung up. "Let's go. It's only two blocks. We'll walk."

Chantalene took two quick steps for each one of Wilson's long strides as they hustled over Los Padres' uneven side-walks. "Heat can speed up the chemical reaction of the nin-hydrin," he told her. "We're going to use Sammy's pressing machine."

Sammy Sung, a slight man with a wrinkled brown face, smiled and nodded them toward the back room of Sung's Cleaners & Laundry. He'd been pressing somebody's suit pants, so the big, alligator-shaped machine was already hot.

"Switch off the steam, please sir," Wilson said. From the tackle box, he produced a sheet of folded white butcher paper, which he laid flat on the ironing table, shiny side up. He took the treated note from its bag, laid it on one end of the butcher paper and folded the other end on top of the note. When it lay smoothed and ready, he instructed Mr. Sung to lower the presser head and hold it down.

Heat emanated from the machine and Chantalene smelled hot paper. It felt like a full minute before Wilson motioned Mr. Sung to raise the presser.

Wilson carefully peeled back the top fold of butcher paper. All three of them leaned forward to see. Before Chantalene could examine the slight darkenings that appeared on the creases of the note, Wilson folded the paper back over it and said, "Hit it again, Sammy."

Sammy did.

This time when Wilson unfolded the butcher paper, definite purplish-black markings appeared on the note.

"Ahhhh," Sammy Sung pronounced.

"Hmmm," Wilson said.

Chantalene smiled. Without waiting for permission, she scooped the magnifier from Wilson's kit and leaned over the ironing table. Heat floated up to her face.

Purple etched the crossed fold lines of the paper like thin veins. She examined each flat quadrant for any swirls that might delineate a thumb or finger, then raised her head, disappointed. "I just can't tell," she admitted.

Wilson took the glass. "This could be a partial in the top left corner."

Sammy Sung and Chantalene leaned forward in unison while Wilson held the magnifier over the spot. The drycleaner's dark eyes squinted into slits, his oily head nearly touching hers. The odor of garlic cut her inspection short.

"Is it enough to identify?"

Wilson shook his head. "I doubt it. There's no center ridges."

The three of them stood silent for a moment, appraising the stained note.

"You bring that letter along?" Wilson said.

"Yes. Right here." She patted her file folder. "Why?"

He looked at her. "You're sure this lady's husband wrote the letter, right?"

"Yes."

"If we could get a latent off it, and you could get a print from the fella back in Oklahoma, at least you could tell if it's the same guy or not. Wouldn't solve our mystery here, but it might solve yours."

Chantalene hesitated a moment, thinking of Thelma's precious letter stained with purple. What would Thelma say?

"Good idea." She handed the envelope to Chief Wilson. Fifteen minutes later, they left Sung's Cleaners with a clear, purple thumbprint etched on Thelma's letter.

But how the heck would she get that cowboy to hold still while she inked his fingers? Or if Thelma could manage to save a useable print on his iced-tea glass, what could Chantalene tell Sheriff Justin—who considered her a menace anyway—that would convince him to dust and identify a latent fingerprint?

And speaking of Justin, what about those boots?

THIRTEEN

MISSION BELLS CHIMED a peaceful Sunday morning in Los Padres as Chantalene drove out of town with a dead man's boots on the back seat of her car. She'd just finished breakfast with Watson Wilson and turned onto the main road out of town when she noticed a dark green pickup at the stoplight on a cross street.

Surely it couldn't be the same vehicle she'd seen at the Amarillo truck stop. There must be thousands of green Ford pickups in Texas and New Mexico, even with dark-tinted windows. The light changed and she moved on, but for the next mile she kept glancing in the rearview mirror.

Earlier, over *huevos rancheros* that Wilson paid for, she had convinced him to let her carry the boots back to Oklahoma on the chance Thelma might recognize them. They'd switched to first names by then, and she'd also cleared her conscience, admitting that she didn't work with the Opalata County sheriff's office, wasn't even a private investigator in any official sense.

Watson didn't even glance up from his eggs. "I knew that."

"You've known all along?"

He slurped his hot coffee in a quiet, friendly way. "Since yesterday. You don't act much like a cop."

"Oh." She didn't know whether to be insulted or say thanks. "Then why did you help me?"

Watson never hurried his answers. She was learning the

rhythm of conversation with the retired chief. It was like a badminton game; no matter how hard you struck the birdie, the thing floated in its own timeless arc before being swatted back. In the interim, daily business at the small café hummed around them. Quick commands in Spanish drifted out from the kitchen, along with the scent of last night's chili *relleno* special.

"This lady, Thelma. She's a friend of yours, right?"

"Yes. A very close friend."

Watson chewed. "She's in a tight spot and she can't get anybody official to help her?"

"Yes. In fact, I'm the only one who believes her."

He nodded. "Right. That's why I helped you."

Chantalene let her fork rest idly a few moments while she thought about that. Watson added green chili salsa to his eggs and kept on shoveling.

"You helped me," she said, "because somebody you don't know is in trouble."

"That's about it."

She watched him and waited.

He lowered his voice so it didn't carry beyond their table. "When I was a rookie on the force, I saw a lot of folks who needed help. Mexican families, especially, who came to the police about a missing husband, or a son or daughter. And the guy who was chief back then just blew them off. Took the name and description but did nothing. Or a guy with one arrest on his record, maybe some crazy kid stunt, and later on when he needed help from the law, he couldn't get it." Leathery wrinkles bunched at the corners of Watson's pale eyes. "I swore if I was ever in a position to do things different, I damn sure would. And I did."

Chantalene looked at him a moment before she spoke. "I wish I'd known you years ago." *You'd have helped a twelve-year-old orphan whose father was hanged and whose mother disappeared without a trace.*

Her tone brought a frown to Watson's face, but he didn't ask. She looked away quickly and drank her tea.

Watson cleared his throat. "Anyway, can't much harm come from poking around in a twenty-year-old case. Always bothered me that we couldn't find that fella Patterson's family and notify 'em. Figured someday somebody would come looking for him, and you're it."

"Yes. I am."

So she told him the story from the beginning, even the part about the twenty-eight-year-old farmer's daughter who was wooed by an itinerant harvest hand nine years her younger, and how he won her heart with his letters. Especially that part, because Watson Wilson had a warm gold aura that made her believe he was a romantic at heart.

She told him about Billy Ray Patterson's desertion, about Thelma being so flustered by the phone call from New Mexico a few years later that she couldn't even ask questions. About their recent search for the missing husband and his popping up like a fishing cork when he thought he might inherit.

And lastly, about Thelma's certainty that the man her neighbors accepted as her missing husband, the man living under her roof and sharing her meals, was an impostor.

Watson listened closely. Chantalene could see his eyes soften. When she thought he was ready, she said, "So I want to take the boots back with me. If they were her husband's, she'll know it. And we'll know that he died in that car accident."

"They're evidence," Watson said. "We were never positive that wreck was an accident. The boys can't release evidence to you just because you have a pretty face."

"But they would release the boots to you."

He shook his head. "I don't have any official status either."

Ha. Those cops idolize you. She spread jalapeño jelly on

her last bite of toast. "How long do you think it's been since anybody looked at those boots in that basement?"

Without even looking up, she felt his eyes narrow.

"Twenty years," he said, guardedly.

"So if they were gone for a few weeks, who would know?"

"I would."

Chantalene wiped her hands and rummaged through the folder beside her on the seat of the booth. On a clean spot beside Watson's plate, she carefully laid the photo of Thelma Patterson, newly married and wearing her Easter dress, and her handsome young husband whose eyes focused only on her.

Just as she'd hoped, Thelma's smooth face, so obviously in love, drew Watson's attention. He picked up the photo and held it at a proper distance for his bifocals. Held it for a long time.

"That's him in the background?"

"Yes."

"And the guy who showed up still looks like this?"

"Enough," she said.

Watson's eyes went back to Thelma. "She has a nice face. Reminds me a little of my wife when we were young."

"I didn't know there was a Mrs. Wilson."

Watson nodded his graying head. "She's been gone a long time."

Chantalene waited.

"Maybe it's really him," Watson said. "What if all her neighbors are right?"

"And what if they're not? How does the fellow know so much about their past? And what does he want? He spent some time in prison, remember."

Watson finished his third cup of coffee and picked up the check. "Come on then. We'll make one last visit to the prop-

erty room before you leave town. I'll get a copy of that fingerprint, too, and see what I can run down.''

She carried the boots out of the police station in a brown
grocery bag. Returning the property room key to its desk
drawer, Watson waved to the cop on duty, who was on the
phone. The cop returned the retired chief's salute and gave
Chantalene a smile.

On the street, Watson opened her car door and waited until
she was inside and had rolled down the window. He shut the
door firmly and pushed down the lock. ''You drive careful,
you hear? I'm glad to see you got one of those portable
phones in the car.''

Chantalene smiled up at him. Why did she enjoy it when
the grandfatherly chief fussed over her, but when Drew did,
it ticked her off? Someday she'd have to figure that out. ''If
you're ever passing through southeastern Oklahoma, stop and
say hello,'' she said.

''Will do. And do me a favor. Check in with the local law
when you get back. If that fellow's got a prison record, he
might be a harder character than he looks.''

''Darn! I meant to ask you to check on that. Would you be
able to find out why he was in prison?''

''Sure. I'll ask the boys to run his name. Did you say California?''

''Yes. San Juan Prison. And something else, for what it's
worth. He told Drew that he and a couple buddies stole a pile
of money from a crooked Indian bingo hall in Oklahoma
thirty years ago. Seems the family that ran it was connected
with the mob, and they sent some thugs after Billy and his
pals. It's kind of far-fetched, but he says that's why he left
Thelma—he didn't want the bad guys to connect her to him.
Of course, if he's not Billy Ray, he might have made all that
up.''

Wilson sucked his teeth. ''This gets worse and worse. Give

me the number on your little phone there and I'll call you when I see what I can find out.''

Watson Wilson withdrew a tiny notebook and stubby pencil from a hip pocket and wrote it down. Chantalene smiled again. She'd seen Sheriff Justin do that same thing. She bet every old-time lawman carried a notebook and pencil until the day his case closed forever.

THERE IT WAS again. In the rear view mirror, Chantalene watched the green pickup on the road behind her while a spidery feeling crept up her neck.

At the first gas station, she pulled off the road and watched the truck cruise past. It had oversized tires, not whitewalls, and though it wasn't going fast, she couldn't see if there was a dent on the door. The dark windows hid whoever was inside. She used the ladies' room, bought a Coke and a licorice stick. In the car, she plugged Drew's cell phone into the cigarette lighter so the batteries wouldn't run down.

The miles rolled by and she stayed alert, her eyes scanning each vehicle that came up behind her. She saw groups of tiny pronghorn antelope on the dry plains, but she didn't see the pickup again all across the Texas Panhandle or western Oklahoma.

An hour past sundown and ninety miles east of Oklahoma City, she exited I-40 onto the Indian Nation Turnpike. Traffic thinned dramatically as she cruised southward, lost in speculation about the twin mysteries of Donnie Ray and Billy Ray Patterson. When the cell phone warbled, she jumped like a pronghorn, goosing the accelerator.

She fumbled with the buttons. ''Hello?''

''Chantalene?''

''Hi, Chief Wilson. What's up?''

''Got that make on your Billy Ray Patterson fellow.''

''What'd you find out?''

''The good news is he's stayed clear of the law since he

got out of San Juan. The bad news is he served three years for manslaughter after a bar fight down in Salinas. Seems he beat a guy to death with a pool cue.''

"Damn. I was afraid of something like that."

Watson grunted his agreement. "No luck on the bingo hall heist. I've requested fingerprints from the prison so we can see if they match the one on your letter. Course we still won't know if it's same guy who claims to be the long lost husband. Either way, you better keep a close eye on your lady friend."

"Will do." Chantalene signed off and gripped the wheel. A bar fight wasn't like cold-blooded murder, and the cowboy had told them he quit drinking because it always got him in trouble. Still, the man was obviously capable of violence. With a pool cue for a weapon, you probably didn't kill somebody with only one blow.

If the fingerprint on Thelma's letter matched the cowboy's, Thelma had herself a serious situation. And if it didn't, she might have a worse one. Who the hell *was* he?

Headlights flashed in the side mirror, approaching fast, blinding her for an instant. She held up a hand to avert the glare, but it didn't help.

A loud, dark vehicle roared up beside her in the left lane.

"Shit." Her foot hit the brake but it was too late.

Sparks flared in the corner of her vision and the Volvo rocked as metal screeched against metal. Her hands locked on the wheel but when the vehicle struck again, she couldn't hold it on the road.

The Volvo leaped the edge of the shoulder and careened down the steep slope beside the highway.

The wheels jolted through thick grass, too fast, out of control. She braced her arms, her breath frozen, the headlights lurching pell-mell toward a line of trees a hundred feet from the road.

In the few seconds before the airbag deployed and knocked her senseless, her last conscious image was a flash of dark metallic green.

FOURTEEN

DREW STOOD UP from the desk and stretched his arms behind him until his back popped. His neck muscles burned. He'd been at the desk until midnight last night and was back in the chair at seven this morning. Now it was dark outside. When he closed his eyes, he still saw numbers crawling across Gandalf's blue screen.

For the third time in half an hour, he glanced at his watch. Chantalene should have been home by now. Why hadn't she called? Probably she was being stubborn, after their argument. He was stubborn, too, but he still wanted to know she was back safely. He picked up the phone and dialed the number to his cell phone.

No answer. Maybe she hadn't even turned it on.

He walked to the window and peered into the quiet night. The post office and market were closed on Sunday and the street had been empty all day. His red pickup sat alone in a puddle of shadow beneath the single streetlight. On Tetumka's crumbling main street, nothing moved except the wind.

He paced the tiny office, rolling his stiff shoulders. Stupid of him to argue with Chantalene. Hadn't he learned anything from his failed marriage back in New York? Life was too short to battle over the small stuff.

Still, it didn't feel like small stuff when he thought of her taking off to New Mexico. The trip made no damned sense. Thelma was a friend of his, too, but she'd backed herself into a corner with this cocky cowboy and now she was having second thoughts. He felt certain that, unconsciously or not, she'd come up with this mistaken identity thing to get herself out of a bad situation.

Besides, Chantalene was supposed to be his partner in their tax business, and these were the busiest weeks of the year.

Okay, that last part was self-pity. But dammit, his shoulders were pinched up like a calving heifer and his carpal tunnels bawled for mercy. He didn't need the extra worry of her on the road alone. She took too many chances, thought she could handle anything by herself. Sure, that's part of what attracted him, but it also attracted trouble. He should have chucked these tax returns and gone with her. But he'd given his word to his clients, and that meant something to him.

Where the hell *was* she?

The phone warbled and he leaped to snatch the receiver. "Chantalene?"

He felt a pause on the other end of the line. "No, Drew. It's Emily."

"Emily?"

The voice turned dry. "Yes. Remember me? My name's on your divorce papers."

"Of course I know who you are, dammit. I just didn't expect you to call."

"Obviously. You were expecting Chanticleer."

"Chantalene. So, did you call me up late at night just to be shitty?"

Another pause. "No. I'm sorry. I guess old habits die hard."

Emily huffed a sigh and Drew winced. This was not a woman who sighed unless she wanted something.

"I called because I need to ask a favor."

"Really." *Here it comes.*

"It's kind of complicated to explain. I need to see you in person."

Right. So she could use her considerable physical charms

to get what she wanted. "Forgive me, but I doubt that. Just tell me what it is, Emily."

"My father died last week."

Drew's next flippant remark dissolved in his mouth. Emily's father, a robust man in his early sixties who had once been Drew's boss, had seemed indestructible.

"Oh. I'm sorry to hear that."

And he was. Sam Savolini had begun a small import/export company that had expanded into more than a dozen high-end construction products. He ran his financial empire with a ruthless decisiveness that pushed legal limits, but he'd always been fair with Drew and he'd doted on his only daughter. Emily's mother had died in an accident when she was small. Drew had ethical objections to the way Sam ran his business, but as a father-in-law, Sam was likable and loyal.

"Had he been ill?"

"On the contrary. He suffered a coronary on the jogging trail at the country club."

The tremble in Emily's voice shook him. In their five years together, he'd never seen her cry. Not even about the divorce.

"My god. That's awful."

She sniffed and her voice went back to normal, cool as diamonds. "In more ways than you could guess. I'm now the majority owner of Savolini, Inc., and all its subsidiaries. I'll have to learn the goddamned business, I guess, after resisting it my whole life."

"You poor thing. All that money." Surely she didn't want him to sign back on with the company he'd quit to avoid falsifying tax returns. "So what's the favor you need from me?"

"Daddy hadn't revised his will in two years. It says I inherit everything, but it names you, as his son-in-law, executor of his estate. Along with William."

"Me? Why in the world would he do that?"

She snorted. "You know he thought your socks didn't

stink. He depended on you to keep me *financially responsible*." She paused, her voice softening again. "He kept hoping we'd change our minds and get back together."

"For a tycoon, he could be awfully naive."

"Sometimes. But you're still executor and have to sign off on everything we do to settle the estate."

"I'll sign. Just have William handle it."

"There are...some difficulties, a lot of details." She hesitated again. "Drew, could you *please* come to New York for a few days? I really need your advice on some of this stuff."

Not frigging likely.

"I'm trying to start my own business here, doing taxes, and I'm way behind. It's that time of year, you know."

"Do I know. The company accountants want me to sign the tax reports, and I have the feeling even *they* don't think they're accurate. That department just went to hell after you left."

"Don't whine, Em. It's unbecoming."

"You're a real shit, you know it? I've just lost my damned father!"

Drew clenched and unclenched his jaw, fighting for an even tone. Exactly when in their flammable history had it become impossible to conduct a civil conversation? He couldn't recall, but it hadn't always been that way.

"I can tell you're grief-stricken," he said, "but you have Uncle William at your disposal, and he's more than competent." William Bratten, Esq. was her uncle only in the sense that he'd taken care of Sam Savolini's business, part of which included Sam's mercurial daughter, since long before Drew knew them. Good old William had even handled her end of the divorce. Despite all that, Drew liked William, too.

Emily's voice turned hard. In his mind's eye, he could see her light eyes narrow and the slim Barbie face solidify like china. "Fine. I should have known not to depend on you for help. Five years together obviously doesn't count for anything.''

He opened his mouth to respond but heard an emphatic click and then the dial tone. As usual, Emily had finished early.

He dropped the receiver into the cradle. ''Bat shit,'' he said, with feeling.

And the feeling was mixed. She had a lot of nerve asking him to fly to New York and straighten out her daddy's crooked affairs. On the other hand, William probably didn't know anything about the tax department, and he'd have his hands full with all the details of the impending probate of a huge estate. Drew could see the potential for Savolini, Inc., getting in perilous trouble with the IRS. Once those snappers targeted a company for audit, they didn't let go until it thundered.

Though Emily would never say it, daddy's little girl must feel like a high-wire walker with the safety net jerked from beneath her.

Beneath his hand, the telephone rang again. Ye gods. Was there some name she'd forgotten to call him?

''Yes?'' he said irritably.

''Drew Sander?''

It was man's voice, and that irritated him further. ''Yes. Who's this?''

''Officer Bob White of the Oklahoma Highway Patrol.'' *Bob White like the quail? Was this a crank call?* ''I'm out here on the turnpike with Chantalene Morrell....''

''Oh, no.'' Drew's body stiffened. ''Is she all right?''

''She's okay. Just a little shaken up. She ran off the highway and met head-on with a blackjack tree. Her car won't run...actually, it's your car, she says.''

''Did she go to sleep?'' But that wasn't logical; the woman hardly ever slept, let alone in the car.

"I'll let her tell you about it. But right now she needs a ride home."

"Sure. Can I talk to her?"

"The EMTs are still finishing with her, but they tell me she's fine. And she insists on it."

Drew could picture that.

"I'll drive her down the turnpike to Exit 63 if you can meet us there," the officer said. "There's a Love's station on the west side, south of the Highway 69 junction a few miles. You know where it is?"

"Yes."

"Your car's close to mile marker 79, north of McAlester. I tagged it, but the longer it sits here the better chance it'll get stripped."

"Okay. Will it pull, do you think?"

"Hard to tell, in the dark. The front bumper's mashed in pretty good."

"I'll come take a look in the morning."

"Okay. Meet you in thirty minutes."

"No problem. Thanks, Officer."

Drew hung up with his ears ringing. *No problem, my ass. Chantalene could have been killed.* This was just the sort of thing he'd been afraid of. Well, no, his fears had been worse; at least she wasn't hurt. But his car was wrecked, his ex-wife was calling him on the phone, and how would he finish these tax returns?

He shut down Gandalf, turned off the lights, and locked the door behind him.

Half an hour later Drew pulled into the Love's travel stop at Exit 63 on the Indian Nation Turnpike. Three semi rigs sat at the diesel pumps, rumbling like giant metal grasshoppers. He circled them and spotted a black-and-white parked beside the brick building. On the drive, he'd rehearsed a dozen ways to say *I told you so*, then promised himself not to say them.

When he pulled up, Chantalene got out of the patrol car

with a Styrofoam cup in her hand and a dazed look on her face. In the glare of the halogen lights he detected a reddish bruise on her forehead and a scrape on the end of her nose. A lump settled in his gut. He wanted to wrap her in a hug, and then strangle her. He did neither.

"You okay?"

She nodded. "I'm sorry about the car." Her voice sounded hoarse. "You can take the deductible out of my wages."

"I'll just take it out of your hide." He'd meant it as a joke but it didn't quite work and he sounded pissed, instead.

A fit of coughing seized her. "Air bag dust," she wheezed, and took a drink from the cup. When he slipped an arm around her shoulders, she flinched. "Looks like I'm going to be sore tomorrow."

Patrolman Bob White came around the car and introduced himself. He was several inches taller than Drew, six-three at least, an impressive figure in his two-tone uniform.

"Thanks for your help," Drew said.

"Just glad nobody was hurt." Patrolman White handed the Volvo keys to Drew and a printed card to Chantalene. "I'll be in touch if we learn anything."

"Thanks," she said. The officer touched the brim of his Smokey Bear hat and climbed into his car.

Drew opened the right-side door for Chantalene and gave her a hand climbing up onto the pickup seat. When they were out of the parking lot and on the road to Tetumka, he'd waited as long as he could. "Tell me what happened."

She took a deep breath and kept her eyes on the two-lane road that stretched ahead into the night. "A dark green pickup ran me off the road."

He glanced sideways at her and frowned. "Was he drunk?"

"I doubt it. He did it on purpose."

Again he looked over at her, but she kept her eyes straight ahead, her chin set in a defiant line he recognized only too well. He kept his tone neutral. "What makes you think that?"

"I first saw the pickup on the way out, at a truck stop in Amarillo, then again in Los Padres. I thought it had to be a coincidence—not the same truck—until it followed me part way out of New Mexico. Then I didn't see it for a long time and thought I'd been imagining things." She glanced at him. "But I definitely saw it run me off that embankment."

"Nobody else saw it?"

She shook her head. "Not that I know of."

Drew's jaw muscle tightened. "It's a miracle you aren't hurt."

"No kidding. I'm now a Volvo fan."

"Sounds like you have a stalker."

She turned toward him on the seat. "I had some evidence in the car that would have told us whether the guy in Thelma's house is the same one she married. The collision stunned me, and when I came to, the stuff was gone."

Her face was white and urgent in the glow of the dashboard lights. The bruise on her forehead was getting darker. This was no time to remind her she shouldn't have made that trip. "What kind of evidence?"

"A pair of boots that belonged to the fellow who was killed out there in that wreck. And a fingerprint on one of Thelma's love letters."

"And you think whoever was driving the green pickup took the stuff?"

"What else could have happened to it? Officer White searched the car. The boots and letter were gone, but not my purse or your phone." Reminded of that, she pulled his cell phone from her bag and set it in the drink holder of the console. "Whoever it was knew what he wanted."

"Did you see the driver?"

"No. The pickup had those really dark windows. Didn't they make those illegal? They ought to. It was a Ford, fairly old, with big tires. But not a dualie."

"Maybe the boots and letter were knocked out of the car when you hit."

"Yeah, right."

She laid her head back on the seat and fell quiet. It wasn't like her to be too tired to argue. She must be in shock.

Drew's hands wrung the wheel and he wished it were the neck of that crazy driver. What if the green truck really was tied to Thelma's cowboy somehow? Had the guy sent someone to follow Chantalene and prevent her from finding out about his history?

It was just too far-fetched. If Chantalene was wary of a green pickup, she might have imagined it in the darkness when some sleepy driver swerved out of his lane. Tomorrow when he went to get the car, surely he'd find the boots and papers scattered along the highway.

He turned off the paved road onto the red shale that led toward Chantalene's house. She was quiet, her eyes closed, but she wasn't asleep. He wished she'd stay at his place tonight, but it was useless to bring it up. She guarded her independence like a farmyard dog, and besides, the argument they'd had before she left hung unresolved between them.

The pickup lurched over the rutted, quarter-mile driveway toward the house where she lived alone with her animals and the ghosts of two peculiar parents. The house glowed white in the headlights, bright with new paint he'd helped her apply. On the front porch, Chantalene's black-and-white mongrel stood up and barked, doing her watchdog thing. When Bones recognized his truck, she settled into tail wagging. Across the yard, Whippoorwill stood sleeping against the corral fence.

Drew left the motor idling as Chantalene opened the pickup door.

"You going home?" she asked.

"Actually I was going back to the office, unless you need me to stay."

"No. I'm okay." Her tone was weary. "What time is it, anyway?"

"Ten thirty."

"I'll be there early in the morning and type taxes while you go after the car."

"See how you feel tomorrow. You may need to stay in bed."

"Yeah, right."

She slammed the door, a sure sign she was getting back to normal. That made him feel better.

AT SEVEN O'CLOCK Monday morning Drew phoned Monkey Jenks, knowing the old farmer would have been up since dawn. "Monkey, it's Drew. You happen to own a tow bar?"

"Yup," Monkey drawled. "Think I've got one out in the barn." When it came to hardware, Monkey owned just about one of everything.

Drew told him about Chantalene's accident and why he needed the tow bar. Monkey volunteered to ride along and help with the car. "I'd appreciate that," Drew said. "Pick you up in fifteen minutes."

Montgomery Jenks' farm was only three miles from Drew's, his closest neighbor except for Chantalene. He raised wheat and cattle on 480 acres that had been in his family since homesteading days. Monkey was a true steward of the land, but since his wife Martha was gone, the old farmhouse didn't receive the same attention it had once enjoyed. When Drew drove in, he noticed fewer chickens milling around the barnyard, replaced by several stray cats.

Monkey was waiting beside the huge red barn, wearing his usual faded jeans and a cowboy hat with a sweat-stained band. He laid the tow bar in the bed of Drew's pickup and climbed into the cab.

"Morning," Drew said.

"Mornin'," Monkey drawled. "Chantalene okay?"

"She's bruised up, but luckily that's all. I went by early this morning to check on her—too early, actually. Woke her up. I told her to go back to bed and stay home today, but she said she'd go to the office. You know Chantalene."

Monkey bobbed his head. "Yup."

Indeed, Monkey knew her as well as anyone. He'd served as Chantalene's foster dad during some stormy teen-aged years. Drew hoped that at some point in the future Chantalene would re-establish a relationship with Monkey. He had to be lonely in that big old house.

They rode over the red shale roads in silence, windows rolled up far enough to keep out the dust until they hit the paved road that led to the turnpike. The morning was cool but warming quickly in the April sunshine. A humid wind stirred the rye grass along the roadsides.

"You know of a good body shop in El Rio?"

Monkey thought for a moment. "Bubba's, prob'ly the best."

That was pretty much a full conversation for Monkey these days. Not that he'd ever been loquacious. Monkey was the age of Drew's father, and in fact had been Matt Sander's closest friend. If it turned out they could tow the car to El Rio, the only town of any size within thirty miles of Tetumka, Monkey would point out the body shop and Drew would know he could trust its owner.

They sailed along the highway with the wind ripping through open windows. It was good to get away from that desk for a few hours. He'd never set out to become a number jockey, but farmers had to supplement their income these days. At this point the tax business was a necessity. He'd stayed up until one in the morning to get all the returns calculated, and if Chantalene made it to the office, she'd likely have most of them posted by the time he got back. She was faster on the keyboard than he was. Maybe they could make their deadline after all.

On the turnpike, Drew watched the mile markers. When they passed number 77, he slowed the truck. A minute later, Monkey pointed across the road.

"There it is."

Drew took the next exit and headed back on the southbound side. The Volvo sat at the bottom of a broad slope, nosed into the trees as if it were parked there for a picnic. From the back, it didn't even look damaged. Drew eased the pickup onto the shoulder and down the incline.

Brake marks sliced the grass going down the hill. Chantalene hadn't frozen up at the wheel like some people would. In fact, she was a darned good driver. He pictured her in the Volvo, fighting for control as the car careened down the embankment at three times his current speed. The image made his stomach lurch. She must have been terrified. What if the car had rolled?

When he got to El Rio, he would enlist Sheriff Justin's help in locating the son of a bitch who had crowded her off the road. Most likely a drunk driver, though there would be no way to prove that by now. With no witnesses and no license plate to go on, the odds of finding the culprit weren't good. But if they did, Drew could at least file charges for reckless driving.

He parked close to the Volvo and both men crawled out to inspect the damage. The front bumper and grill were mashed in, but he had no sentimental attachment to the Volvo; a car was just metal and paint. He'd driven this one back to Oklahoma from New York a year and a half ago, and in a way it was his last tie to a former life. Except for an occasional phone call, of course. But he put that out of his mind.

Standing in front of the damaged car in the wind-whipped grass, he decided to get the Volvo repaired and sell it. Maybe buy a convertible—Chantalene would love driving that. It would have to be red and black, of course. Drew hadn't known Chantalene's mother, but he knew that Chantalene wore only red and black in honor of her mother's memory.

Monkey tested the crumpled bumper with one foot. It didn't fall off, so he lay on his back in the grass and peered underneath the car. "I think we can hook it up," he said.

The Volvo was still in gear, the inflated airbags sagging like after-party balloons. Drew cramped the wheel and together he and Monkey pushed the car far enough away from the trees to back the pickup in front of it.

While Monkey set to work hooking up the tow bar, Drew searched inside the car, then walked the roadside from the point where Chantalene left the highway to the spot where the car came to rest. He kicked through the calf-high grass for a hundred feet on both sides of her path but found no sign of the boots or Thelma's letter.

He scanned the roadside in both directions. The letter might have blown away. And anybody who traveled the highway since last night might have spotted the boots in the grass and picked them up.

His Okie-to-the-bone grandmother would have said that explanation had more *mights* than a chicken's butt.

He was beginning to get a bad feeling about this.

FIFTEEN

A FULL MOON HUNG round and butter colored against the blue-black sky when the old man took up his post in the windbreak, fifty yards from the small frame house. A southwest wind tossed the limbs above his head, and a whippoorwill cooed in the distance. He sat cross-legged, his back against a bois d'arc tree, and waited. Soon he saw her shadow against the blinds as she moved from room to room.

The shapeshifter was a night owl. But because she didn't sleep long hours, she slept deeply. He envied that. Liddy always had been a deep sleeper.

He liked watching her; it gave him power. Sometimes he lost track of time, but it didn't matter. Time was out of sequence now anyway, a blend of memories and visions. When he looked up again, the moon had melted into a small ivory coin among the stars. Finally, in the darkest hours, the last light blinked off inside the house.

As long as a light was on, the dog had stayed awake, restless, listening to the night sounds. Now it settled on the front porch, just inside the line of shadow where the moonlight didn't reach.

The old man's knees crackled like dry wood when he rose. He moved down the tree line parallel with the house, crouching beneath the low-hanging branches until he was past her bedroom window. Then he left the trees and circled behind the house, approaching the porch from the north side, downwind. He crouched beside the house and peered around the corner.

The dog's head was down, facing away from him, into the wind. The animal was longhaired with a slim muzzle, part shepherd like the ones used to work sheep, but larger. He stood slowly and removed the small chunk of beef from his pocket. Taking careful aim, he lobbed the meat over the dog's body so that it landed with a soft *thunk* on the south end of the porch.

Immediately the dog's head came up, looking toward the sound. It woofed softly. When it scented the fatty meat, it rose and padded over to sniff the lump, cautiously. But if it smelled the pinch of sleeping weed inside, the strong smell of the raw beef outweighed the danger. The dog gobbled it down.

The old man smiled. While the shepherd sniffed and licked the porch where the meat had lain, he circled soundlessly back to the windbreak and waited. He waited until he was sure the dog was asleep, and then he waited some more. Patience was a virtue, one of few he still possessed. The wind ebbed and the night sounds swelled: crickets in the brush, the mournful call of an owl, the faint, distant yap of a pair of coyotes. He smelled the earth cooling.

It was time. He slipped off his shoes and left them in the windbreak with his battered canteen.

The ground felt cool beneath his leathery soles, damp from recent rain. This time he walked directly to the front porch, like an invited guest. His feet were silent on the wooden steps. He knew where to place them so the warped boards didn't squeak. He drew a folding knife from his pants pocket and opened the long blade.

The dog lay on its side snoring softly, limp as an airless balloon. He stepped over its body once, twice, holding the knife ready. But the weed had taken effect; the dog snored on.

This was good. He didn't like the dishonor of killing an animal he didn't hunt. Tomorrow the dog would have no ill effects except an excessive thirst.

The hinges of the screened door scraped lightly when he opened it just far enough to test the knob of the front door. It was locked. He thought it would be, but he never overlooked the obvious. He stepped off the porch and walked around the house to the back. When he'd gone inside before, she wasn't home. He had climbed through the window in her bedroom in daylight, and memorized the layout of the house. The rooms smelled like licorice and cloves.

Now he pictured her bedroom, the white bedspread, everything else red and black like the clothes she wore. This seemed peculiar to him; Liddy used to like autumn colors. He had gone into every room, touching her things to leave his mark on them, to let her feel his presence and know what she was dealing with.

But she was still here. Neither warnings nor exorcisms had driven her away.

Her bedroom window stood open to the spring wind. He stopped beside the screen and listened. When his ears adjusted, he could hear her breath, soft and regular behind the whisper of the shifting curtains.

He moved along the wall of the house to the next window and used the tip of his knife to pop off the screen. This window was in the second bedroom, used mostly for storage, where she kept the blinds down and the door closed. He had unlocked this window on his last visit, believing she was unlikely to notice. He was right. When he pushed up on the wooden sash, the window stuck at first but then slid open. He reached inside and found the cord to the blinds, pulled it slowly so the slats rose without noise. Then he hoisted himself over the windowsill and crawled inside.

After the moonlight outdoors, the darkness inside was total. He squatted on the floor, listening, inhaling the scent of the house while his eyes adjusted. When he could make out the shape of the painted door, he turned the knob with exquisite care. He stepped into the hallway and moved silently down the darkened corridor to her bedroom.

She lay on her stomach, the sheet pulled up to her waist, the bare skin of her back luminous in the dark. He stood over the bed, listening to her breathe.

Now, Liddy. My turn to appear to you in your sleep.

A blade of moonlight fell across her face and the scent of lilacs sifted through the bedroom window. He saw her eyelids twitch and knew she was dreaming.

Let her dream. At least for a while.

He turned away and moved back down the hall, through the small living area and into the kitchen.

She spent most of her time in this room. The wooden table lay strewn with papers and heavy textbooks. The window over the sink was open, the curtain puffing out then sucking against the screen.

He touched each book and notebook on the table, moving their positions slightly. Among the books he found a small sheet of paper edged with flowers—a letter written in her slanted, feminine hand. He squinted at the words in the moonlight from the kitchen window.

Nothing was more personal than someone's words. The rafters of the house creaked in a sudden gust of wind and his heart beat like a loose shutter. Carefully he folded the letter into its envelope and stuck it in his pocket, feeling the heat of the words against his skin.

He turned then, and that's when he saw her, watching him from the wall.

Liddy's face, pale in the darkness, stared out at him from a paper tacked to a message board by the phone. The paper fluttered lightly, and his heart stopped. When he could breathe again, he licked his lips and pulled the picture from the wall.

It was one of the flyers Naomi had sent out years ago, when

guilt caught up with her about her missing daughter. Just like the one on his bureau at home. The shapeshifter had put it here for him to find, taunting him.

His breath came in short, painful bursts. He could smell her scent. Liddy was filling him up, and her power was strong.

The paper crinkled in his fingers. He folded it carefully and slipped it into his back pocket. His feet pulled him back through the living room, down the hall, the braided rug in her bedroom like knots beneath his soles.

He leaned over the bed, breathing her in. Reliving the shock and shame of the first time Liddy seduced him, the thrill of her teenaged flesh against his skin. He thought of the summer nights in his tiny cabin, the hot sheets beneath them and the owl's warning on the wind.

Why keep playing the game? He could end it now.

He could have her again and forever.

The curtains huffed and sucked against the screen. Her hair splayed out on the pillow, the nape of her neck white and fragile. A gust of dizziness left him sweating.

He wouldn't need his knife. He could feel the snap of her neck in his hands, the way he'd learned in the jungle years ago. The way he'd done Naomi's white bird. And Liddy, too, once before. He reached out his hand.

And heard the sound of a vehicle outside the house. A car door slammed.

The old man dropped flat on the floor, his heart battering his chest. The girl stirred in the bed, turned over, made a low noise in her throat.

He heard footsteps on the porch, the creak of the screen door opening. His head pounded. He crouched and scuttled down the hall to the room where he'd come in.

Knuckles pounded the front door and a man's voice called out. "Chantalene?" The old man closed the door to the spare bedroom and released the knob by millimeters, feeling each click like the tumblers on a safe. He heard the girl's groan and then her footsteps on the hollow floor. With his back pressed against the door, his temples throbbing, he heard her steps moving down the hall, crossing the living room to unlock the front door. Her voice sounded muffled and groggy at first, then she laughed.

His chest constricted. Disgust welled up and burned in his belly, blotting out the pure vision of her moments before.

She had won. She'd seduced him again and left him wanting. His hands shook and the metallic scent of his own sweat burned his nose.

Cool earth met his feet when he dropped out the window, the night air welcome as water against his face. His breath came in sharp jerks as he padded toward the shelter of the trees. The moon had disappeared and the pale glow that fanned out above the eastern horizon surprised him. Once again he'd lost track of the hours.

Next time he wouldn't be so careless. He'd get her on his own territory, where he had the power. And next time he wouldn't hesitate.

We'll meet again, Liddy. You won the skirmish, but not the war.

SIXTEEN

DREW AND MONKEY rolled into El Rio at mid-day, trailing the mashed-in Volvo. Monkey pointed directions to Bubba's Body Shop, and Drew left the car on a lot among the other metal mishaps. Bubba was out to lunch, but an employee with appropriately grease-lined fingernails promised the boss would be back by one o'clock. If Drew would come back then, Bubba would give him an estimate.

They had time for lunch and a visit to Sheriff Justin's office.

Drew parked his pickup near the town square, whose centerpiece was the Opalata County Courthouse, a three-story limestone structure that housed the county records, county sheriff's office and the jail, in addition to courtrooms. While Drew went inside to see if Sheriff Justin was in, Monkey moseyed down to the Feed & Seed store to look over the crated baby chickens.

The sheriff was in his office on the first floor, catching up on paperwork. Drew tapped his knuckles on the doorjamb and the sheriff looked up from his desk.

"Mr. Sander," he said with mock formality. "What brings you to town this morning?" His gray eyes assessed Drew with the sort of grudging respect attorneys were used to getting from lawmen.

"A car wreck."

The sheriff put down his pen and gestured toward a chair.

Drew sat. "Just left my Volvo over at Bubba's with the front end cratered."

The sheriff's spring-loaded desk chair squawked when he shifted his weight. "Nobody hurt, I hope."

"No, but there could have been. Some jerk ran my car off the Indian Nation Turnpike last night and didn't hang around to say he was sorry. I was hoping you had enough stroke with the Highway Patrol to make sure they won't just blow it off. I want that driver found."

"Don't suppose you got a tag number."

"Afraid not."

"Description?"

"Dark metallic green pickup, an older model, with big tires."

The sheriff grunted. "That's a big help. See the driver?"

Drew hesitated. "Actually, I wasn't in the car when it happened. Chantalene was driving."

The sheriff grunted louder and leaned back in his chair, running a hand over his thinning hair. "Now why doesn't that surprise me?"

"Don't jump to conclusions. She was just driving home, that's all. She'd seen this green truck a couple of times, then got a glimpse of it in the dark as it crowded her off an embankment."

The sheriff frowned. "You mean intentionally?"

"Apparently so."

"Why?"

"Good question."

The sheriff heaved a sigh, shaking his head. Drew knew what he was thinking. The sheriff and Chantalene had been at odds for years after her father was killed, Justin having failed to investigate the death as a homicide. It was uncomfortable history for the sheriff. Nobody likes to be reminded of his mistakes.

"It could be a stalker," Drew said, "or it could be random

maliciousness. But if there's a green metallic pickup within
six counties that has scratches of silver Volvo paint on the
right side, I'd like to talk to the son of a bitch that owns it.''

"So would I." Justin searched the cluttered desktop for a
notepad. "Let me write down the details."

Drew repeated everything he knew about the incident except why Chantalene had been on the road in the first place.
"The guy may have stopped, because a couple of things were
missing from the car, and I didn't find them anywhere near
the accident scene," he added. "Chantalene was knocked out
for a few minutes and didn't see anybody."

"What was missing?"

"A pair of cowboy boots. And a letter. Not valuable to
anybody but Chantalene, really." And Thelma Patterson.

"A letter? Why would anybody steal a letter?"

Drew shrugged. "Or maybe it just blew away."

Sheriff Justin's chair squeaked as he leaned forward and
crossed his arms on the desk, regarding Drew closely. "Chantalene's never worn a pair of cowboy boots in her life," he
said, and waited.

"Right. That brings me to the other favor I wanted to ask."

"Here it comes."

"Can you trace down the prison record of somebody who
served time in California?"

"Are these two things connected?"

"I sure hope not."

BY THE TIME he picked up Monkey on the cracked sidewalk
in front of the Feed & Seed, it was past noon and Drew's
trained nose detected the scent of barbecue in the air. They
drove to the edge of town where the Hickory Pit café offered
an all-you-can-eat lunch buffet. The parking lot was crowded,
which Drew considered a good sign.

Drew piled up his plate, despite a guilty vision of Chantalene back at the office, bruised and tired, clacking out tax

data on the computer and probably skipping lunch. Well, shoot. Even if she were here, she wouldn't eat barbecue. How anybody could exist without meat was beyond his comprehension. He balanced a long sausage on top of a mound of pork ribs and made a mental note to take Chantalene a piece of the café's homemade cherry pie. He'd never seen her turn down dessert.

Drew and Monkey carried their plates to a red vinyl booth by the front window. It was definitely a three-napkin meal. When Drew's main course had shrunk to a pile of bones, Monkey shoved the plastic basket holding the rest of his French fries across the table. Drew dumped them on his plate.

Monkey's tone held respect. "I never seen a slim fellow could eat like you do."

"Bachelor cooking is no fun."

"Tell me about it."

Monkey's wife Martha had been the best cook in the county. Her absence was something neither of them wanted to think about.

"Guess you knew Thelma Patterson's long lost husband showed up last week," Drew said.

"Yup. Ran across him at the co-op the other day."

Drew looked up from his food. "Did you recognize him?"

"Well, sure. He ain't changed all that much, 'cept for some gray in his hair. Course I'd already heard he was back in town."

Drew attacked the fries and mopped up barbecue sauce with his Texas toast. "What do you remember about Billy Ray, from before?"

Monkey gave him a puzzled look, then he frowned as if trying to remember. "Nice enough kid, none too serious. Everybody reckoned he married Thelma for her farm. But he seemed to treat her good and God knows she needed a man around there to help out with the work. And she was happy as a settin' hen with a new hatch."

"Any idea why he left?"

Monkey's broad shoulders shrugged. "Nunna my business." He paused. "Course Martha had her theory."

Drew dunked the last French fry in catsup. "Which was?"

"That Billy Ray had another lady friend somewhere else. Said a guy that good lookin' wasn't likely to limit hisself to a plain gal like Thelma."

"What did you think?"

Monkey thumbed the rim of his coffee cup. "I thought that opinion was a mite unkind to both of 'em." He frowned. "You worried about Thelma?"

Drew tossed his wadded napkin on the table and signaled for the waitress. She filled their coffee cups and Drew ordered a piece of homemade cherry pie to go. "No, make that two pieces, please." It wouldn't be polite to make Chantalene eat dessert by herself.

Monkey declined dessert but added two packets of cream and three sugars to his coffee mug. "It just surprised me when Thelma took him back so fast," Drew said. "After so many years, she can't really know this guy."

Monkey nodded. "Thelma always was impulsive in some ways. But I hope it works out for her. No fun to grow old alone."

"Umm." The voice of experience.

When the waitress returned with the pie carton, Drew grabbed the check before Monkey could get it. "This is my treat, no arguments. I appreciate your help with the car."

They climbed back into Drew's pickup bearing the universal sign of a barbecue dinner—toothpicks clamped between their teeth. It was after one o'clock; Bubba should be back by now.

Before Drew backed out of the parking space, Sheriff Justin pulled in next to them and rolled down the right side window of the cruiser. He leaned across the seat. "I found that Patterson fellow's record on the computer database."

"And?" Drew said, the truck engine idling.

"He pleaded guilty to assault and battery and manslaughter after he killed a guy in a bar fight."

The barbecue in Drew's stomach turned heavy as stone. *Damn.* "Thanks for the information."

Drew swore and gunned the engine, pulling out of the parking lot into the path of an oncoming car. His tires squealed as he waved his apology.

Monkey glanced over at him, probably understanding more than Drew would have wanted.

"Sorry," Drew said.

He'd bet money Chantalene found out about Patterson's conviction while she was in New Mexico. If so, she knew the guy was capable of violence and purposely didn't tell him about it last night.

What else was she not telling him?

He bit his toothpick in half and blew the splintered ends out the window.

SEVENTEEN

SUNLIGHT ANGLED THROUGH the open window of Chantalene's bedroom and woke her from a troubled sleep. All night
she had careened down a highway embankment again and
again, trees looming ahead in the jerking headlights. Normally
an early riser, this morning she felt drugged. After Drew had
stopped by in the early dark to check on her, she'd fallen back
into bed and slept, but the chain of nightmares returned.

Outside her window, morning sounds chirped and rustled.
She shoved herself upright on the edge of the bed and rubbed
her face. Seatbelt bruises striped her hips and her muscles felt
like tenderized meat.

Suddenly her head buzzed like an electric shock. She
straightened, instantly alert.

Something was wrong.

She held her breath, listening. No unusual sounds; nothing
out of place in the room. Just an awful, prickling sensation
that she wasn't alone. Only when she inhaled again did she
pinpoint the source of her alarm—a faint, peculiar smell. Not
Bones' wet doggie smell; this one was foreign.

"*Bones?*" Her voice came out a spindly croak. She tried
again, louder. "Bones!" If somebody were here, Bones would
know it and warn her.

From the front porch came a reassuring *woof*. Her knee
joints ached as she made her way to the living room and
opened the front door. The yard sat empty and quiet, Whippoorwill asleep in his corral.

What was she expecting? A green pickup parked out front?

Bones looked up at her through the screen and made a small, forlorn sound. Her water dish was empty.

"Morning, girl. Good grief—when did you turn into such a heavy drinker?" Chantalene ran water in a pitcher and refilled the dish. Bones lapped it up, wagging. A fresh breeze wafted up Chantalene's nightshirt and shivered her skin. She thought of falling back into her warm, soft bed again and sinking into oblivion. But Thelma would be fidgeting behind the post office window already, anxious for her to appear and report in.

She couldn't leave Drew hanging with all those tax forms due, either. He'd taken the first step toward patching up their argument when he stopped by this morning. She barely remembered his visit, just the reassuring warmth of his presence, which had relieved her of some particularly scary nightmare. To return the favor, she would report to the office this morning and data-process like crazy.

Too sore to sit for meditation, she splashed cold water on her face, tied up her hair, and pulled on holey jeans and a red tee shirt for doing chores. But in the hallway she caught that foreign scent again. A feeling like spider legs skittered down her back. The house felt drafty, too, and she thought unexpectedly of the girl on the post office flyer. A shard of remembered nightmare flared in her mind—the girl was in it again. Why?

Maybe the girl's spirit was haunting her house.

Yeah, right. And maybe it had borrowed her hairbrush. *Don't let that jerk in the green truck spook you like this. Get over it.*

She put out dog food for Bones and oats for Whippoorwill, then attacked the asparagus bed, which was now wild with spiky shoots, some of them knee-high. Only the tips of those would be edible. She moved down the rows cutting crisp stalks and stuffing them into plastic sacks. Bending over the plants was agony for her sore joints, but the sun on her back and smell of chlorophyll soothed her nerves and revived her will. Sometimes avoidance behavior was a good thing.

She stuffed three giant sacks of asparagus into the fridge and headed for the shower. That's when she remembered she had no car. She would have to jolt to the office on horseback. Damn.

While she saddled Whip, she rehearsed telling Thelma that she'd failed to bring home the proof they needed, and in fact had no clue what to do next about the puzzle of Billy Ray Patterson. The only thing she had for sure was an opinion. If the guy in Thelma's house wasn't Billy Ray, he must be Donnie Ray—only brothers could look that much alike. Was he so desperate to keep his identity secret that he'd followed her to New Mexico, run her car off the road, and taken the boots and letter? She was anxious to know if Thelma's housemate had been at home all weekend. If he had, then who was driving that green pickup?

She guided Whippoorwill out of the corral and commanded Bones to stay. The shepherd retreated to the front porch with a truly hangdog face.

Along the roadside, fields of ankle-high spring wheat rippled brilliant green in the sunshine, and early wildflowers bloomed in hilly pastures. The air felt soft and warm. Chantalene stopped fighting the bumps and relaxed into the horse's rhythm, resolving to spend more time outdoors. In the spring morning, the charming but phony cowboy seemed benign, the green truck episode less menacing. Thelma's predicament would probably resolve itself without dire consequences.

On the pocked main street of Tetumka, she hitched Whip to the flagpole in front of the P.O. and pushed open the door, chattering the wind chimes and fluttering the faces of the missing and wanted.

"Who's there?" a sharp voice demanded. Hank Littlejohn

stuck his bony head through the customer window. "Oh. It's you."

Ichabod Crane was cranky today. "Morning, Hank. Where's Thelma?"

Hank's eyes darkened, his neck extending farther through the window. "That's a darned good question! Ever since that shiftless husband of hers showed up, she's about as dependable as March weather. And we have you and your lawyer friend to thank for that, don't we!"

Taken aback, Chantalene didn't try to dispute the point. "Have you tried to call her?"

"Of course I did! Then I called Annabelle to come help put up the mail. Meanwhile, this window is closed." He slammed the wooden gate over the window and disappeared into the inner sanctum.

Chantalene stood still only a moment while a dark premonition washed away her spring-induced optimism. Thelma was never late. Never. And if she wasn't answering her phone, something was wrong.

She ran back to her startled horse and mounted up like a rodeo cowgirl. "Whip! Let's go!"

Whip sprang into a gallop. She leaned over his neck and clamped her legs to his sides, urging him on.

THELMA'S RED CAR wasn't in front of the house and the door to the detached garage was closed. The barn door was closed, too, so she couldn't see if the white pickup Thelma let Patterson drive was there. Chantalene slid off Whip's back before he'd completely stopped and flipped his reins around the gatepost. Her fist rattled the screen door.

"Thelma? Billy Ray? It's Chantalene!"

No response. She stood on tiptoes to peer through the high window in the white door behind the screen. The house looked dark inside. When she opened the screen and pounded on the door, it swung open.

"Thelma?" She stepped into the potpourri-scented living room and called again before walking farther.

No one in the kitchen. The table was cleared and the dishes done, Thelma's yellow kitchen gloves hanging across the faucet spout. Everything looked as if Thelma had gone to work—except that the coffee maker was hot and half full, its yellow light still glowing. She walked through the living room and paused at the hallway.

"Billy Ray?"

The bathroom door stood open with no one inside. Thelma's bedroom was empty, the bed made. If the cowboy was gone, too, why was the coffee pot still on? Her shoulders stiffened.

Down the dim hallway, the door to Thelma's sewing room, on the left, was closed. But the door to the spare bedroom at the end of the hall stood open. Chantalene moved quietly down the hall.

Her eye went first to dark smears on the light-colored rug in the open doorway. The big galoot had tracked mud...but no. This was too red even for Oklahoma mud.

This was blood.

Her breath froze. She stepped inside the bedroom.

Oh, man.

Beside the bed, a china lamp lay smashed on the floor, its cord still attached to the wall, shade wildly askew. Beside it a lace doily and a small, hardbound copy of the Bible lay where they'd fallen from the nightstand. Thelma's antique rocking chair lay on its side, one runner pointing toward the long-legged body that lay spread-eagled on the quilt-covered bed.

Billy Ray Patterson—or whoever he really was—wore only his Wranglers and socks, as if he'd been surprised in the act of dressing. The handsome face was barely recognizable with its lower lip split and bleeding, the left eye swollen like a flesh egg. His dark-haired chest, arms and hands were smeared with blood.

He hadn't gone down without a fight.

Still holding her breath, Chantalene squinted hard at his chest. *Please, please, breathe!*

Nothing. She leaned over him and tried twice before she could speak.

"Billy Ray?" His eyes didn't open.

She raised her voice. "Donnie Ray?" *Rumpelstiltskin?*

Beneath his head a red sunburst bloomed on the pillowcase, and above his ear in the dark hair, she saw a neat, round hole. *Jesus. He's been shot!* Her stomach lurched.

She turned and ran to the kitchen. On the wall beside Thelma's phone hung a framed needlepoint bearing local emergency numbers in blue and red stitching. But all the numbers were for El Rio—half an hour away. Tetumka's promised 911 service had yet to materialize, and Drew had gone to retrieve his wrecked car.

She punched in Monkey Jenks' number. No answer. *Shit.*

Quickly, she dialed the red-stitched numbers for "ambulance." The dispatcher for Emergency Transport Service calmly took her name and directions, promising to send a unit as fast as possible and to notify the county sheriff.

Chantalene hung up, her hand shaking. Nothing to do but wait, the very thing she did least well.

She counted breaths and tried to clam her pounding heartbeat. Who could have done this to him, and why? And where was Thelma?

Oh my god...

She ran back to the closed sewing room, the only room in the house she hadn't searched. Her throat tight, she turned the doorknob and pushed, switching on the light.

Everything was in order. She breathed again, then spotted the closet. She forced herself to open the closet door.

No Thelma. Thank god.

Quickly, she checked the closets in Thelma's bedroom and in the hall, then returned to Patterson's battered form on the bed. His swollen eye was turning purple. Would it do that if he were dead? She had no idea. One arm hung off the edge of the bed, the knuckles split and oozing blood. *You oughta see the other guy...*

She grasped the dangling wrist between her thumb and fingers and felt for a pulse. She thought of the evening they'd had dinner together at Drew's house, how polite and genuine he'd seemed, his stories full of magic. Imposter or not, she liked him. A lot. And as for his prison time, a bar fight wasn't the same as calculated murder. She knew from cold experience how the right circumstances—or the wrong ones—could push a person over the edge.

She found no pulse.

Who was this fellow, really? She looked again at the swollen face, and then the bloody fingers, hanging limp.

Her eyes widened. Silence ticked in the room.

The emergency crew couldn't get here for at least ten more minutes. Probably.

She ran to the kitchen, grabbed the notepad by Thelma's phone and snatched the rubber gloves from the faucet. Back in the bedroom, she put on the gloves, picked up the fallen Bible, and knelt beside the cowboy's outstretched hand.

His fingers were still limber. Supporting her work on the flat surface of the book, she carefully rolled his bloody thumbprint onto the paper.

The Moving Finger writes, and having writ, moves on. Was that from the Bible? Nah. Omar Khyyám.

She held the paper up to the light. Not bad. Watson Wilson would be proud of her. Or not.

Alert for the sound of a vehicle outside, she printed the index finger next. The house was eerily quiet except for her own noisy breathing. Outside the bedroom window, wind swished the shrubbery and a mockingbird sang from the trees.

Her scalp crawled. She inked the other fingertips, using blood from his knuckles. In a few minutes, five oval fingerprints stained the notepaper. One was smeared but the others looked readable. She laid the paper on the nightstand to dry and replaced the Bible on the floor exactly as she'd found it, careful to avoid getting blood on its cover.

An image of Sheriff Justin arose in her head and accused her of tampering with a crime scene. She told him to buzz off.

When the fingerprints looked dry, she placed another piece of paper from Thelma's notepad on top and folded the papers in half so they fit into the hip pocket of her jeans. In the kitchen, she replaced the notepad, washed the rubber gloves with dish soap, and returned them to their place on the faucet.

Then she stood at the open front door and watched down the long lonesome road.

She wished Drew were here.

Wished to hell the ambulance or the law or *somebody* would get here. Her eyes fell on the closed door of Thelma's detached garage. In three leaps she was out the front door and off the porch, scattering chickens. Whippoorwill whinnied.

She ran to the side door of the garage and peered in the window. Thelma's car was gone.

EIGHTEEN

SHERIFF JUSTIN ARRIVED at Thelma's house even before the ambulance. He carried a toothpick clamped between his teeth and the smell of barbecue on his uniform shirt. Obviously, the call had interrupted his Sunday lunch. Chantalene led him to the back bedroom and stood against a wall while he analyzed the crime scene with narrow gray eyes.

Sheriff Justin had served Opalata County for nearly forty years, counting his time as deputy. He knew everybody in the county by first name and treated them all the same—gruff and point-blank. Today he wasted no time in pissing Chantalene off.

He removed the toothpick and stored it in his shirt pocket, then shook his head. "Beware a woman scorned," he said.

"That's ludicrous," she snapped.

"Let's see—he deserted Thelma, but shows up again when he thinks he might inherit. If she can't get his name off her property, he'll own half of everything. Now he's dead and she's conveniently missing."

"Look at the guy's face, for crying out loud! Do you think Thelma beat him up like that?"

"Revenge is full of adrenaline."

"Don't be asinine. Thelma's obviously in danger. What if the killer took her with him?"

The sheriff sucked his teeth. "Now that'd be the ransom of Red Chief, wouldn't it?"

"Of all the snotty, unprofessional—"

"Most people don't get kidnapped in their own cars," he cut in. "Now move out of here before I have you arrested as an accomplice." He turned toward the corpse, dismissing her. "But don't go anywhere because I'll want to ask you some questions." When she hesitated, he pointed to the door. "Out."

She retreated to the front porch, fuming.

The EMTs came shortly after that, a young man and a woman driver in her forties. It was too late for their services, but at least they could help remove the body. Opalata's onion-headed medical examiner arrived next in his private conveyance, a 1970s–era hearse painted Mary-Kay pink. Doc Baker, along with his wife, owned a funeral parlor in El Rio, which seemed to Chantalene like a conflict of interest. But not in Opalata County. She directed Doc Baker inside and sat on the porch swing to await her interrogation.

A white car bearing the gold sheriff's department seal rolled in and parked beside the ambulance. Chantalene recognized Deputy Bobby Ethridge, whose older brother was a former school buddy of Drew's. Bobby was a decent guy, for a lawman.

"Anybody hear from Thelma yet?" he asked, coming up the porch steps.

"No. And your boss seems to think she beat Patterson up and shot him."

The deputy frowned but didn't comment on the sheriff's bedside manner. "We'll get out an APB."

Bobby went inside and in a few minutes the sheriff came out.

She did her best to cooperate. Sheriff Justin perched on the porch railing and took notes while she told him everything she knew about Billy Ray and Donnie Ray Patterson, and about the green pickup that had run her off the road. In return, the sheriff managed to sound concerned instead of oafish when he warned her not to go searching for Thelma alone.

And she managed to keep her temper in check and not refer to his pompous ass. Finally he closed his notebook and went back inside.

Chantalene retreated to the shade of a mulberry tree next to Thelma's garage. Beside the henhouse, she found a bucket and ran water for Whip, who was tethered to the mulberry tree, switching his tail nervously. Together they watched the EMTs descend the porch steps with a shrouded stretcher.

The last roundup for one mysterious cowboy.

Who wanted him dead? And why beat him first? She could think of only two reasons—punishment, or information. Either the attacker intended to inflict pain out of rage or retaliation; or he'd believed the cowboy knew something he wasn't telling.

Where did that leave Thelma?

Thunderheads towered in the mid-afternoon sky as the EMTs secured Patterson's body in the back of Doc Baker's hearse, slammed the doors, and retreated to their boxy truck. Chantalene stood sweating in the muggy heat. A whirlwind spun through the yard, raising dust and scattering chickens. In its wake came an eerie silence. The mulberry leaves above Chantalene's head went limp; even the chickens froze in their tracks.

Chantalene had the distinct feeling that she wasn't the only one watching this scene. A shiver ran over her skin, the same sensation she'd felt in her house that morning. Squinting, she scanned the surrounding fields and the long country road in both directions. No movement, not even a likely place to hide. But she was dead sure that somebody was out there.

Sheriff Justin lumbered down the porch steps and stood beside his car talking on the radio. When he'd signed off, he called to her. "You need a ride?"

She shook her head and pointed to the horse. The sheriff folded himself into the car, rocking the shocks, and pulled out of the driveway followed by Doc Baker's weird hearse. The diesel-engined ambulance rumbled to life and lumbered after them, bringing up the rear of the sad little caravan. Only Deputy Bobby Ethridge was left to guard the scene until the OSBI arrived.

The dust that powdered Chantalene's lips tasted bitter. Whoever the mysterious cowboy was, he was gone now. What if something awful happened to Thelma, as well?

Too many secrets, too much death in this damned town.

She swore aloud and kicked the gravel. The toe of her sneaker caught something square and shiny in the dust and sent it flying. A matchbook?

She picked it up. The booklet was covered in gold foil and looked as if it had been run over. She wiped the dust on her jeans and examined the bold print on its cover: *Ballenger Energy Corp. Dallas and Oklahoma City.* Wasn't that the company who wanted to lease Thelma's land? She pictured the guy in the brown suit who had smelled like cigarette smoke and insisted on getting Thelma's *mister* to sign the papers. Hill, wasn't it?

The matchbook was empty and showed no address and no phone. She could picture Hill using the last match and tossing his trash out the car window. Had the oilman been here this morning? She remembered that flash of evil in his eyes when she'd irritated him, the impression of a definite mean streak. What if the oil company was bogus, and Hill was really looking for Patterson. What motive could Hill have to kill him? Did it have something to do with Billy Ray's real identity?

She rubbed a thumb over the gold foil. Anybody could get these things printed, just like business cards. Come to think of it, she'd seen Hill hand Thelma a business card and ask her to call him. Thelma had tossed the card into a basket beside the kitchen phone.

Chantalene scanned the horizon where the shale road disappeared toward the distant purplish haze of the Kiamichi Mountains. In the old westerns Drew liked to watch on TV, she could have leaped onto Whippoorwill and galloped off to find Thelma. But this was no oater. Without a car or any clue where to start, she had to trust that job to Sheriff Justin, at least for now. She could check out Ballenger Energy, though, and try to learn something about the man named Hill.

A shadow passed over the yard and she looked up at thickening clouds. She and Whip had better get back to town before the storm hit. A rider on horseback was a target for lightning.

But there was one thing to do first.

Chantalene untied Whip and led him to the gate. The deputy sat in a white Adirondack chair on Thelma's front porch, behind a strip of yellow crime scene tape anchored to the porch posts.

"Looks like you're going to get wet," he said. "You should have let the sheriff give you a ride."

She gave him an innocent smile. "I guess so. I'll get going, but do you think I could go in and use Thelma's bathroom first? Not many restrooms between here and Tetumka."

Bobby laughed. "Okay. Just don't go into the bedroom, and don't touch anything else."

"Thanks." *That was just too easy.* She mounted the steps, ducked under the tape, and let the screen door slam behind her.

Inside, she went straight to the scrapbook in Thelma's bookcase, extracted one of her young harvest hand's letters, and shoved it into her pocket. Moving quickly, she searched the basket by the kitchen phone for Hill's business card. Nothing but grocery lists, freebie ballpoint pens, and a packet of wildflower seeds. Where would Thelma have put it? If she searched any longer the deputy would get suspicious. She slipped into the bathroom and shut the door.

When she came out, she thanked Bobby again, mounted Whippoorwill and goosed him with her heels. Whip hit the road at a lope, happy to get away from all those flighty chickens.

Lightning zig-zagged among the clouds and random, quarter-sized drops of rain splattered her shirt. Home was closer than the office. She turned right at the next mile line and gave Whippoorwill his head.

By the time they trotted up her long driveway, both of them were damp and winded. She rode Whip beneath the lean-to in the corral and left him saddled. When the rainstorm passed, she'd have to ride him back to town. *How many El Rio mechanics does it take to repair a Volvo? Three: one to spit and one to whittle while the other guy does the work.*

Bones pranced on the dry strip of front porch next to the house, begging to get in as thunder rumbled. Chantalene went straight to the phone and dialed Drew's number at home, then tried the office. *Where the hell was he? Shooting the breeze with Monkey Jenks?* "Call me at home," she said to the machine. "It's urgent."

A gust swept through the house, rattling the spare bedroom door and filling her with an acute sense of loneliness. Her knees melted. She sank into a chair at the table and laid her head on her folded arms like a lost child.

The world had gone crazy. Patterson murdered. Thelma vanished. A phantom in a green truck that nearly killed her.

And where was Thelma now? Was it really possible she'd shot Patterson? What if he threatened her, or tried to force himself on her? Maybe she was defending herself—

But that didn't explain Patterson's bloody face. Thelma couldn't do that, and Chantalene was pretty sure the only gun Thelma owned was a shotgun.

Thelma must have fled in her own car. Was Patterson's killer after her? Had he found her already?

She emptied her pockets onto the kitchen table and named her loot: the matchbook, Thelma's letter, the folded papers with Patterson's fingerprints printed in blood. Luckily they'd stayed dry in her jeans pocket. If she sent the bloody prints to Chief Watson Wilson, she might at least find out if his prints matched the ones on Thelma's letters. But how would that help Thelma *now?*

The cowboy's identity, Thelma's disappearance, and the guy in the brown suit had to be connected somehow. She stared at the items on the table and asked herself what Watson Wilson would see here that she was missing. His grandfatherly voice rose in her ears. *Take this stuff to the sheriff. Trust the law to sort it out.*

Even the bloody fingerprints? How can I explain those?

Watson had no answer for that.

Rain peppered the roof and dimmed the room, but the lightning had moved on. She went to the living room and booted up the computer.

Her PC was old and the modem moved at Tetumka speed. She ran a search for Ballenger Energy Corporation, tapping her fingers while the machine ticked and whirred. The search came up empty; plenty of Ballengers, but nothing connected with oil. She tried Ballenger+petroleum; no matches. She switched search engines but got the same results.

On Google and Dogpile, at least, Ballenger Energy didn't exist.

She signed off and tried calling the office again. No answer. What if Drew had disappeared, too? Her stomach rolled.

She stood for a moment peering out the front screen, watching the rain slacken. *Thelma, Drew, send me a message. Where are you?*

As if in response, the door to the spare bedroom rattled again.

Why did it keep doing that?

Her body moved like time lapse photography. Her breath stopped and she saw herself as if from the outside, walking to the pantry with exaggerated slowness. Her hands found the old shotgun behind the door. She chambered two shells as quietly as she could.

She paused beside the kitchen table. Her throat was too dry to swallow, her voice quiet as dust. ''Bones, come with me.'' Bones left her hiding place beneath the table, a ruff of fur standing up on her neck. She stood by Chantalene's leg without a sound.

Together they crossed the living room, slowly, walked into the hallway and stopped at the spare bedroom door. Leaning her head close, she heard—or imagined—something moving on the other side. She braced the butt of the shotgun under her right arm, finger on the trigger, and placed her left hand on the knob. She counted to three.

Bones barked when she threw the door open.

Nothing moved.

She reached inside and switched on the light. No one there. The room was just as she'd left it.

Except for the raised mini-blinds—and the wind puffing wet curtains at the open window.

NINETEEN

WHEN THE PHONE RANG, she screamed.

Then thought, *it must be Drew. Thank god.*

She slammed and locked the window, the wood floor wet beneath her bare feet. Still carrying the shotgun, she ran to the kitchen and snatched the receiver. Bones hustled back under the table.

"Hello!"

A pause. "Miss Chantalene? Is something wrong?"

The voice was unmistakable. "Chief Wilson! I was thinking about you just a minute ago."

He sounded wary. "Oh really? Why is that?"

"Thelma's missing. And the imposter husband is dead. *And somebody's been in my house.*"

"Good Lord, girl. What's going on out there?"

"I wish I knew." She spilled out the main details of Patterson's death, her fear for Thelma, and the discovery of the matchbook, thankful for Watson Wilson's rational voice, though it was two states away. She even told him about getting the dead cowboy's fingerprints.

"You've got guts, girl, I'll say that."

"You wouldn't if you saw the way my knees are knocking. I don't know what to do next."

"What's this about somebody being in your house?"

She told him about the open window. "And this isn't the first time, I'm certain. I don't see how it could be connected to Thelma, though. It may be a stalker. But last night on the way home, somebody ran my car off the highway and stole the boots and the letter with the fingerprints." She told him about the green pickup.

"Holy jalapeños. This gets worse and worse. Did you tell the sheriff about that?"

"Yes, he knows." She paused. "I'm sorry about losing the boots. Maybe if I can find Hill, I can get them back."

"That's the least of our worries. Let's concentrate on finding Thelma."

She liked the way he said *our* worries.

Watson cleared his throat, but the rocky quality didn't change. "Do you trust Sheriff Justin?"

Good question. "We don't get along, but he's honest, I think. And he's good at his job—with one notable exception. But that was a long time ago."

"Give him the matchbook and tell him about your Mr. Hill, every detail you can. He has resources available to him that you don't. He can cast a net for the guy, and at the same time have people checking Hill's background."

She rubbed the knot between her eyebrows. "Okay. You're right. I'm just afraid he won't do enough."

"I didn't say you and I would quit looking. But take advantage of the law. Call the sheriff just as soon as we hang up."

"Okay. I will."

"Give me Sheriff Justin's number," Wilson said. "I'll see if I can have a talk with him myself, one lawman to another."

She read him the number from memory. "What about these fingerprints? Justin will kill me if I give him those. Or have me arrested, anyway."

"Umm. Then let's keep quiet about that for now. Why don't you overnight the dead fellow's fingerprints to me. I got the prints for Billy Ray Patterson from San Juan, and they don't match the one from your letter. We'll see if your set does."

She jotted down his mailing address and stuck the paper in her pocket. "I really appreciate this."

"Actually, I had a couple of other reasons for calling. Somebody came nosing around the station the morning you left, wanting to know what you'd found out about Billy Ray Patterson."

"Who was it?"

"I didn't see him, and he gave the boys some phony name. They said he was late thirties, probably, medium build but wiry and tough looking, crew cut."

"Oh brother."

"Hill?"

"It sure sounds like him. Did they see what he was driving?"

"I'll ask, but I doubt it. The other thing is I found an old lawman friend from Oklahoma who has a history as long as mine. He knew the name of the man that ran that Indian bingo joint that got burglarized back in the 70s. It was a Texan named Kingman."

"Okay, thanks." Chantalene scratched the name on a pad, though it probably didn't matter now that all the thieves were dead. "One more thing. Patterson's supposed to have a sister in Tulsa. Her name is Sunny Ray Diehl. I tried Tulsa information but there was no listing. Any idea how to track her down?"

"Sunny Ray, Donnie Ray and Billy Ray? Good grief. What were those parents thinking?" He had her spell Sunny's last name. "San Juan might have an address on next of kin. It'd be old, but it's a start. I'll see what I can find. Now hang up this phone and call Sheriff Justin, you hear? Don't be stupid about this."

"Okay, I promise."

True to her word, Chantalene dialed the sheriff's office as soon as Wilson signed off. Surprisingly, the sheriff was in, and even more surprisingly, he took her call. She told him about the matchbook and Ballenger Energy, and that Hill might have been nosing around in New Mexico after she'd gone.

''I'll have Deputy Ethridge come by. Give him the matchbook and the best description you can of this Hill fellow. We'll put out an APB on him and run a background check on Ballenger Energy.'' He stopped to say something to someone in his office. ''I gotta go. You at home?''

She thought again of the open window; she wanted out of her violated house. ''Have Bobby meet me at Drew's office in Tetumka. I'm headed there now.'' Surely Drew would be back by then.

She threw a towel on the wet floor in the spare bedroom, her spine crawling. An irrational image of the missing girl on the Post Office poster popped up, but somehow she was certain the scent she'd detected this morning was masculine. Try explaining that one to Drew.

If it was Hill, why would the creep invade her house? What did he hope to find?

Before shutting down the computer, she called up Google and typed in ''Kingman.'' The search netted several thousand hits, including Kingman, Arizona, and Kingman, Kansas. That gave her an idea and she tried Kingman+Texas. Three of those results were sites that purported to trace ties to organized crime. Hmm.

The first site looked as if it has been posted by a twelve-year-old. But the second was supposedly run by an ex-cop who'd made it his life's hobby to catalog the names of everyone who'd ever had dealings, or been rumored to have dealings, with known mob figures. Frank Sinatra was there; so was the Pope. Paranoia alert. Nevertheless, she scrolled through pages of names, looking for Kingman.

There. Joseph Kingman of Dallas. Born 1914 in Lewisville, died 1988 on the Kingman Ranch sixty miles southwest of Dallas. Wife, Ophelia; two daughters, Juliette and Cassandra.

Hmm. A Shakespeare fixation. The family owned homes in a wealthy suburb of Dallas, in Boca Raton, Florida, and a lodge in northern Montana. Holdings included ownership or controlling interest in Kingman Cattle Company, Kingman Shipping, Exeter Petroleum, Roster Publishing Company and the Arctic Blue hockey team, with minor holdings in a dozen more companies. Known associations with the Beretta family of Chicago and with Mavis Davis, hostess to senators, royalty, and presidents in Washington D.C.

So the patriarch was dead. Who ran the family enterprises now? The entry didn't say, and it was dated a year ago. She selected the text and hit print, scrolling down to read the entry for Pope John while she waited. "Granted an audience to Vincent Vansetti, reputed Italian crime don." Okay, so the Pope wanted to save his soul. Or get a loan for art restoration at the Vatican.

She closed the site and clicked the third and final link.

This one didn't identify its webmaster, but the listings were detailed and well-written and got her attention immediately. There was so much information, searching it would take hours. She printed the address and bookmarked the site.

What if the Kingmans were still after the Patterson boys? Could Hill be one of their henchmen? If he'd traced Patterson to Tetumka, that could explain why he'd been bugging Thelma about her missing husband. And it might explain Patterson's battered face, maybe even the shooting. On impulse, she went back to the second site and scrolled down searching for anybody named Hill. No luck. But if he was hired muscle his name might not show up.

She logged off, her mind zinging like a ping-pong ball. The rain had let up and she needed Drew's calm, analytical influence. She left the spare bedroom door open and all the lights blazing when she rode away.

A damp wind swept the clouds eastward and the air temperature had dropped at least twenty degrees. She wished for a jacket but didn't go back. The muddy driveway sucked around Whip's hooves. He tossed his head and snorted.

"Stop fussing. It'll come off when we hit the shale."

But Whip kept complaining and shying sideways until she finally had to dismount. She found a stout stick along the roadside and knelt beside him, scraping the mud loose from each of his shoes. Damp hair fell across her face and she shoved it away, leaving a muddy streak on her nose. She swiped at it with her sleeve. *Get a car.*

Mounted up again, she poked Whip in the ribs. "Okay, you big baby. *Vamoose!*"

They trotted into town twenty minutes later, her hair standing out like a black tumbleweed. Everything on her was sore, including her attitude.

Drew's pickup was nowhere to be seen. Instead, a white limousine stretched like a cat along the muddy curb, its windows dark. At first she thought it was another hearse and nearly swallowed her heart, but the rear end wasn't configured for transporting corpses. Beyond the limo's immaculate profile, the old creamery building with its cracked paint and rotting window frames appeared slightly off plumb. A light shone through the café curtains in the front window of the office. Why the hell would Drew rent a limo? She looped Whip's reins around the flagpole, stalked to the office door and yanked it open.

In the desk chair sat a striking young woman with short, spun-gold hair, her slim legs propped up on the cooler that served as the office refrigerator. She had small features, classically beautiful, and the most calculating eyes Chantalene had ever seen.

"How did you get in here?" Chantalene demanded.

A smirk appeared on the flawless face. "That lock wouldn't keep out a five-year-old," the woman said. She shrugged narrow shoulders encased in a creamy turtleneck that Chantalene thought must be cashmere. She wasn't sure because she'd never seen real cashmere before.

The blonde ran an appraising look over Chantalene's rain-induced Afro and mud-streaked jeans. Her smirk deepened. "You must be Chanticleer."

"*Chantalene.* Who the hell are you?"

"I'm Emily." She flipped her manicured nails. "You know. Drew's wife."

TWENTY

WHEN DREW WALKED into his office carrying a to-go carton of cherry pie, Chantalene and his ex-wife stood faced off like gamecocks, a nightmare come true. He'd seen the limo out front, the uniformed driver coming out of the market across the street with a can of soda. The limo was a rental from the airport in Oklahoma City—it carried the security sticker. He should have guessed who brought it here.

But he hadn't guessed, and the sight of his ex-wife in his Spartan country office struck him dumb. He stood in the open door, arrested by the contrast of the two women: Emily's cool sophistication and flawless style; Chantalene's untucked red shirt and mud-streaked jeans. Chantalene's eyes had that wild look he'd come to know so well, and her hair was a licorice explosion.

The glare Chantalene turned on him would have melted granite. Emily's would have frozen the sea.

"Emily," he said, his vocal chords tight. "What are you doing here?"

Even when Emily smiled, there was no warmth in it. "I came to see you, of course."

Drew closed the door behind him. The clock ticked. "I'm not getting involved in your father's estate, Em."

"Of course," she said sweetly. "But we need to talk. Privately."

Emily swung her legs off the cooler and stood up. She was cigarette-slim, her caramel-colored stretch pants outlining long legs punctuated by matching ankle boots. Her sleeveless sweater showed arms that were firm and tanned. If anything, she looked better than when he'd last seen her, more than a year ago.

He had waited too long to respond. Chantalene's jaw clenched.

"Don't mind me," she said. "I was just leaving."

Mud streaked her cheek like war paint. What in the world had she been doing?

She turned abruptly, her sneakers leaving a track on the Berber, and jerked open a file cabinet drawer. She snatched an Express Mail envelope before heading for the door where Drew still stood.

"You don't have to leave," he said.

"Sure I do." She pushed past him. "And by the way," she paused only an instant in her exit. "Patterson has been murdered and Thelma's missing. But you two have a nice chat."

The door slammed.

"Murdered?"

"She's probably just being dramatic," Emily said. "But at least she left us alone."

Drew tossed the carton on the desk, sprinted out the door and caught Chantalene a few paces down the sidewalk. "What's going on?"

Her face hard, she looked at his hand on her arm. He removed it.

"Funny, I was wondering the same thing," she said.

"I had no idea Emily was going to show up. She called last night and said her father died suddenly. She wants me to help straighten out the estate. I told her no. But I guess I'm the closest thing she has left to a family member, and I imagine she's feeling pretty lost. Though she'd never admit it."

Chantalene met his eyes, assessing. "Okay." She pushed a strand of hair out of her face. "I'm sorry about her father."

He waved it off. "I'll talk to her and send her back to New York. What's happened to Thelma and Billy Ray?"

"Thelma didn't show up for work so I rode out there and found Patterson beaten like a rag rug. He's dead. Thelma's gone. The sheriff is looking for her."

"*Jesus.* First somebody runs you off the road, and now this…"

"Yeah. Must be a connection, huh."

"Any idea why Thelma took off?"

"To escape the same fate as Patterson, no doubt. *If* she left on her own."

Emily stepped out of the office onto the sidewalk. She stood with her legs apart, gold bracelets circling the fist that she propped on her hip. "Drew! I went to a lot of trouble to get here. Must I pay you by the hour now, to get some of your time?"

Drew clenched his jaw. "In a minute, Emily."

She tossed her head and went back inside.

"You never told me she was gorgeous," Chantalene said.

"That's not what I remember about her," he said.

They glanced up as an Opalata County Sheriff's Department car rolled down the pot-holed street and parked across from them. "That'll be Bobby Ethridge," Chantalene said. "He's come to get some information from me." She started across the street toward the cruiser. "You better go talk to your ex."

Drew frowned. "It won't take long. Bring Bobby down to the office."

"Forget it. You're on your own."

"Thanks a lot."

Drew watched her crawl into the car with Deputy Ethridge. He wanted to hear that conversation. But he had another problem.

Reluctantly he retreated to his office, where Emily was pac-

ing the floor, smoking. "This is a non-smoking office,"
Drew said.

She just looked at him, blowing smoke toward the ceiling.
"Since when don't you smoke?"

"Since eighteen months ago," he said. But man, the idea
sounded great right now.

Emily strode to the restroom beside the back door, which
she had propped open, he noticed. She earned one point for
that consideration. He heard the cigarette drop into the commode and the water flush. She came out and sat on the edge
of the desk, crossing her legs. If he sat in the chair, he'd have
to look up at her. With Emily, everything was deliberate. He
chose to stand.

"You look good," she said, the cool eyes assessing his
body. "I'm glad to see you aren't wearing overalls."

Drew crossed his arms and waited.

"Okay, then. No small talk. I need you to help me sort out
the mess Dad left me in."

"No, you don't. You have Uncle William. We've been
over this already."

"For the past month, William has been undergoing che-
motherapy for prostate cancer."

That stopped him. "I'm sorry to hear that."

"He's still working, but he isn't up to his usual level and
may never be again. In fact, he's planning to retire soon and
strongly recommended that I make you an offer."

"An offer of what?"

"Vice-president in charge of the financial department.
You'd oversee the company investments, as well as the accounting departments of all divisions."

"Forget it."

"Let me finish. You can hire whatever staff you need—
attorneys, accountants, whatever. William trusts you to do
this." She paused. "And so do I. We both know something's
wrong in that area of the company, and we need someone

from the outside to fix it. You're outside, but you're also familiar with the company structure. Everybody knew Daddy was grooming you for bigger things. Apparently you told William about some of the problems you saw back then, and he thinks you were right.''

He'd forgotten how fast New Yorkers talked. "I'm flattered by his confidence," he said. "But I don't have any credentials as a manager."

"Screw credentials. We need somebody who's honest and smart, and not part of the good-old-boy fraternity that's been there for too many years. You do get a newspaper out here, don't you? The SEC is out for blood." Emily leaned forward, bracing her arms on the desk edge. "We're offering you an annual of two hundred thousand to start, plus profit sharing, stock, and bennies."

"*Two hundred thousand?* Suddenly I'm worth three times what I was making when I quit?"

"And you don't even have to re-marry me." She fidgeted, glancing at her handbag slumped on the floor. "Are you sure I can't smoke?"

He scowled.

"Okay, okay, never mind. I told William it would take a very attractive package to lure you back from Dogpatch, and this is what he put together. The board of directors is behind it because we have them by the balls. They're scared to death, partly of the feds and partly because Daddy left the company to me. William convinced them you can avert the disaster. As a VP, you'd have a seat on the board, of course." A tiny smirk pulled at her mouth. "They'll try to convert you to the good-old-boy club."

Drew sat in the chair. "This is crazy. They don't even know me."

"No," she said dryly, "but they know me. Or they think they do. And that's what scares them."

Emily slid off the desk as smoothly as a house cat and

paced the small space in front of Drew's spread knees. "Maybe we weren't good as a married couple, but if there's anything I learned about you in five years, it's that you're honest to a fault. That's what we need right now. The IRS has been making threatening noises, and an officer in the import division suspects something fishy going on over there, too. William and I have common goals here. He's a major stockholder, of course, so if the company fails he loses a lot of his retirement. He has a wife and kids, and grandkids ready for college. If the cancer gets him, he wants to leave them well off."

"I can understand his motives. I just don't know yours."

She took a deep breath. "I've learned a lot about the company in the last few weeks, enough to know I hate it. I'm an interior designer, not a corporate desk jockey. If we can iron out the internal problems and get somebody trustworthy to run the company, then I can do whatever the hell I want. And have plenty of money to do it with."

Now that was a motive that had the ring of truth. He shook his head and started to speak, but she stopped him.

"Don't shoot down the idea until you think it over. Please." She picked up her leather bag, the exact color as her outfit, plopped it on top of the tax returns Chantalene had been posting, and dug out an envelope which she laid on the corner of the desk. "This is an airline ticket in your name. I'm asking you, as a personal favor, to come to New York and talk to William. He'd have come here himself but he's not up to traveling. You may not trust me, but I know you trust William. Just talk to him."

"Emily," he said quietly. "I know you can't understand this, but I'm happy here."

In the few moments their eyes connected, he saw that she believed him, and that she truly didn't understand. And he saw something else, something he'd never seen in all their history together. Emily was scared.

She swallowed and looked away. "I don't think William's going to make it, Drew. And if he dies, I'm up shit creek, unless you help me."

The steer's head clock ticked in the silence. Emily glanced at it. "How do you stand that thing? I've got to have a smoke." She grabbed her purse and swept out the door in a gust of expensive perfume.

Drew slumped in the chair, legs spread before him, arms inert in his lap. *What the hell.*

He thought of William Bratten, possibly dying of cancer. He thought about Manhattan, their apartment with the view of the river, the little bar on Fifty-Ninth Street where he used to go to drown his frustrations. It wasn't all good. But it wasn't all bad, either.

He found Emily on the broken sidewalk, pacing and puffing. The deputy's car was gone from across the street, and so was Chantalene.

The limo driver approached Emily. "Miss Savolini? If you're going to make your return flight, we'd better go."

So she'd gone back to using her maiden name. It was no surprise, really. In some circles, the Savolini name carried a lot of power.

"All right," Emily said to the driver, dismissing him. He climbed into the car and started the engine.

Emily dropped her cigarette on the sidewalk and ground it out with her boot. She stepped close to Drew, facing him. "See you in New York." He could have sworn her eyes were wet.

She placed her palms against his chest, raised up on her toes and kissed him lightly, then laid her forehead against his shoulder.

He held her for a moment. But only a moment. Emily turned away and slid into the back seat of the limo, disappearing behind the darkened windows. He watched the limo drive away, tasting cigarette smoke on his lips.

When he turned back to the office, Chantalene was standing in the open doorway.

TWENTY-ONE

WHEN DREW HAD first met Chantalene, her eyes carried a haunted look, a blend of pain and fear. It had taken a year for that look to melt away, as her life settled into some kind of normalcy and he won her trust. Now, in the moment she stood in the office doorway before turning away, he saw that look in her eyes again.

Damn. Why was everything falling apart?

He followed her inside and closed the door. She was heading out the back way.

"Chantalene?"

"I need to get home and feed the animals."

"I'll drive you."

"No. I don't want to leave Whip here overnight." There was no heat in her voice, just a heavy fatigue.

"You mean you don't want to talk to me."

She stopped and turned toward him. The doubt on her face cut him. "It's been a hellish day," she said. "I don't want to argue, or say something I'll regret." She walked out the back door where her horse waited beneath the carport.

Drew followed and watched her mount up. "Please call and let me know when you're home safely." By the time she got home, maybe she'd be ready to talk. Without looking at him, she turned Whip's head toward the alley and they rode away.

Watching her go, he felt like shit. He tried to work up some righteous indignation—nothing was going on between him and Emily, after all. What Chantalene had seen was a sympathy hug for someone with whom he had a lot of history. She ought to understand that; usually she was extremely perceptive to what other people were going through. If she didn't understand, he decided, it was because she chose not to.

She was pulling away from him. It went deeper than their difference of opinion about Thelma; he had scared her with the idea of marriage and kids. Ironic. Wasn't marriage and kids what most women wanted?

Of course, Chantalene wasn't most women. Not even close. Neither was Emily, for that matter. Freud would have had something to say about his managing to connect with two women in a row who didn't want children. But Freud would be wrong. Drew really did want kids, always had. Even back in college, when he was too young to be ready, he'd always pictured his future as somebody's daddy. And for the past year, he couldn't picture anyone but Chantalene as their mom.

Now the mother of his future children was riding off into the sunset. And he knew going after her would be a mistake.

He turned back inside but left the door open to the rain-cleansed air. The desk chair squeaked as he dropped heavily into the seat and glanced at his watch, timing Chantalene's ride home. She ought to be there in half an hour. But would she call?

Meanwhile, he dialed Sheriff Justin's office in El Rio.

It was well after five, and the sheriff answered the phone himself. His voice sounded tired and impatient, more bark than greeting.

"Sheriff, it's Drew Sander. I know you're busy, but can I find out what's happening with Thelma Patterson's disappearance? I'm her attorney."

Drew could picture the Sheriff pushing back in his chair, running a hand over his thinning hair, and wishing he hadn't picked up the phone. But since he had, he answered Drew's question.

"We have an APB out on Thelma, and also for one Henry

Carl Hill, the fellow Chantalene told us about who's supposedly with Ballenger Energy Corporation. Turns out he's a son-
in-law to the Kingman family of Dallas that the Patterson
brothers ripped off twenty-some years ago. Old money, political connections. A tough bunch to mess with.''

"Hill's a suspect in Patterson's death?"

"Right now he's wanted for questioning. But so is
Thelma.''

"So Hill's out to get the Kingmans' money back."

"Probably, and also to prove something to his in-laws. No
rap sheet on him, but the Dallas County office had a pretty
thorough background. Late thirties, grew up in a blue-collar
family that had too many children, served four years in the
Army after high school. Had a rough go in the service, bullied
by some toughs, and when he got out he adopted their tactics.
He's been in some fights, but only one of them resulted in
charges.''

"How did a guy like that marry into a family with money
and clout?"

"Not with the family blessing, that's for sure. There were
three girls in the family, no Kingman sons. He married the
youngest daughter, a country club airhead. The family gave
him a job with one of their companies in order to keep their
thumb on him. It's a crumbling dynasty now, run by the aging
mother and eldest daughter and her husband. Henry Carl gets
no respect.''

"That's pretty good research on such short notice."

"It helps to have a friend on the force in Dallas,'' the
sheriff said.

"So maybe Hill's trying to prove himself by recovering
long lost money?"

"Who knows. Apparently he's not the sharpest knife in the
drawer, but sometimes it's the dull ones that cut you.''

"Is there anything I can do to help?"

"Yeah, now that you mention it. I know Chantalene's sort

of adopted Thelma, or vice versa, and this hits her hard. Don't let her do something crazy.''

"What do you mean?"

"You know damned well what I mean. We don't need Chantalene putting herself in danger with some cockamamie idea she can rescue Thelma.'' He paused. "I don't want her finding Thelma before we do.''

Drew's mouth went dry. "You think Thelma's dead.''

"I didn't say that. I'm hoping she'll show up and give us some information. But one man's already dead, and if Thelma didn't kill him, she may be the only one that knows who did.''

Drew pressed his thumb on the bridge of his nose. "Okay. Thanks for the information.''

When he hung up, he saw the envelope Emily had left and picked it up. Inside was a flight itinerary in his name, for a first class ticket on Delta Airlines. The flight left from Oklahoma City the next day at eleven. To catch it, he'd have to leave before sunrise, or else drive to the city tonight and stay over. The return date on the ticket was open.

There was also a note from William Bratten, Esq. on his cream-colored, embossed stationery. William's once-beautiful handwriting looked shaky and old.

> *Dear Drew,*
> *I know you can't be thrilled to hear from me, but I'm counting on the mutual respect we had when we worked together. Sam's death has come as a shock. There's nothing like the death of a close friend to remind you of your own impermanence.*
> *It's imperative, for personal reasons and for Emily's sake, to get Sam's estate settled quickly and the company on sound footing. You understand, perhaps better than most of the company executives, some of the problems we'll encounter. You have some friends on the board, men who have been with the company for years but came*

to their board seats recently—Bob Shanks, Leonard Leoni. And you have my trust.

I realize you owe nothing to us or to the company, which is another reason you're the right man for the job. I'm asking you, as a personal favor, to meet with me and hear our proposal. After that, if your answer is no, you won't hear from me again.

With all best wishes, William

Not one mention of his illness, but Drew read it clearly between the lines. William did not expect to beat the cancer.

From the beginning, there had been a professional respect between Drew and William that went beyond the fellowship of attorneys. William was a rare breed, a shrewd corporate lawyer but tempered by compassion. He was also a family man, a collector of fine art, and possibly the brightest intellect Drew had ever known. When Drew had pointed out the problems in the accounting wing of the company, William listened. He kept his opinions to himself, but Drew knew that he'd taken those concerns to Sam. It was Sam's decision to ignore them in favor of the bottom line. William had thirty years with the corporation; he'd helped shepherd the expanding companies from infancy to Fortune 500. Savolini, Inc. was a work of art to him, and he wanted it restored to fiscal beauty before he died.

How could Drew refuse to see him one last time?

He tossed the envelope on the desk next to the computer and saw a colored paper he didn't recognize beneath the keyboard. He pulled it out. It was a flyer from a museum somewhere out west, with a note to Chantalene scrawled on the top. Drew's eyes scanned the page. The flyer outlined details of a one-year internship offered by the museum. Attached to the flyer was an application, filled out in Chantalene's neat printing.

So that was it. She'd found her escape. Maybe that's why

she'd been keeping her distance. He laid the paper carefully on the desktop and smoothed out the wrinkles made by his fist. He had no right to prevent her from going. And also no chance, if that's what she wanted.

His stomach felt like lava. He picked up the plane ticket and put it in his shirt pocket. Perhaps he should keep his options open.

TWENTY-TWO

AWAKE FROM A feverish dream, the old man lay sweating, his heart stopping for long seconds between bursts that shook his chest. His bed was full of terrors, so he rose and prowled the dark, like last night, and the one before.

But he needed rest. By afternoon, fatigue pulled on him, weighted his eyes. In the long afternoons, dangerous things happened. His mind spiraled away, out of control.

He settled into his chair by the window and pulled the cord to raise the blind. One corner accordioned up; the string that threaded the slats on the right side had broken years ago. Through the exposed triangle of the dirty windowpane he could see across the weedy yard to the orchard. Maybe the fox would come back. He needed something like that, something natural and real to anchor his mind.

The old padded chair had memorized the shape of his body, and that was a comfort to him. He laid his head back and gazed out the window. In moments he drifted to half-consciousness and instead of foxes in the orchard, he saw a kaleidoscope of faces reflected in the glass. And all of them were Liddy.

He closed his eyes, giving in. Nothing he could do now to stop it. The kaleidoscope shifted and turned, and at its center were the golden eyes, full of surprise and betrayal the only time he'd ever struck her.

BENEATH A PEAR TREE thick with white blossoms, the two of them bent over a hole in the earth, digging. His new pickup truck was parked nearby at the abandoned house next to the orchard. He had a shovel, Liddy a length of board. She was digging for treasure, her eyes alive.

"Are you sure it's here? Is this the right tree?"

He didn't answer. Grass overgrew the spot where he and the kid had buried the bag nearly a year before, and they'd buried it deep. But he knew this place.

By the time his shovel struck something solid in the hole, he already regretted telling Liddy about the money. He'd told her to keep her with him, but he saw that was a mistake.

Liddy heard the *whump* of his shovel and sucked in her breath. She jumped down into the hole and finished uncovering the canvas bag with her hands. He helped her lift it onto the grass. From the look in her eyes he knew he'd have to hide the money again. If he didn't, she'd take it and leave him, just as her mother had done.

But for now, she was jubilant. Liddy plunged her hands into the bag and ran them through the bundles. She laughed and danced beneath the trees, white blossoms raining down on her hair. He saw her in a golden haze, everything else fading into shadow.

He decided they should stay at the abandoned house until the hired thugs stopped looking for the money. For Liddy it was a great adventure. They were hiding out, like Bonnie and Clyde. She tied up her hair and threw herself into cleaning while he repaired the plumbing and the roof. Remarkably, the electricity hadn't been turned off. He bought a used refrigerator and stove at a flea market and disabled the electric meter so that whoever owned the property wouldn't notice an increase in usage.

They found discarded furniture along roadsides where it waited for trash haulers. Liddy hung curtains at the three small windows and did her best to scrub the rust stain out of the sink, a reddish splatter the shape of a scalp. She said it gave her the heebie-jeebies, but no amount of scrubbing or bleach would remove it. It was still there, like the mark of Cain.

Those first months in the little house were the happiest of his life. She helped him catch fish and snare rabbits. For her it was all a game, but he knew Liddy had a short attention span. One night when he was sure she was asleep, he hid the money in the cistern.

She began to complain about living in the sticks, with nowhere to shop and nothing to do. They had all that money; why couldn't they spend it? He had to keep reminding her of the dangers, why they must stay hidden. He planted a garden. All he wanted was to live simply and have Liddy to himself. The longer they stayed, the more he reverted to the old ways his grandmother had taught him, and the more she hated it.

When they needed supplies, they didn't go into the closest town. They drove to different ones, at least fifty miles away. Before those outings, she washed her hair and put on lipstick, and he worried that she'd slip away. In town he kept her constantly in sight.

He couldn't use the money without Liddy finding it, so he kept his eyes open for easy marks where he could sneak in at night. Liddy begged to go along, and she proved to be an efficient thief. The danger was addictive. She wanted to go every night, but he was careful; they did break-ins far from home and far apart. He didn't like stealing. But Liddy did, and that's exactly what she was doing one autumn afternoon when he came up from the pond early and caught her carrying her raggedy suitcase to the truck.

She looked up and saw him, the stringer of perch hanging limp from his hand. The smell of fish still reminded him of betrayal.

The lid was off the cistern box, the rope he'd used to suspend the money bag dangling over the outside, its knot empty. Caught mid-way between the truck and the cistern, she watched him take it in with a glance. Her face was blank, like a fox frozen for an instant on the road, deciding which way to jump.

But for Liddy there was nowhere to jump.

She didn't move when he went to her slowly, with more sorrow than anger. He took the suitcase from her hand and felt the weight of the money inside it. She stood straight, her chin level, eyes unafraid.

He struck her once, without warning, and heard the fine cheekbone crack beneath his fist. Blood erupted from her nose, and her eyes went wide as a child's, accusing him: *What have you done?*

She never made a sound. She staggered backwards, her feet tangling, and fell full length against the concrete platform of the cistern. He heard the sickening *thunk* of her skull as it struck the corner.

There was too much blood. He knelt beside her limp body and slipped his forearms on either side of her head, the long hair cascading over his skin like honeyed water. Her neck made a sound like popcorn when it snapped.

THE OLD MAN jerked awake in his chair, mouth-breathing, his skin slick with sweat. He rose heavily and steadied himself while the room flowed like a river around him. When the motion stopped, he went to the kitchen sink and drank a full glass of water. The rust stain stared up at him from the sink bottom.

Everything was wrong. His days were jumbled and his appetite gone. He couldn't remember what he'd done yesterday, whether he'd eaten. He heard warnings in his head. Now one of the Patterson boys had come back, nosing around, asking questions.

It had to stop.

Killing the shapeshifter wouldn't be enough; she would only take some other form. Liddy's anger must be purged, the evil purified, and for that he must bring the shapeshifter here. This required penance, like the death of the baby fox.

TWENTY-THREE

WHIPPOORWILL'S HOOVES thumped like a slow heartbeat on the damp shale road, the horse's reins hanging slack in Chantalene's hands. She turned at the first mile line and took the long way home. A neon sun teetered on the horizon, casting long shadows that changed the familiar road into an alien landscape. Wind stirred the roadside grass and the eerie moment passed, but her sense of otherness, of not belonging here, remained.

For a second time in her life, she stood to lose the two people she loved.

Recently she had begun to believe that Drew wouldn't disappear as her parents had, that he would be part of her life permanently. Now her doubts rushed back. She pictured Emily Savolini Sander, so svelte and stylish and easy to hate, with Drew's arms around her as they said good-bye. Watching them together, she'd felt like a clumsy, countrified clod.

In truth, she didn't believe Drew would go back to his ex-wife. Emily couldn't give him what he needed—and neither could she. If Drew left, it would be the result of her own failing. The magnitude of the impending loss softened her bones.

Then she thought of Thelma, out there somewhere, and Patterson's killer on the loose. Deputy Ethridge had radioed the information about Hill and Ballenger Energy and the Kingmans of Dallas to Sheriff Justin, and the manhunt was launched. But the worry on the deputy's face confirmed her fear that she might never see Thelma again.

It was semi-dusk when Whip turned the last corner and clopped west toward home. No comfort in that thought. She spent a moment hating the bastard who had violated her house and made her dread going back there alone.

Whippoorwill snuffled and tossed his head, and Chantalene reached down absently to pat his neck. Not until he shied sideways in the road did she notice the car squatted on the wrong side of the road beside a clump of trees. Its left-side tires sat off the roadway on the grassy shoulder.

Even in the failing light, she knew that car.

She urged Whip forward. The car's lights weren't on, and she couldn't see if anyone was inside. She halted the horse a few yards behind Thelma Patterson's red compact and slid down, dropping Whip's reins to the ground. The horse stood.

"Thelma?" Her voice was loud in the stillness. Whippoorwill snuffled.

She approached the car cautiously. No sound, no movement. She cupped her hands against the glass of the passenger-side window and peered inside. It was Thelma's car all right, with the keys dangling from the ignition. On the damp roadway, Chantalene saw heavy tread marks—like a pickup—that angled into the grass and across the path of Thelma's car. She had been heading to Chantalene's house when she was run off the road.

The metal hood above the engine felt cool as the evening; the car had been here a while. Nevertheless, her eyes searched the fields next to the road and squinted into the darkness under the clump of trees.

"Thelma?" She heard nothing but her own fast breathing. She thought of Billy Ray sprawled on the bed, his face a mass of contusions and blood blooming on the pillow beneath his head.

Her hand didn't want to open the car door. Didn't want to

pull the keys from the ignition and fumble at the trunk lock
until one key fit inside.

The key turned and the latch popped.

"Ourfatherwhichartinheaven, hallowedbethyname..." She
looked out across the pasture, heard the distant call of an owl
as the trunk lid rose beneath her hand with a nauseating
squeak. She forced herself to look inside.

The trunk was absolutely empty. She let out her breath.

Not only was it empty, the carpet was spotless. Compared
to the trunk of Drew's Volvo—littered with her college papers, both their old sneakers, the water-smoothed walking
sticks they kept for impromptu hikes in the Jack Fork Mountains—the cleanliness of the yawning space felt ominous.

But this was Thelma's car, her prized baby. It was absolutely typical that Thelma would *vacuum* the trunk of her car.

She slammed the lid and pocketed the keys, wishing she
still had Drew's cell phone so she could call the sheriff. She
slid inside the car without touching anything else and examined the front and back seats, the floorboards and dash, in the
weak interior lights. No purse, no personal belongings, no
clue to Thelma's whereabouts.

Chantalene locked the doors, ran back to Whip and
mounted. *"Adelante!"*

She didn't have to tell him twice. They galloped home and
slid to a halt at her porch, sending Bones in to a paroxysm
of barking. She took the porch steps in one leap while digging
the house keys from her pocket—and stopped cold at her front
door.

Her breath came shallow in her mouth. The house was dark.

And she knew damned well she'd left on all the lights.

The doorjamb was splintered. *Jesus! He's been here again.*

Bones whined, and she looked down. The dog was favoring
one leg, and a dark patch of blood matted one ear. She knelt
and carefully smoothed her hand over Bones' back. Bones
seemed okay except for the damaged ear.

Anger flashed through her like a fireball. *The son of a bitch.* She leaned back and kicked the door open, screaming. The door slammed against the wall and rebounded, the doorstop twanging in the echo.

Shadows shrouded the living room furniture. Her eyes adjusted to the gloom and she smelled a faint, foreign odor— but not the same as before. This was aftershave.

The aftershave worn by Hill.

"Show yourself, you slimeball!"

No movement, no sound. Then she saw an unfamiliar shadow lumped on the center of her braided rug. She slapped the wall switch and light flooded the room.

A single cowboy boot sat in the middle of the living room floor. One of the Justin boots she'd brought from New Mexico.

So it *was* Hill who had run her off the road.

Cautiously, still listening for sounds in the house, she approached the boot and picked it up. A folded paper the size of a business card stuck out from the loop of the right pull-strap. She slid it out and read the five words printed in heavy black ink and double underlined. "NO COPS OR SHE DIES."

Something rattled in the bottom of the boot. Chantalene tipped it over and caught a small, heavy object in her palm. A clip-on earring, encrusted with tiny beads.

Thelma Patterson was perhaps the last woman in the world who wore clip-on earrings. Chantalene had seen her wear this one.

She looked at the card again, turning it over. It was printed with the logo for Ballenger Energy Corporation. The only other printing was the name Henry Carl Hill and a phone number.

His calling card. Was the man an idiot?

Either that or egotistically insane. She thought again of the cowboy's battered face.

The number was undoubtedly a cell phone. She flipped on the kitchen light and dialed the number, her heartbeat pounding in her throat. Her knuckles turned white on the receiver before the phone on the other end began to ring. Five times, six.

"Chantalene! I need help—"

"*Thelma?* Are you all right?"

But the next voice was masculine, arrogant and cold. "Just to prove Thelma's with me. That's the last time you'll ever talk to her unless I get the money."

"What money?"

"Don't play dumb! Thelma has convinced me—with some discomfort—that she doesn't know where it is. If Patterson didn't have it, the other guy does. You've got till noon tomorrow."

"*What other guy?*"

"Don't mess with me, sweetheart. You're such a smart ass, I'm sure you know everything."

"Patterson's brother died twenty years ago—"

"Noon tomorrow. If you call the police—if you tell *anybody*—your friend dies. Two hundred fifty grand of Kingman money, and I want it back. If you want to see the old gal alive, be at home when I call."

"*What other guy?*"

But the connection was dead.

She gripped the receiver and closed her eyes. This couldn't be happening. How in hell could she find out what happened to the long-lost Kingman money? Let alone between now and noon tomorrow.

Her mouth felt like sandpaper. Did Thelma's face look the way Patterson's had? She felt like throwing up but her stomach was too empty.

She couldn't borrow, beg, or steal that kind of money between now and noon tomorrow. Hell, she couldn't even rob a bank without a car.

There was no way to meet his deadline. And she had no doubt he'd kill Thelma if she didn't. Thelma had to be rescued *tonight.*

What would Watson Wilson do?

She replayed Hill's phone call in her mind, memorizing. The connection definitely sounded like a cell phone, but she'd heard something in the background, like a television. The evening news? So he wasn't in his car.

No cops.

Screw you, Hill.

She dialed Sheriff Justin's number. The law Chantalene had never trusted was Thelma's only hope.

TWENTY-FOUR

SHERIFF JUSTIN WAS not one of those lawmen who resent getting assistance from another agency. By ten o'clock the Oklahoma State Bureau of Investigation had identified a fingerprint taken from Henry Carl Hill's business card, printed copies of his Army picture, and installed a tracing device on Chantalene's phone. Chantalene sat at her kitchen table with Sheriff Justin while the phone technician, a man of about forty whom the sheriff introduced as Devereau, finished stringing wires and hooking cables to his laptop computer.

The two of them had arrived after dark driving Drew's crinkled Volvo, which Justin had appropriated from Bubba's car lot before repairs were finished. "We don't want police cars in the driveway in case he checks the house," the sheriff said. They had even left Thelma's car alongside the road as if its whereabouts had gone unreported.

In appreciation for his caution, she didn't remind the sheriff that she was right about Thelma's being kidnapped. She did tell him that someone had broken into her house, possibly several times.

"Probably Hill. He's been a busy man," the sheriff said.

She thought of the two distinct odors she'd discerned but decided not to mention it. Like Drew, the sheriff would give no credence to olfactory evidence.

With a ten-o'clock shadow, Sheriff Justin's face looked even sterner than usual. "You did the right thing to call us instead of trying to deal with this guy yourself. We've done some background checks, and this is the kind of weirdo who tortured animals when he was a kid. As the only male left in the family, he's on a mission to become the new kingpin of the Kingmans. And he has no conscience about how he achieves that status."

Chantalene had a bad moment picturing what a man like that might have put Thelma through. She closed her eyes till it passed.

The sheriff gave her a minute, then softened his tone. "At least we know Thelma's still alive. Are you sure you don't know anything about what happened to the stolen money?"

She shook her head. "Patterson told Drew his partner probably spent it years ago, and he thought the guy was dead."

The sheriff frowned. "Maybe he was wrong. Or lying. Maybe that's the 'other guy' Hill was talking about. Do you know his name?"

She shook her head. "Patterson called him Songdog. That's all I know."

Devereau finished his work and sat down at the table. Both men had headsets that would let them hear any conversation on her phone. Devereau's was linked to his laptop, where the screen now showed an image that resembled an Etch-a-Sketch map of Opalata County.

"Are you OSBI?" Chantalene asked him.

"No," Devereau said. "I work for the wireless company that owns towers all over this part of the state." He pointed to yellow dots on the screen. "In McAlester, there's a central switch that feeds several municipalities in the southeastern counties. At that site, they can pinpoint the originating tower for any cell phone call within this area. We have a lot of towers out here because of the hills and tree cover, so if we pick up the signal, we'll know the call was made within a fifteen mile radius of the originating tower."

"We have two deputies and four OSBI agents ready to

canvass the targeted area," Sheriff Justin said. He narrowed his grey eyes at her, all business. "Are you ready?"

Her stomach lurched, but she nodded.

"Okay." The sheriff's voice was calm and deliberate. He shoved a notepad in front of her where he'd written Hill's phone number from the card. "If he answers, tell him you're doing your best to comply but can't find the money. Ask him who this other guy is, and where you can find him. Ask for more time—ask anything you can think of to keep him talking." He paused. "Do you want to rehearse it?"

She shook her head. "What if he's turned his phone off?"

The muscle in the sheriff's jaw tightened again. "Then we're screwed. But people who live with cell phones tend to leave them turned on. We'll hope he's one of those."

"Okay." Chantalene picked up the notepad and moved to the red phone on her kitchen wall. The sheriff put on his headset and nodded. She dialed.

After five rings, the phone cycled to voice mail and Justin motioned for her to disconnect. Her heart sank.

"What now?"

"Wait a few minutes and try again."

They waited in silence.

Again, the ring signal trilled in her ear. Three times, four. She squeezed the receiver tightly and closed her eyes. *Answer the damned phone, Hill.*

The buzzing stopped. The line clicked.

"What are you doing still at home, Miss Morrell? Shouldn't you be getting something for me?"

A chill ran over her. His cell phone had caller I.D.

"Look, I'll do it. I'm trying. But I have no idea where to start." It was no stretch at all to put panic into her voice. "Who is this *other guy?* Where do I find him?"

"The third man. Finding him is your problem." His tone had finality in it and she raced on before he could hang up.

"Patterson said he was dead and the money spent!"

"Patterson lied."

Was that true? At the table, Devereau leaned forward attentively. She saw the map on the computer screen jump to a smaller radius. "Look, I'll get it, I swear. Just tell me his name—give me *something* to go on!"

"If I knew all that, I wouldn't need you, would I? You work for a lawyer. Use your resources."

The sheriff motioned, *keep it going.*

"Yes, I do…I'll get Drew to help. I can trust him."

"Well I can't. He was useful in helping me find Patterson, but that part's over. Call the lawyer and Thelma's dead."

Shit. She tried a different tone. "I demand to talk to Thelma. If I don't know she's okay, I'm going straight to the police."

"Whining has cost you two hours. You've got until ten in the morning."

The line went dead.

Chantalene pounded the receiver on her fist. The sheriff took off his headset, watching Devereau fiddle with his dials.

"We got it," the tech said.

"Which tower?"

"The one just this side of El Rio."

"That's no help," Chantalene shrieked. "The whole town of El Rio's within the fifteen-mile radius!"

Sheriff Justin ignored her, thinking aloud. "The countryside's no problem. We can canvas the farmhouses pretty quickly. I heard the TV in the background, so he's not outdoors somewhere." He glanced at his watch. "But we can't do a door-to-door in all of El Rio before ten."

Chantalene looked at him. "He has to be staying somewhere and I doubt he has any friends. A motel?"

"That's what I'm thinking. We'll start there." He picked up his radio and pressed a button. "Number one calling home base. You there, Bobby?"

A spurt of static answered. "Have Tim and Oscar start a

house-to-house in the rural areas within a fifteen-mile radius of that cell phone tower northeast of town. Give them a photo of our suspect and a description of Thelma Patterson. We're looking for someplace where there's a TV, so skip the barns and outbuildings unless there's an electric line."

The deputy's voice crackled. "Roger. Want me to go with them?"

"Negative. I want you to mark all the motels in El Rio on a map and have the OSBI fellows canvass those. When I get there, you and I will start on the east side and take every house in town that has a light on. We've got until ten. And tell the boys to consider this guy armed and dangerous."

The sheriff signed off and stood.

"I'm going with you," Chantalene said.

"Absolutely not. Stay by the phone in case he calls again. Devereau will stay with you. We'll check in as soon as we find anything."

"I can't just sit here—"

"You have to. We don't have time to worry about a civilian." He hefted his considerable torso and reattached the radio to his belt. "I know you're worried, but you can do Thelma the most good by staying out of the way. You hear me?"

"Loud and clear."

Bones heard him, too, and set to growling from the front porch. Bones never had liked Sheriff Justin. Maybe he was a cat person.

At the door the sheriff turned. "Get Drew over here to wait with you. But first corral this mutt of yours until I get to the car."

Chantalene held Bones' collar while the sheriff stepped off the porch and folded himself into the Volvo. When he started it up, something under the hood rattled like rocks in a blender.

"The fan blade's hitting the radiator," she mumbled. Thank god, the noise stopped as the car lurched down the driveway. She turned Bones loose and the shepherd launched mournful howls into the night. Chantalene stared after the tail lights.

Waiting. Her least favorite thing to do.

Inside, Devereau stared at his computer screen as if some answer might magically appear. She put a mug of water in the microwave and took down the jar of tea bags. "Want some coffee?" She saw him eyeing the jar. "Or tea?"

Devereau had pale blue eyes and thin, colorless hair that didn't quite cover a pink scalp. "Do you have Earl Grey?"

"Yeah, I think so."

She rooted through the jar and held up a tea bag. Dimples creased his cheeks when he smiled.

"I thought all lawmen drank coffee," she said.

"They probably do. I'm a communications engineer."

"Of course; I forgot. I apologize for the insult. What do you take in your tea?"

"Honey, if you have it. And a drop of milk. Thanks." He went back to monitoring his equipment.

She set a second mug of water in the microwave, choosing one with no cracks in honor of Devereau's refined taste. When the timer beeped, she dropped in the tea bags and set his beside him, along with a saucer and spoon and the honey bear.

"Okay if I use the phone to call my friend?"

"Use my cell phone, and we'll keep your line free." He laid a tiny, expensive-looking phone on the table and then gave his attention to brewing his tea. She took the phone into the living room.

The buttons were so small it was hard to dial. She tried Drew's home number and got no answer. At eleven at night? She pushed the disconnect and dialed the office.

Drew answered on the second ring. "Why didn't you call me?" he said.

"Sorry. I've been a little busy here—"

"Never mind. I found your application for the internship at that museum."

She frowned. "I wasn't hiding it."

"No. You left it where I could find it instead of talking to me about it."

"Excuse me. I was busy finding a dead body, and worrying about Thelma, and then your ex showed up—"

"You filled this out before Emily came," he said.

The last thing she wanted was to argue about petty stuff, with Thelma's life hanging like a fly in a web. Before she could explain what was happening, Drew surprised her again.

"I'm driving to Oklahoma City tonight. I'll deliver these tax returns and then catch a flight to New York."

Chantalene was dumbstruck. "You're going back to Emily?"

"No. I'm going to visit an old friend, a man I respect who's dying of cancer. He's asked me a favor, and I can't turn him down."

"I see." But what she saw was something else—Emily Savolini snaking her arms around Drew's neck. Everything she wanted to tell him log-jammed in her throat.

"I hate to leave before we know about Thelma, but there's nothing I could do, anyway. I'm sure she'll turn up."

"Right." She couldn't believe he was going—especially now.

"I'm not sure how long I'll be gone," he was saying. "But a few days away might be a good thing. Give us both a little perspective."

Horseshit. "Hey. Do what you gotta do." *Run away like a yellow dog.*

She jabbed the off button and clenched the tiny phone in her fist. Something huge and dark rose up and curled over her like a monster from a nightmare.

Bad things come in threes, her mother used to say. The cowboy was dead. Drew was leaving her. Now Thelma would die.

TWENTY-FIVE

CHANTALENE JERKED AWAKE on the sofa, enveloped in the thick darkness of pre-dawn. She lay still, panting, her face damp with sweat. She had dreamed of the girl on the post office flyer again. But this time she *was* the girl, and she was trapped in an earthen dungeon, trying to claw her way out with her fingernails.

From the kitchen came the sounds of Devereau microwaving another cup of tea, and reality rushed back to her. It wasn't much better than the dream.

"What time is it?" she called.

"Five."

"No word?"

"Nothing."

She sat up slowly and massaged the cramp in her neck and a spot below her right eyebrow where a headache spiked red flashes to her brain. Two hours' sleep was worse than none. She felt like crap with a wagon track through it.

The dream wasn't hard to explain. Her subconscious had done a bang-up job of symbolizing real life by tossing her in a dark, claustrophobic place—her worst fear. But why the P.O. poster girl? What did she have to do with anything?

The house felt stuffy and she got up and opened the front door. Cool air sifted through the screen and she breathed deeply. Ironically enough, it was going to be a beautiful spring day.

On the porch, Bones lifted a sleepy head and looked at her:

What are you doing up? Better question: What was she doing here? Thelma was out there in the dark somewhere, in mortal danger and undoubtedly terrified. And Drew was traveling back to his old life, after she'd given him up without a struggle. What a spineless worm she was. A mollusk. A legless lizard.

She slumped down the hallway to the bathroom, splashed water on her face and brushed her scummy teeth. Her face in the mirror looked haggard. Maybe she shouldn't have called the sheriff. What if Hill found out and took it out on Thelma?

No. No second guessing. A dozen men were scouring the countryside for Thelma, and those odds were a hell of a lot better than if she hadn't called the law.

The mirror shimmered eerily before her eyes. She laid her fingers on the cool glass to regain her bearings, and made a wish for yesterday to disappear. In that moment she understood Drew's longing for a normal, quiet life. A house with a two-car garage and a swing set in the yard. Was it too late?

She combed her hair back from her face and fastened it with a banana clip. But when she glanced in the mirror again, the girl from her dream looked back at her.

All the breath went out of her. Until now, she hadn't seen the resemblance. For a nerve-jangling moment, she was inside the skin of the girl on the poster, just like in her dream. A metallic taste like dirt stained her tongue.

She dropped the comb in the sink and ran to the kitchen, past Devereau at the table reading yesterday's newspaper, to the cork bulletin board beside the phone.

It wasn't there.

"I had a flyer stuck on this board. With a girl's picture on it. Have you seen it?"

Devereau looked up, his face blank.

"It was a missing-persons flyer," she said.

"I don't think it was by the phone yesterday, or I'd have noticed it when we were wiring things up," he said.

She looked on the floor, dug through the stack of books on the back of the kitchen table. Last week, the hairbrush. Then the letter she'd been writing to Gamma Rose. Now the poster was gone. Again, she tasted dirt in her teeth.

It didn't make sense. What would Hill want with that stuff? Of course, if he was a psycho, nothing would make sense—including logical efforts to find him. And Thelma's chance of surviving was thinner than blue milk.

She squeezed her eyes shut and sent Thelma a message. *Hang in there, girl. Stay alive, no matter what. We're trying to find you.* She glanced at Devereau, placidly looking over yesterday's news, and wanted to scream at him. *Someone's been stealing random items from my house! How can you sit there drinking tea?*

Okay, stop freaking. He's not a crime stopper; he's a communications engineer.

Waiting was making her nuts. She had to *do* something. *As God is my witness, I'll never be carless again.*

"Could I please borrow your mobile phone again?"

"Sure." Devereau gestured to the miniature phone on the table.

She dialed Drew's cell number and carried the phone into the dark living room. No answer. He was on his way and taking no calls. And it was too early to call Watson Wilson in New Mexico; he couldn't have received the Express Mail package yet.

Calm down. Nothing's changed since last night. You're still stuck waiting for Hill's next call, or the sheriff's, whichever comes first. She took a deep breath and slipped the phone into her shirt pocket. She would try Wilson later.

Oblivious to her panic attack, Devereau glanced up at her and smiled. He'd been sitting in that wooden chair all night. His butt must be made of leather.

"Want some breakfast?" she said.

"Toast would be nice."

Tea and toast. It figured.

She put two slices of wheat bread in the toaster and broke eggs into a bowl with shaky hands. Maybe Devereau could live on toast but she needed protein. Bones heard dishes clatter and woofed from the front porch. "Keep your fur on. I know who gets the scraps." The eggs sizzled into the skillet.

The phone shrilled.

The toast popped up.

She dropped the spatula, splattering egg goo on the stove top. Devereau snatched his headphones and she grabbed the receiver.

"Hello?"

Sheriff Justin's voice was rough and tired. "We found Hill, but Thelma's gone. A car's on its way to pick you and Devereau up."

"What—?" The sheriff had hung up.

She looked at Devereau, who shook his head. "Your eggs are burning."

WHILE BONES wolfed down the scorched eggs and Devereau packed his equipment, Chantalene paced the front porch watching for dust on the lightening horizon. It didn't take long. The squad car must have been half way there before Justin phoned.

Deputy Ethridge sat behind the wheel, his face somber. She met him at the window before the car came to a full stop.

"Tell me the truth, Bobby. Where's Thelma?"

"We don't know. We found Hill dead in a motel room, but no Thelma. We don't even know for sure that she was there. The sheriff wants you to look at the room, see if you recognize anything."

Devereau came out of the house with a load of equipment. Bobby popped the trunk and helped him. "Thelma's ex was killed by a bullet to the brain. We found a thirty-eight caliber on Hill's body that could be the murder weapon. But Hill wasn't shot; his neck was broken.''

"The third man," she said.

"Who?"

"I have no idea."

Devereau put the rest of his equipment in the trunk and crawled in back, leaving Chantalene to ride shotgun. The deputy drove fast. In minutes they were off the shale roads and onto the two-lane highway, spearing toward El Rio.

The third man. Nobody knew who he was or what he looked like. If he had Thelma, what chance did they have to find her?

They dropped off Devereau and his equipment at the sheriff's office in the Opalata County Courthouse and drove to the edge of town, where a spattering of no-frills motels dotted the state highway that entered El Rio from the north. The deputy turned into the parking area at the White Buffalo Inn. The motel's stucco facade reflected orange light from the sunrise. A mural of a white buffalo, its pink eyes more fierce than welcoming, was painted in the gable above the office.

Bobby drove down the row of one-story units to number thirteen, the last room at the end, where Sheriff Justin's county car hunched beside a black-and-white El Rio Police unit. Across the parking lot, she saw two other vehicles she recognized.

"That's the truck that ran me off the highway," she said, pointing.

Bobby nodded. "That's Hill's. The black Caddy's a rental."

Doc Baker's homegrown hearse and a coupe marked OSBI were the only other cars in the lot. If the Inn had any other guests last night, they'd already fled. Bobby killed the engine and they got out. Now that she was here, Chantalene dreaded going inside.

Deputy Ethridge opened the door to number thirteen and

let her go first. The cubicle looked like a fraternity game in progress: How many cops can squeeze into a cheap motel room. She and Bobby stood in a narrow space between the double bed and the front window.

The bed was made but rumpled, the faux Indian-blanket bedspread askew as if someone had been lying on top. A guy with a camera squatted on the other side, photographing the body of Henry Carl Hill that was sprawled on the floor. Chantalene glanced at the body in spite of herself. Hill might have been sleeping, except for the waxy texture to his skin. He lay on his side, his knees slightly bent and his arms relaxed in front of him. He wore jeans and a burnt orange tee shirt with a Longhorns emblem on the back. There was no blood. The only thing that looked unnatural was the slightly odd position of his head in relation to his shoulders. She looked away, tried not to inhale the sour stench of death that pervaded the room.

Doc Baker was packing up his kit. Everybody else stood around watching. From the bathroom doorway, Sheriff Justin motioned to Deputy Ethridge. "You two wait outside a minute while we remove the body." Not even a please.

Chantalene and Bobby slipped back outdoors and stood on the sidewalk that ran in front of the numbered doors. The sun sat roundly atop the horizon now, its brilliance piercing. The morning was chilly and Chantalene hugged her arms, wishing she'd brought a jacket. "Too bad we don't smoke."

Bobby smiled. "I used to."

"Still miss it?"

"Only at times like this."

"I never could afford it. But when I turn eighty, I'm going to start. A pack a day."

"You don't want to live forever?"

"I'm not that brave."

Two men entered number thirteen with a stretcher, and a few minutes later Henry Carl Hill went out, zipped up in a bag. Doc Baker and the photographer followed, then the local cops. Finally Sheriff Justin stuck his head out and motioned to Bobby.

The only one still inside besides the sheriff was the OSBI investigator, poking around the room with his plastic gloves and a flashlight.

"Don't touch anything," Justin warned her. "Charlie's chemical evidence will give us clues, but that takes a while. You know Thelma better than anybody. I want to see if you notice anything that indicates she was here."

"What if she wasn't?"

"Then it's going to be a whole lot harder to find her, now that Hill's dead."

Harder to find her body, his tone said.

Chantalene stood still and tried to read the room. The tan carpet looked worn but newly cleaned; a K-Mart lamp and an end table beside the bed held a phone and courtesy notepad. The only other furniture was a tiny round table and two chairs, a black windbreaker thrown over one of them. In the open alcove that served as a closet, two white shirts hung next to Hill's brown suit. Below sat his brown shoes and a pair of dingy sneakers.

Apparently, he'd stayed here several days. She could see his shaving kit beside the sink. She walked around the bed, looking on the floor, in the corners. Thelma hadn't exactly had time to pack, so there wasn't much she could have left in the room. Was the indention on the pillow made by her head? Was she bound and gagged?

The reality that Thelma might be dead hit her hard. Until now she hadn't really believed it. Chantalene's eyes filled and she kept her head down.

She cleared her throat. "I guess you've looked in all the drawers."

The sheriff grunted.

She looked inside the lavatory for a curly, gray-brown hair, but found only a rust stain. She stepped into the white tile bathroom. The shower was dry, the towels undisturbed. The commode stood open with the seat and lid tipped up against the tank.

Thelma would hate that. She liked to quote Phyllis Diller: *Even cats cover it up.* The thought made Chantalene smile, and her nose burned again. Forgetting Justin's command not to touch anything, she closed the lid.

A folded paper, tucked between the upright lid and the commode tank, fell on the floor. She picked it up. It was a page from the motel notepad, with a number scrawled in the center: 1-73.

"Sheriff Justin!"

Sheriff Justin appeared in the door. "Where did you find that?"

"Where a man would never look." She handed him the paper.

"Does 1-73 mean anything to you?"

"Not that I can think of—January 1973, maybe?"

"Is this Thelma's handwriting?"

Chantalene examined the numbers again. "I think so. Thelma makes her threes like that."

The sheriff nodded. "I'll need to keep that with the other evidence."

The OSBI investigator appeared beside them. "Look what I found under the bed."

In his gloved palm, he held up a beaded clip-on earring.

"It's Thelma's," Chantalene said, her hope rising. "The other one was left in my house with the note. Thelma must have still been alive in this room."

"Looks like your friend is helping us out. Smart lady."

Smart and brave. Somehow Thelma had managed to write those numbers and hide them behind the toilet lid.

But what did they mean?

TWENTY-SIX

THE WOMAN wouldn't stop talking.

The old man was used to silence. He couldn't think straight with her constant noise. Even after he tied her arms behind the kitchen chair and each ankle to a chair leg, still she talked. He searched for something to tie around her mouth.

"They're looking for me right now. I left a clue and Chantalene will know what it means. She'll bring the sheriff."

He heard her words but not their meanings. He opened a drawer in the bureau, Liddy's drawer, and found a scarf patterned with autumn leaves. He ran the soft length of it through his hands. He had left her things just as they were all these years, but after today he would leave this place, anyway. He twisted the scarf into a long strand and turned back to the Talking Woman. She was a necessary nuisance, the bait that would bring the shapeshifter to him.

"You'd better escape before they get here. I'll tell the sheriff you killed Hill in self-defense—or to protect me. He'll believe that, and you'll be off the hook."

When he came toward the woman with the scarf in his hands, he saw her eyes widen, her breath catch. Still, she didn't beg or tremble. Her flowered dress had lost a button in front and there was a reddish bruise around one eye. Perhaps the man with no color had lost patience with her chatter and struck her. Couldn't blame him, though he felt no sympathy for the bristle-haired thug named Hill that he'd dispatched in the motel room. The old man had watched him for days and knew his motives.

But the buzz-head's greed had worked to his advantage. Hill had made it easy to appropriate the Talking Woman.

He moved to place the scarf around her mouth.

"What do you want from me?" the woman demanded. "Hill wanted the money he said Billy Ray stole, but I don't know anything about that. You don't seem like a man who wants money. What do you want?"

He tightened the scarf and her brown eyes fixed him with a look of reproach.

No, he didn't want money. He had the money, and all it ever brought him was sorrow and trouble. He should have given it to Liddy years ago. She'd have gone away and left him in peace. As it was, he'd lost her anyway, and set himself up for her revenge. Too late to fix things with money.

The woman tried to talk around the scarf, coughing and gagging. At last she fell silent, but her frown followed his every move. The brown eyes reminded him of his grandmother. *Apokni* had disciplined him with her dark eyes; all it took was a disapproving look from her when he'd done something wrong.

He didn't want those eyes watching him. He grabbed the back of her chair and rotated it to face the wall.

If you don't shut up, I'll throw a sheet over you. Like a bird in a cage.

He didn't like having the woman in his cabin. He could snap her neck and be done with it, and he'd considered that. But none of this was her fault. She had no idea the money had been on her property all these years. She'd let him stay in the shack when she could have turned him in to the law. Besides, he counted on the life force of the Talking Woman— unsettling as it was—to draw the shapeshifter to him.

She struggled against her bindings, squealing like a muffled pig. He decided the sheet was a good idea.

She made a small whimper when the fabric billowed over her head, but in a moment she stopped struggling, her head drooping beneath the pale sheet. He hoped she was unconscious.

He turned away from his captive and went to the bedroom. From the doorless closet he took out his shotgun, broke it open, inserted two long shells from a box on the shelf and snapped the barrels shut. The woman must have heard the sound, because she started struggling again, coughing against the scarf in her mouth.

Bite down on it and it won't gag you, he said, forgetting that she couldn't hear his thoughts. Only Liddy did that.

He wished the shells were a heavier load, but at close range, they would do the job. He went back to the main room and stood by the window that faced the road. The sun was well up now, a fierce yellow globe above the horizon, but the inside of the cabin was still dim and cool. Through a slit between the curtains no wider than a knife blade, he could see anyone who approached.

How long would it take for Liddy to come?

It didn't matter. He was practiced at waiting. If she brought the law with her, as the Talking Woman threatened, he'd wait until the lawman stood on the front step and then blow him away. He wouldn't use the shotgun for Liddy, though. He had other plans for her.

He watched the road and waited.

While he waited, he thought about the foxes, his companions for a short time. Companionship never lasted. He thought of Naomi, too, and wondered how long it had been. He'd lost track of the years. If she was alive, Naomi's ample hips would be heavier now, and she'd be gray-headed like him. Things would have been different if she hadn't left him, hadn't betrayed him and set off his temper. In the Marines he'd been trained to control his temper, to kill without passion. That training had saved Naomi's life. Instead he'd seized her prized white bird from its cage and snapped the neck while Naomi screamed.

Naomi had called him a monster. She'd snatched a kitchen knife and hurled it at his head, nicking his cheek.

Maybe she was right. He was a monster. And Liddy was his punishment. She was his tormentor, a demon who took first one form and then another.

So be it. Today he'd face the demon and take her down.

TWENTY-SEVEN

SKELETONS OF last year's sunflowers leaned from the bar ditch along the dirt road, brushing Chantalene's jeans as Whippoorwill clopped along the narrow path. Except for the daily run of Hank Littlejohn's mail truck, the road along the eastern edge of Thelma Patterson's farm likely would have disappeared altogether.

Whip pricked his ears forward as they approached a tumble-down cabin that sat some distance from the road, obscured in the brush. The shack looked deserted except for a set of tire tracks that led around back. Chantalene patted the horse's neck and spoke to him in a low voice. "Creepy, isn't it. We'll get out of here as fast as we can."

North of the cabin, a grove of twisted fruit trees reached up from the pasture with bony fingers. It must have been somebody's prized orchard fifty years ago. Now, a single pear tree bloomed white above the brush.

She halted Whip beside a battered tin mailbox at the roadside. There was no name on its side, just faded black letters, barely readable: *Rt 1, 73.*

1-73.

On the long ride home from the crime scene, she had worried the numbers in her head like fingered beads, sure they were somehow the key to finding Thelma. After the deputy dropped her off, she paced the floor until, finally, it came to her.

Thelma knew the postal address of every resident for miles

around Tetumka. Often, especially if she didn't have much use for particular citizens, she called them by their numbers instead of by name. Thelma's house was Route 1, Box 72. The next mail stop would be the old hermit's shack on the opposite edge of her farm, two miles cross-country from Thelma's house, three miles by road.

On that hunch, Chantalene had saddled Whip and headed out.

Sitting her horse beside the mailbox now, she wondered what this harmless old fart could possibly have to do with Henry Carl Hill. Had somebody taken over his place as a hideout? Maybe he lay dead inside. Any such idea seemed far-fetched—but it was the only clue she had, and Thelma's time could be running out.

Her hand went to Devereau's cell phone in her shirt pocket. Thank God she'd forgotten to return it in the confusion of finding Hill dead. If she saw any sign of Thelma, she would call the sheriff, stat.

But no signs of life or light showed behind the dirt-stained windows of the shack. One of the panes was broken at the corner and taped over with yellowed newspaper. Chantalene had been out here with Thelma once, to check on the old man when his BIA checks were collecting in the mailbox. She'd waited in the car without getting a glimpse of him when Thelma went to the door. Thelma had bought the land where the cabin sat years ago, after it was tied up for ages while some rich man's heirs haggled over more valuable property. Thelma said the old Indian was squatting here then, and she saw no reason to run him off. Maybe Thelma's good deed hadn't gone unpunished.

Chantalene scanned the weedy yard, the abandoned outdoor john that leaned beneath the trees. What kind of mind would it take to live like this? Or what desperation?

She fidgeted in the saddle, wishing for the third time today that Drew was here. She pictured him winging his way toward the Wicked Witch of the East, a fine place for him to be when she needed his help. A cloud passed over the sun. She slipped her jacket on and moved the cell phone to its pocket.

"Let's go, Whip."

She nudged him with her heels and they turned up the track toward the cabin, passing through a gateway of leafless brush at the fence line. Close beneath the eaves stood an old cistern, a relic of the days before rural co-ops brought water to country homes. The metal hand-crank was frozen in rust and the down spout that once collected water from the roof was long gone. Chantalene shivered. She had a bad memory of an old cistern.

In the dooryard lay the remnants of a bonfire, recent enough that no weeds grew from the ashes. A swath of raked coals stretched out to one side, a weird windrow of ashes. She halted her horse a safe distance from the house and dismounted. A scarlet cardinal called urgently from a bare tree-top in the orchard.

Whip snuffled and shifted his feet, showing her the whites of his eyes as she looped his reins around a sumac sapling. She turned toward the front door. Through the tall weeds she glimpsed something red and white lying on the concrete blocks that formed a front step to the house. The crickets fell silent as she approached.

On the doorstep lay her missing hairbrush, and beneath it, a folded paper.

Her hands shook as she picked them up. Maybe Hill wasn't the only one who'd broken into her house. Had the old hermit been stalking her, stealing her things?

She pocketed the brush and unfolded the paper. It was the flyer she'd taken from the post office, the defiant face of Lydia Sue Raintree staring up at her. A shudder ran down her back.

How was it all connected? Nothing made sense. Unless he was just freaking nuts.

One thing was sure—somebody was expecting her. He had

known she'd come looking for Thelma, probably had watched her approach and was cowering right now behind a dirt-smeared window.

Her face flushed hot, her fists clenching the flyer. *Get your jollies quick, you perverted jerk, because by nightfall your ass will be in jail.* She pulled out the phone and started jabbing numbers.

Whippoorwill whinnied. But the warning came too late.

She never heard him coming, didn't see his face when the iron forearm clamped around her neck from behind and jerked her off her feet.

The phone went flying.

She couldn't scream; she couldn't breathe. Her hands wrenched at the bony arm pressing against her throat and her legs thrashed. The more she struggled, the tighter his grip. God, he was strong! He wrenched her head back and spiked his knee into her spinal column. Her legs buckled.

Blackness closed in. And nauseating, overwhelming pain. *He's going to kill me. Right here.*

She went limp and sank.

The grip on her windpipe relaxed just enough for air to reach her lungs. She gagged and coughed. Her body hung slack in his grasp, her legs useless.

He hooked her elbows behind her back and held them, his other arm still pressing against her throat so hard she couldn't swallow. Coarse white hair fell into her line of vision as he hunched over her, smelling of ashes and sweat.

She knew that smell. It had been in her house, and she had ignored the warning. His foul breath was hot against her cheek, his voice dry as paper. "Liddy girl. I've been waiting for you."

What? She tried to yell but could barely choke out a whisper. "Where's Thelma?"

He lifted her to her feet like a rag doll. "She's not your problem, Liddy. I'm your problem."

"I'm not Liddy!" she rasped. "I don't know anybody named Liddy."

It was the wrong response. He jerked her elbows together and pain ripped her shoulder blades. She clamped her teeth, tasting blood.

His arms were steel. If she kept struggling, he would break her neck for sure. Like Henry Carl Hill. She unclenched her muscles and stopped fighting.

His grip eased. She breathed through her mouth until the fuzziness cleared from her brain.

Who the hell was Liddy?

The girl on the flyer—Lydia Sue Raintree.

Did he think she was someone who'd disappeared twenty-five years ago—about the time she was born? God, he *was* insane.

What had he done with Thelma?

He shoved her forward, stumbling, toward the side of the house. If she was going to save herself, let alone Thelma, she had to think of something.

"I know who you are." She coughed again, her throat ragged. "You stole the bingo hall money with the Patterson brothers. They called you Songdog."

He didn't answer.

"Listen, I'm not Liddy. She would be much older now. But my partner's a lawyer and we could help you find Liddy. Just tell me where Thelma is."

But he was through talking. He dragged her toward the old cistern at the side of the house and shoved her to the ground, pinning her there with a boot in her back.

A childhood memory rose like a bubble in a muddy pond: They had a cistern at her house when she was small; her mother pumped the rainwater and heated it to wash their hair. Once her mother had taken the metal lid off the top so Chantalene could see how the water came up in the square metal cups, attached to a looped chain like the seats on a Ferris wheel. The cups slid over the top of the cogwheel and down, spilling cool water into a catch-pan for the spout. Chantalene had watched, fascinated, until a drowned mouse rode up and spilled out into their bucket. Afterward, she had nightmares about falling into the cistern, where the water was neck deep and there was no way to climb out.

The boot ground into her backbone, raking her cheek in the dirt. She heard the sheet-metal top of the square cistern box wrench open and tasted panic in her mouth.

Jesus, no!

The opening was large enough to accommodate a bucket— or a human body. She was living her nightmare.

Was Thelma down there already? She sucked in a breath and screamed. *"Thelma!"*

He grabbed her hair and jerked her upright, staying out of range of her flying fists until he caught one arm and crooked it up behind her. She screamed again.

He shoved her toward the gaping black square in the top of the cistern and she gathered herself for one desperate lunge. She twisted her body toward him, felt a handful of hair rip loose, and kicked out hard, aiming for his groin.

He saw it coming and stepped back. Her foot slammed into his belly and she heard the surprised, guttural sound as he lost his breath. In that instant she wrenched her arm free and slammed her open hands against his chest, shoving him back with all her strength.

It wasn't enough. He rocked like a bowling pin but didn't go down. She turned to run. His fist struck the side of her head, the pain exploding in her ear. Her feet left the ground and she sprawled.

She couldn't see, couldn't hear. She thought her head had split open. He pulled her limp body up by the arms and she couldn't resist.

Metal scraped against her ribcage when he dumped her headfirst into the hole.

Her last conscious sensation was of falling, falling, into the dark.

TWENTY-EIGHT

DREW LOOKED OUT through the wall of windows facing the tarmac at Will Rogers World Airport. His Delta flight sat ready for boarding, the accordion hood of the jet way clamped over the airplane's door like the mandible of a giant caterpillar. He'd almost forgotten how he hated flying—the used-air smell of the cabin, the compressing and decompressing that made his sinuses ache. But he remembered now, and it didn't help his lousy feeling about this trip.

Beside him, a toddler came to the window and pressed miniature hands on the glass. He wore Oshkosh overalls and blue tennies no longer than Drew's palm. Drew smiled down at him. "Hi. You going for an airplane ride?"

The boy smiled back, pointing at the jet and pounding the window. His mother hustled him back to the row of seats and Drew watched their reflection in the glass. The mom was in jeans and a pony tail, going to see Grandma, she told a traveler next to them in the row. The man was about Drew's age, wearing a suit, with a carry-on beside him. "I have a little girl about that age," he said. Going off on a business trip, leaving his family behind. Drew's smile faded.

Outside on the tarmac, workers wearing ear mufflers loaded luggage and serviced the snack bar at the back of the plane. When things went bad with Emily in New York, he had run to Oklahoma. Today it felt like he was running away again. Everything he cared about was back in Tetumka; what the hell was he doing here?

Going to visit an old friend who's dying. That was the thing that had pulled him toward New York. Not the job offer, and certainly not the prospect of tangling with Emily again. A man he admired and respected had asked him to come. How did you turn down a dying man's request?

He wished he'd explained that to Chantalene, instead of saying something asinine about needing perspective. What bullshit. The truth was that he was angry that she hadn't told him about that internship application. She kept pushing him away, and it hurt.

He turned on his cell phone and tried her number. No answer.

The gate agent's voice crackled through the loudspeaker, summoning pre-boards and first class passengers. His boarding pass had the first-class stamp—nothing but the best for Savolini, Inc.—but he waited a while before he shuffled down the jet way, stuffed his bag into the overhead bin, and settled into an aisle seat. At least in first class he had some leg room.

He drank a Bloody Mary while the rest of the passengers filed through, the young father among them. *Hey, man, I'll be glad to stay home with your wife and baby.* Probably the guy would, too. Maybe he didn't like his job any better than Drew had liked his in New York.

He closed his eyes while the jet hurtled down the runway and lifted off, then slid his seat back and hoped for sleep. It didn't happen. The businessman next to him offered Drew his *USA Today,* then snored from Little Rock to Atlanta. In Atlanta, where Drew changed planes, he tried to call Chantalene again, with no results.

He had a headache by the time the jet touched down at LaGuardia, at 3:45 New York time. A light drizzle was falling. He took a cab to William's mid-town office, still wearing his sport shirt and cotton pants. He would look like a tourist among the black-clad New Yorkers, and that made him smile.

The sidewalk where he stepped from the car rarely emerged

from the shadow of tall buildings even on a sunny day. Today it was chilly and dark as a tunnel. Still, he inhaled the familiar diesel smell of the city and couldn't deny a certain excitement. For a moment he saw the city through Chantalene's eyes. She would love this. Why the hell hadn't he asked her to come?

She wouldn't have, though, with Thelma missing. Guilt poked him again. He should have waited until Thelma showed back up before making the trip.

Alone on the elevator to the 34th floor, Drew stared into the polished brass patina of the closed doors and asked the questions he'd been avoiding: Did he miss living in New York? Wouldn't it be nice to have a job that paid well again?

The answer to the second part was a no-brainer. But he still hadn't answered the first question when he stepped into the outer office of the Bratten & Baird law firm.

William's long-time secretary, a petite woman who seemed ageless, lit up when she saw him. "Drew!" Usually the soul of propriety, Sherry surprised him by coming around her desk to give him an efficient hug. "We miss seeing you around here."

"How's it going, Sherry?"

"Not all that well."

He saw the strain of William's illness on her face. Sherry had been William's devoted friend and associate for more years than Drew had known them. A plaque on her desk read, "I'm nobody's assistant. I'm The Secretary," and she was the true ex-O for the firm of Bratten & Baird. He wondered if Sherry would stay with the firm after William left, but he wouldn't ask.

Sherry straightened the jacket of her dark suit and returned to her post. "He's expecting you," she said, and buzzed Drew in.

William Bratten—nobody called him Bill—met him at the door and shook his hand. "Good to see you, Drew. Thanks for coming."

William's grip wasn't as firm as it once had been, and his skin looked like wax. He was thinner, too, with less hair. But the intelligence in his eyes was undimmed and his smile was warm. "I wish it were under better circumstances," Drew said.

"Me, too. But there it is."

He motioned Drew to a leather wing chair that looked out on a spectacular view of Manhattan. The skyline looked wrong. Drew's eyes found the vacant place where the Twin Towers should have been, and it hit his stomach like a punch. Today the tops of the World Trade Center would have been obscured by low-hanging clouds. He'd talked to William on the phone after watching the tragedy on television and knew that both William and Emily's father had lost friends there. And a lot of business.

Everything had changed since he'd left New York.

"Can I get you something to drink?" William offered.

"No, thanks. In first class, they were very generous."

William laughed. "Sure they were." He poured ice water for himself from the sidebar and sat in the chair beside Drew, his gray eyes attentive. "So how's the country life?"

"Love the country. But farming's riskier than I remembered."

"I'll bet. I see wheat prices have gone to hell, along with most everything else." His eyes narrowed, assessing. "You look good. I believe you've even put on a few pounds."

"I had to learn to cook."

William laughed again. "Never hurts to be self-sufficient. Emily says you're practicing law, too?"

Drew shrugged. "Not exactly. I passed the Oklahoma bar, but my practice right now is ninety percent tax work."

William smiled. "That's your specialty." Then he got down to business. "So what do you think about the offer from Savolini, Inc.?"

"It's a hell of an offer. I'm flattered." He paused. "But that's not why I came to town."

William nodded. "I know. And I appreciate that."

He met Drew's eyes and for a moment Drew saw the pain and regret. And he knew William well enough to know the sadness wasn't for himself, but for the family he'd leave behind.

William cleared his throat. "But as you say, it's a hell of an offer. The board squirmed a little, but they voted for it unanimously. They're worried about the scrutiny the company will go through in the wake of Sam's death. We need a cool head in the financial department, somebody with scruples who's not afraid to make the tough decisions."

"I'm not sure I'm your man."

"You're the right man at the right time. If Sam were here, he'd agree." William sipped his water. "Notwithstanding your value to the company, Drew, this could make your future. If things go well, you'd be in a position to write your own ticket with Savolini or any other top company."

Drew's gaze shifted to the hazy skyline outside the window again. Money and power. Maybe he was crazy not to consider it. But there was another side to money and power; tremendous pressure, long hours, constant stress. He thought of the young father on the plane.

Two years ago, he'd opted for a simpler life. He thought he'd found what he wanted in Tetumka. *So how's that working out for you?*

Would Chantalene agree to move to New York with him? If she wanted to experience the world, New York was definitely it. He tried to picture the two of them living in a high-rise apartment, or maybe an old brownstone. While he was working nine to nine, what would Chantalene do all day? Shop? He shook his head.

William was watching him. "I get the feeling there are extenuating circumstances."

Drew nodded.

William held the water glass in both hands and rubbed its rim with his thumbs. His voice was quiet when he spoke again.

"Son, I'd love for you to come on board and help me dig this company out of a hole. But you've got to do what feels right. If there's one thing this cancer has taught me, that's it. For me, family and integrity are the things that really count. All the rest is just score-keeping. You've got to decide what counts for you."

Drew was quiet for a moment. "The farm is no utopia," he said finally, "but I was happier this last year than I have been since I was a little kid."

William looked at him thoughtfully. "I wish I had moved to the country when I was your age."

Drew's eyes widened. "Really?"

"I grew up on a farm in New Hampshire, you know. Or probably you didn't know. Anyway. I've had a great life and I wouldn't trade it. But it's always been about reaching for something, aiming for something out ahead. I should have learned to enjoy it one moment at a time."

Drew nodded, his throat tight.

William got up and retrieved a folder from his football-field of a desk. He handed it to Drew. "Here's the contract offer in writing, with all the details. Take it home and think it over. We can hold off two weeks, but then we'll have to make a move."

Drew took the maroon folder imprinted with the Savolini logo in gold foil.

William sat down again. "Much as I hope you'll take the job, I'll understand if you don't." He smiled. "The Board won't, but I will."

"Thanks," Drew said.

"One way or another, Sam's company will survive. And so will Emily."

"I appreciate your confidence in me, William, and your friendship. And I'm damned sorry about the cancer."

"I know. It stinks." He smiled and shrugged his thin shoulders.

Drew stood up and extended his hand. William shook it without getting up. "Let me know if there's anything I can do for you, Drew. Anything."

Drew nodded. "Please give my best to Mrs. Bratten."

"I'll do that." His face looked tired. "Be happy, son."

At the door Drew turned to glance back at him. William grinned. "Send Sherry a postcard with cows on it. She'd love that."

Drew closed the door thinking that was the way he wanted to remember William Bratten. Still smiling, his extraordinary mind still alert.

OUTSIDE THE revolving glass doors on ground level, a premature dusk enveloped the misty street. He stood a moment on the sidewalk, hearing the pulse of the city around him. He felt hollowed out, and not only because he'd skipped lunch on the plane.

The Roosevelt Hotel was only a few blocks from here. On a weeknight, he could probably get a room and some early dinner. Maybe he'd phone a guy he used to work with and meet him for a beer. He set out walking, angling his body and his leather duffle through the foot traffic with familiar precision.

He picked up a copy of the *Times* in the hotel lobby and went into the bar. At this hour the long, narrow room was nearly deserted. The gray daylight of the street didn't enter here, the room's lighting golden and warm. He took a table in a far corner and ordered a beer and a pricey sandwich off the menu. When the waiter left, he opened his newspaper. The *Times* was one thing he really did miss in Oklahoma.

"Buy a girl a drink?"

He knew the voice before he looked up. "Em."

"Good guess." She sat in the only other chair at the round table. The waiter appeared instantly, whereas Drew had waited for five minutes, and took Emily's order for a highball.

"How did you find me?"

"I followed you from William's office."

He pictured her bumping along the sidewalk with an umbrella over her immaculate head, then amended that thought. She would have followed him in a cab. Her black slacks and turtleneck were perfectly dry.

"So you're stalking me."

"I have to. Since you don't let me know when you're coming to town."

Sherry had ratted him out, he bet. So much for her postcard with cows. He folded his newspaper and waited for his beer.

Emily lit a cigarette with a gold lighter and blew smoke toward the ceiling. "Have you checked in?"

"Not yet."

"You can stay at the apartment, if you like."

"No thanks."

Their drinks arrived and Drew took a long pull from his beer. The beer at Pete's place in El Rio was colder. And a fourth the price.

At a table across the room, a young couple leaned toward each other, holding hands, their conversation animated. Honeymooners, he bet. The girl's back was toward him, her hair long and dark, but not curly.

If Chantalene had come with him, he could show her the city. They could take the elevator up the Empire State Building, ride the Staten Island Ferry. Or just curl up in a room upstairs and watch it rain.

"Earth to Drew. I said, did you give William an answer?"

"Um, no. Not yet."

She nodded, her eyebrows raised. "That's good. I was afraid you'd just reject the offer without thinking it over."

"I probably will."

His sandwich arrived and he ordered another beer. Her eyes followed his sandwich to his mouth, watched him as he chewed.

She leaned forward. "Come home with me. For old times' sake." She watched him sip the beer. "We can sit up late and talk. I won't molest you unless you want me to." He met her eyes, and what he saw wasn't lust, it was survival instinct. Emily's life had become uncomfortable and scary. If she manipulated Drew successfully, she thought he could fix that for her.

The light laughter of the young woman across the room drifted to them as the couple left together.

Chantalene wouldn't have come until they found Thelma. He was weary of Thelma's soap opera with Billy Ray Patterson, so he'd refused to worry about her. He had figured whatever enemies Billy Ray Patterson had made in his life, they'd have no reason to harm Thelma. What if he was wrong?

Sheriff Justin had asked him to keep Chantalene from doing something crazy. He glanced at his watch and wondered what she was doing right now. A bad feeling rolled over him.

"I'm a world-class jerk," he mumbled.

"What?"

"Never mind. Nothing you didn't already know."

"Drew." Exasperation edged her voice. "You're not talking to me. You're not even here."

"Emily, dear, you're exactly right."

A waiter appeared beside them. "Can I get you something else, sir?"

"The check, please." Drew reached for his wallet.

"You can sign it to your room, if you like."

"I'm not staying. I've got to catch the red-eye."

But there was no overnight flight from New York to Oklahoma City. He spent that night on a bench in Hartsfield Atlanta International.

TWENTY-NINE

CHANTALENE AWOKE to darkness and the smell of damp earth, the metallic taste of dirt on her tongue. Silence rang in her ears. Her shoulder throbbed and her cheek burned where it pressed against the ground.

Gingerly, she shifted the weight off her shoulder. Something small and fast scuttled out from under her hair. Her head jerked up and shot lightning through her temple. When the pain receded, she rolled onto her back, her groan echoing in the hollow dark.

Above her, a small square of light marked the rabbit hole into her nightmare.

She wiped her fingers on her jeans and explored her face. The left cheek felt puffy and sore, her eye swollen. She couldn't move, couldn't think. For a long time she lay still, counting her breaths, listening for sounds from above. She heard nothing except the wind singing through the metal housing of the cistern.

Don't panic. Take stock.

A, you're not dead. B, you're not underwater. C, this hole isn't as deep as you thought.

Gradually her heartbeat slowed. She squinted at the square of light, trying to gain depth perception. Ground level appeared to be about ten feet above her. The sheet-metal cistern box, with the square of light at its top, rose three feet above the ground in the approximate center of the underground chamber. Even if she found a way to climb the wall, she couldn't get to the opening.

At least the cistern was dry. The chilly earth beneath her smelled musty and sour. Images of blind creatures that lurked in the corners webbed her brain.

Don't panic. Breathe.

What did Alice do, when she hit the bottom of the hole?

She couldn't remember. Didn't want to. That story had scared her spitless when she was small.

Shifting the weight off her left side, she pushed up on her elbow. Dizziness enveloped her, then subsided. Her shoulder felt strained and bruised, but nothing seemed to be broken. She sat up and tried to make out the dimensions of her dungeon.

The wall nearest her was vertical, blackened by water and time. She sensed that the chamber was about twice the width of a coat closet and longer, like a large grave. How long she couldn't tell; the far end receded into the dark. A wooden frame formed the roof of the cavern and supported a concrete base for the cistern housing.

She inched forward to sit in the small square of light from the opening above. Wrapping her arms around her bent legs, she rested her forehead on her knees. The light on her back warmed her and held the crawly things at bay. As long as she had that shaft of light, she could manage not to go crazy.

For now she would rest, then try to find a way out.

There is no way out. No way out. No way out.

She swallowed a rising urge to scream. If he heard her, he might put the lid on the cistern. She tried not to imagine the absolute blackness if he covered the opening.

Oh my god—Thelma. Is she down here, too?

Her whisper sounded eerie in the darkness. "Thelma?"

But Thelma wouldn't answer if she was dead.

Her spine rigid, she rolled onto her hands and knees. She

put out one hand and felt the rough earth in front of her, then extended the other hand, crawling forward toward blackness.

Don't think about it. Just crawl. Maybe you can find a way out. She hung onto that hope. If the fear overtook her, she'd die screaming.

She shuddered as she put out her hand and slapped the ground to scare away any creatures in her path. Then she waited, screwing up her courage to reach out again, hoping weirdly to find Thelma, dead or alive, so she wouldn't be alone. The ground beneath her sloped and the dampness increased. She held onto each breath, dreading the next intake of musty air.

Minutes ticked past, immeasurable. She had traveled only a few feet, but it felt like miles.

Her hand struck something long and thin.

Snake!

She recoiled, gasping.

No. It hadn't moved under her touch, didn't feel alive. And it felt too rough for snake scales. She took a shuddering breath and reached out again.

This time her fingers found a different shape—something heavy and coarse, like canvas. She sat up and felt ahead of her with both hands.

The cloth covered a solid mass—but not like human flesh. The edge of the fabric melted into the dirt floor. Whatever this was, it had been here a long time, maybe even in standing water.

Her fingers found the skinny object again. It was stiff and rough—a rope. She followed its length, intermingled with the coarse cloth, and found where the rope had been knotted around it. What she was feeling was a bag, a canvas bag tied with rope. She pressed down on the cloth again, feeling the shape inside. It felt solid and rectangular, and there was more than one—like bricks. But not that heavy.

Bricks of money?

What else would be hidden in a canvas bag down here? If the hermit was the third man from the bingo hall robbery, maybe this was the loot, the money Henry Carl Hill had died for. Would the hermit have kept it all this time without spending it? She wasn't about to stick her hand inside the bag and make sure, but the more her fingers explored the shapes, the more she was convinced of its contents.

The Kingmans' ill-gotten money. If Hill were alive, she could buy her way out of this hole. But Hill was dead.

The money couldn't help her, but the rope might be useful, if it wasn't rotted away, and if it was long enough. She pulled the rope hand over hand until it came free. Only a few feet long, it was too short to reach the square opening above her. Her hope sank.

She felt something else, half buried in the dirt. Long, hard shapes bigger around than the rope. She reached forward again into the darkness.

And felt hair. Repulsed past terror, she moved her fingers lightly over its surface. Long, soft hair, too long to be an animal's.

It was attached to a human skull.

Her whimper echoed from the walls. She wrapped her arms around her waist, rocked back and forth while her stomach jittered. She was sitting on a woman's grave. Some poor, lost sister who had died here—maybe the girl, Lydia Raintree. She touched the hair again, stroked it, and tears slipped down her face.

A keening rose inside her but she pinched it off. *Quiet!* The dank chill of the cave soaked through her clothes and she shivered. How many years would it be before somebody found *her* bones?

She looked back toward the light. Through blurred vision, she saw something suspended from the ceiling, just beyond the column of light. A chain—the looped chain with metal cups attached that once had brought up water from the bottom of the cistern. It was still hanging from the cogwheel above, adjacent to the square box that opened to the light. She crouched and crawled toward it.

The chain links were caked with rust but apparently intact. She grasped both sides of the loop, careful to avoid the sharp edges of the metal cups which hung on the outside, and pulled hard. It held.

Her pulse rabbited. She placed one foot inside the bottom of the loop, several feet above the floor, and shifted her weight onto it, reaching above her head for a hand-hold in the corroded links. A knife-edged pain shot through her shoulder when she tried to pull herself up. She waited it out, tried again.

The cog gear above her head creaked, but the chain held. She dangled there a moment, her fingers laced into the links, blood pounding in her ears. Above her head, she could barely make out the cogwheel holding the chain. It was mounted in its own housing beside the square opening she'd fallen through. If she could manage to climb to the top, it might be possible to swing her legs up through the opening, catch the lip and somehow pull her body up. If the sheet metal housing didn't crumple under her weight.

She hooked her fingers higher in the loop and pulled herself up. Waited out the stab of pain in her shoulder. Tried again. She wedged her free foot behind one of the metal cups on the outside of the chain and prayed that it held. Pushing hard with her leg and pulling with both arms, she lifted herself a few inches up the chain. She wound her right leg around the chain to hold her place, felt the metal cups cutting into her thigh. Her palms were slick with grime.

Rust sifted into her eyes when she looked up toward the window of light. Only a few more feet. Her head would have to be pressed against the ceiling in order for her feet to reach through the square hole. She repositioned her hands and one foot, took a deep breath, and lifted herself again.

Something cracked, loud in the cavern. The chain jerked. She clamped on and froze, panting. Had he heard?

When nothing happened, she wrapped her right leg around the chain and moved one hand at a time up the links. Replaced her left foot, lifted herself a few inches.

Her head was almost to ground level now, just below the oval housing that held the cog gear and the top of the chain. She couldn't climb much farther. But she also couldn't reach the square opening with her legs. She positioned her hands higher on the chain, reaching into the darkness of the oval housing above her head. Metal scraped her hand. She wrapped her right leg, searched for a foothold with her left, and pushed.

The cup under her left foot tore loose, rattling to the floor. She clung to the chain, her foot flailing, heartbeat slamming her ears. Finally she secured the foot again, took two deep breaths and hoisted herself upward until her neck bent against a rafter beneath the concrete platform of the cistern.

Cobwebs plaited her hair. In this awkward position, she couldn't see her escape route. She wrapped one leg around the chain and reached the other foot toward the light.

It wouldn't work. Her leg wasn't long enough, and there was nothing inside the square metal cylinder for a foothold. She'd have to swing both feet up at once and hope to hang her sneakers over the top.

She pictured how to do this. With her feet hooked at the top, when she turned loose of the chain, she would be hanging upside down. There was a chance the sheet-metal housing would crater beneath her weight. If it didn't, and by some miracle she mustered the strength to torque her shoulders up to her legs, she wasn't sure she could double herself small enough to fit through the opening.

The hell she couldn't. She could be a contortionist to get out of here.

She took a deep breath, firmed her grip on the chain and turned loose with her legs. Her hands burned and her arm muscles strained, but she ignored them. She began to pump her feet, forwards and backwards like a child on a swing. She'd have to get a good arc going before she could aim her legs up into the metal box far enough to catch the opening.

The chain creaked and the cogwheel made an ominous snapping noise. She kept swinging. Backwards, forwards. One more swing.

Backward, forward, and *up*—

The cogwheel sounded like a car wreck when it ripped loose from the housing.

Her hands slipped. She fought to grasp something—any-thing—with her feet, felt her sneakers slide uselessly inside the box.

Gravity took over; she tucked her head and somersaulted into the fall.

Her shoulders jolted when she hit the ground. Flat on her back, she lay still, head pounding, every sinew on fire. She fought for air, closing her eyes against the cruel square of light that fell across her face.

A shadow crossed the light and she heard a noise. Squinting against the dirt and rust sifting down, she watched the opening above her shrink to a rectangle, then a slit. The lid scraped shut with a final clunk, and all light disappeared.

THIRTY

CHANTALENE LAY STILL on the sour dirt floor of the cistern, eyes closed, her body ringing like an endless echo. Waiting to breathe, she thought of a *Beverly Hillbillies* rerun she'd watched with Drew. Granny Clampett declared that from age thirteen to sixteen, kids ought to be sealed up in a barrel with nothing but the bung hole open for air. Jed asked what happens at sixteen, and Granny shrieked, "Then you seal up the hole!"

The old hermit son of a bitch had just sealed up the bung hole.

Her skittish laugh sounded eerie in the silence. Tears crawled down her temples and into her hair. She kept her eyes squeezed shut, postponing the moment when she would open them to the blackness of eternity.

Of all the ways to die.

How long will it take, without water? Two days? Three? She felt thirsty already.

She wished she and Drew hadn't argued. It seemed so pointless now. She wondered if he would abandon his farm and move back to New York when she was gone.

Who would feed Whippoorwill and Bones, and take them in? Thelma would, if she were alive. Maybe Thelma's misery was already over.

Insects and rodents will pick my bones clean, like the poor soul who shares this grave.

Her body ached. She was beaten. There was no way out of this godforsaken hole.

She took deep breaths and tried removing her mind to a sunny place where the air was clean and fresh. For a few seconds, it worked. The hysteria passed, and she felt nothing but a sucking fatigue that made her groggy. Maybe it was some kind of chemical reaction to the knowledge that she was going to die.

Maybe I can just go to sleep, like freezing, and it will be over.

Instead, she opened her eyes.

The blackness didn't change. She stopped the panic by taking deep breaths. But she couldn't stop the ringing darkness.

Then she saw it—or thought she did: a thread of light. She blinked dirt from her lashes. Yes. A tiny seam of daylight showed around the tin housing where the cogwheel had torn loose. Just enough of a crack for light to show through.

She stared at the seam until her vision blurred. Her eyes closed again and she slipped into a hazy doze, rousing every few minutes to search again for that narrow lifeline, stingy as string.

It was impossible to gauge how much time had passed.

But what did it matter?

Ashes to ashes, dust to dust. She felt her skin migrate, as if she were changing shape. Was the crack of light getting dimmer? Maybe her eyesight was giving out.

No—the sun was going down. Night was coming, and the white thread would disappear.

Her shoulders shook, but she kept her eyes open and her sight fastened on the cracked housing, afraid to blink, saving the light. It grew dimmer and dimmer. Her retinal memory retained the tiny streak past the moment it faded into blackness, but finally, even that was gone.

Something awful and heavy weighted her limbs, as if her flesh were already melting into the earth. Her hair inched

longer from its follicles; the fabric of her jacket settled for
sleep. Her heartbeat thundered, pounding the blood through
her veins. And behind all that, there was the incessant ringing.

I'm losing my mind. Maybe it's easier that way.

Her arms slid to her sides. She felt a lump in the pocket of
her jacket—her hairbrush, a friend. She pulled it out and fingered the familiar shape. She held it to her cheek and a sorrow
like love welled in her chest. *The little things that comprise
a life, those are the secret. Not all the big things I always
worried about.* This new-found knowledge seemed vital—she
wanted to tell Drew, and Thelma. But she would never see
them again.

The plastic handle of the brush felt hard and real in her
palm. She sat up in the darkness and began to brush her hair
in slow strokes, listening to the slide of the bristles, the snap
of individual hairs. When the back of her hair was free of dirt
and tangles, she brushed the left side, and the right.

Above ground, the wind no longer sang through the cracked
cistern. The night was still. Probably the stars were out, and
the moon.

Something hummed on her skin. A vibration, like the
rhythm of human steps.

She stopped brushing and listened. There it was again. Up
above, her enemy was afoot. Songdog was prowling the night.

He moved with purpose, crossing and recrossing the same
ground. Then the movement stopped. She heard a muffled
whoosh, and then nothing. She turned her face upward, listening. Silence and darkness pulsed on her skin. She shoved
the brush into her pocket.

A metallic screech pierced the cave, so loud she cringed.
A square of palest light appeared above her head.

He had opened the cistern.

Something dropped inside. She scuttled away, waiting for
the object to hit ground. It never did. She felt his presence
move away from the opening and disappear.

Light flickered at the square mouth of the cistern. Firelight?

Of course; that was the whooshing sound she'd heard, the lighting of a fire. In its glow she made out a rope dangling from the hole.

She sat motionless, hearing only the slam of her heartbeat. There was no sound from above, no movement. Had he given her an escape route and gone away?

Not bloody likely.

If she climbed up, he'd be waiting to kill her.

And what did she have to lose? It would be faster than dying down here like a poisoned mole. Above, she might have a fighting chance.

Still she waited. Hope, devoid of reason, crept into her brain. If she got out of this hole, she'd jab out his eyes with the handle of her hairbrush. Tie her jacket over his head and suffocate him. Shove him down the cistern....

Crouching, she moved toward the rope. She grasped it with both hands and yanked as hard as she could. It held, apparently fastened to something solid. She tested the rope again and listened. The light flickered, but that was all.

Her hands shook as she tied a knot chest high in the rope, and another at the bottom. She hadn't tried to climb a rope since seventh grade gym class, but by God she would do it now. A memory of her gypsy mother, scaling the side of a barn in the moonlight with her bare feet and hands, gave her courage. She remembered, too, the curse her mother had screamed into the night, and she laid it silently on Songdog Jones. *Gruesome death to you and all your lineage!* If he let her out of this hole, she'd make him regret it.

She grabbed the higher knot, hoisted herself, and braced her feet on the bottom one. And began to climb. Hand over hand, wrapping her leg in the rope as she inched upward. The hemp burned her hands and pain spiked her shoulder. The pain felt good; it meant she was alive.

He was baiting her, no doubt. Waiting in the silence with

a shotgun, or an axe. It didn't matter. If she could get one hand or foot over the top of that opening, he'd have hell getting the cat back into the bag. At least she'd die breathing fresh air.

She was almost there. When her head and shoulders entered the squared cylinder that formed the opening, she stopped, smelling the night air just above her head. It was scented with wood smoke.

The top edge of the opening was raw metal. If she grabbed it to pull herself up, it would slice her hands. One arm at a time, she wriggled out of her jacket. The hairbrush clattered against the metal housing as it fell, her only weapon gone. She wrapped her jacket over her right forearm and stopped to listen. Nothing except the flickering light and the crackling of logs. Maybe he'd gone to tend the fire.

She reached her protected arm over the top of the metal frame and pulled herself up. Her biceps quivered and stalled. But she pictured the bones on the cistern floor and adrenaline stiffened her muscles. Hauling her body upward, she slung one arm at a time over the side, expecting an attack.

None came. She hung there panting, metal digging into her armpits, her vision blinded by the bonfire. When her breath returned, she grasped the rope, pulled her torso over the side and somersaulted onto the ground.

Above the bonfire, the old man had constructed a crude platform. What the hell? Did he intend to *roast* her?

Then he attacked.

A blanket smothered her head, the full weight of his body pressing her to the ground. She rolled, kicking and screaming, as he tried to anchor the blanket around her arms. She wrenched one arm out of the blanket, grabbed a handful of horse-like hair and yanked hard. He grunted as his head jerked back, and she scrambled to her feet.

An iron fist caught her arm and twisted, sent her screaming to her knees. His hand smashed across her cheekbone. She sprawled, sparks exploding behind her eyes. Again he lunged and she rolled away, her head ringing, hands searching for a weapon. She came to her knees holding a stick of firewood and swung out blindly.

The stick struck his outstretched arm and broke apart. He yelled and recoiled, and in that instant she was on her feet, running.

Whippoorwill's whinny shredded the night. He was too far away; she'd never make it to him. She ran instead toward the outhouse half hidden in the trees. Crouching behind it in the shadows where the firelight didn't reach, she listened for his steps. A weapon; she had to have a weapon. Her hands searched the weeds around her but found no tree limb, no stray board, nothing. She thought of her shoestring but there wasn't time; he was coming. Then, by the footing of the outhouse, she found a crumbled chunk of concrete the size of an egg. She clutched the rock, her back against the curling boards, and held her breath.

His steps drew nearer, slowly. He knew where she was and was deciding how to approach. *Come this way, you old bastard. Show me your face.* She gripped the rock like a baseball, a sharp edge digging into her palm. As a kid she'd thrown rocks to knock down wasps' nests below the eaves of the shed. She drew back her arm and prayed her aim was still true.

When he sprang, he was too close; she couldn't throw. She gouged at his face but he caught her arm and swung her to the ground. She twisted loose and ran blindly, hearing his rough breath behind her as he stumbled and fell.

She hit the bottom step to the shack and leaped through the open door, slamming it behind her. There was no lock. She pressed her back against the door.

The interior was dark and smelled of urine. In one corner, a light-colored ghost gyrated and squealed. Her breath sucked in. The sound was muffled—but definitely feminine. Chantalene squinted at the shape.

"Thelma?"

She grabbed the sheet and yanked it away. Thelma was tied to a chair, tipped over sideways on the floor. Her eyes were wide with terror, but she was doing her best to yell something past the gag tied around her face. Chantalene jerked the scarf from her mouth.

"His shotgun," Thelma croaked. "By the window!"

Chantalene saw a thin shape propped against the wall. She grabbed it as Songdog burst through the door, waving a flaming branch that illuminated the room.

He lifted the torch—but stopped when he saw she had the shotgun. Ghostlike shadows danced on the walls.

She leveled the double barrels at his chest. "Stop! I'll blow your head off!"

Her fingers found both triggers, no hammer. *Please God, let this thing be loaded.*

Firelight carved a horrible mask of Songdog's face. His arm drew back slowly, slowly, madness glittering in his eyes.

He launched the torch like a cannon shot, howling.

Thelma screamed.

Chantalene fired.

THIRTY-ONE

IN THE TWO-ROOM CABIN, the explosion of the shotgun hit Chantalene like a fist, knocking her backwards into the wall. In the same instant, she saw her attacker lifted from his feet, his shirtfront splattered red.

Songdog Jones sprawled in the open doorway of the cabin and lay still.

The shotgun fell from her hands, weirdly silent to her stunned ears. She slid to the floor, her eyes fixed on the old man's body. *I killed him. I shot a human being.*

When the echo of the gunshot subsided, she heard Thelma screaming.

"Chantalene! The curtains are on fire!"

Flames from the hermit's torch crawled up the faded curtains and licked at the ceiling above her head. Chantalene rolled away and scrambled toward Thelma, who lay on her side, her hands tied behind the fallen chair, her head pressed awkwardly to the floor. Chantalene tried to right the chair, but Thelma flinched with pain. She gave it up and checked the twine that cut into Thelma's wrists and ankles. No time to untie, and it was too strong to break. She ran to the kitchen sink and grabbed a paring knife from the drain board.

Smoke snaked across the ceiling as she sawed at the twine. A chunk of fire fell past her head and lit near Thelma's shirt. Chantalene pounded it out with the wadded sheet, but more debris rained around them. She grabbed the knife, slid it between Thelma's swollen wrists and the twine, and pulled up hard.

Finally the thin rope split. Together they slid the ropes off the chair legs, leaving them to hang around her ankles. A beam cracked overhead and they ducked at the sound. Chantalene pulled Thelma to her feet, but when she tried to walk, one of her ankles gave way. Chantalene ducked under Thelma's arm and supported her as they stumbled toward the door, crouching below the thickening smoke.

The flames had spread with amazing speed, engulfing two walls and the ceiling. Heat pressed down like a steam iron.

Songdog's body lay splayed in their path. What if he was still alive?

One look at his chest convinced her otherwise. Chantalene yelled above the hissing of the fire. "Don't look at him. Just go!"

In unison they stepped over his torso and leaned toward the door where fresh air rushed in.

Something jerked them back and Thelma screamed. "My leg!"

Her weight sagged and Chantalene's grip gave way. They staggered and fell in a heap across Songdog's body.

Thelma shrieked. "He has my leg! My leg!"

Through the smoke and sweat in her eyes Chantalene saw his claw-like hand outstretched. But the old Indian's eyes were closed, his jaw slack. "No! The twine on your foot is caught on his hand."

Thelma yanked harder, screeching, jerking his arm and tangling the twine even more.

"Stop it! Hold still so I can get you loose!"

Thelma obeyed. Her scream faded to a wail while Chantalene knelt to untangle the rope from the dead fingers.

"You're loose! Go!"

On hands and knees they crawled out the door and down the concrete-block step.

Cool air washed their faces. The night was alive with flickering firelight, Songdog's bonfire dwarfed by the burning cabin. Chantalene pulled Thelma away from the house, where they sank to the ground, coughing.

Flames shot through the doorway of the shack and licked through the dry timber of the roof. In minutes, the whole structure foamed like a roasting marshmallow.

Chantalene could still see the hermit lying in the doorway. Could they ever prove who he was? She got to her knees, debating.

Thelma laid a firm hand on her arm. "Don't try it. Let him burn."

It was a good decision. Within seconds the cabin imploded. Sparks shot into the night sky, but no one else was likely to see the fire's light. They were miles from town.

If not for the recent rains, the whole pasture might have burned. They watched in silence, mesmerized like aboriginal tribesman at their first sight of fire, until the smell of burning flesh drove them farther into the darkness. Slowly the volume of flames began to shrink and Chantalene remembered the cell phone she'd dropped in the front yard.

She found it in the dust, still turned on, the battery dead.

From the shadows of the orchard, Whippoorwill whinnied. She walked into the cool night, stepping over fallen branches, and found Whip jittering beside a pear tree in full bloom. She spoke to him softly.

"Good horse. I can't believe you aren't miles away and still running." She approached the spooked horse slowly, caught his reins, and stroked his smooth muzzle. Whip snuffled and tossed his head, still wary of the fire. "It's over now. Easy does it." She secured his reins around a branch.

A battered pickup truck hunched in the weedy shadows behind the house. She circled towards it, giving a wide berth to the wall of heat still emanating from the dying fire. The truck was dented and spotted with rust, the passenger-side window devoid of glass. Inside the musty smelling cab, a rabbit's foot key chain dangled from the ignition.

Chantalene walked the tire-track path around the cabin, back to where she'd left Thelma. She sat cross-legged on the ground beside her, facing the fire. Low flames crawled along fallen beams that cross-hatched the glowing mound of debris.

Thelma sat with her back straight, her eyes focused on the burned-out cabin. Mulberry-colored bruises stained her cheekbone and jaw, and firelight aureoled the thin hair frizzed out around her head. With her face draped in shadows, Thelma looked twice her age, a crone from a fairy tale.

"You okay?" Chantalene said.

"I am now."

"Can you drive a stick shift?"

Finally Thelma looked at her. "I could drive a Sherman tank if it would get us home."

Chantalene rode in the cab beside Thelma with her arm out the glassless window, holding Whippoorwill's reins. Pre-dawn light streaked the sky with magenta as the trio rolled the three miles toward Thelma's house at funeral-procession pace. They didn't talk. The countryside was silent except for the slow crunch of tires on shale, and a chorus of crickets in the roadside grass.

A split in the plastic seat cover pinched Chantalene's leg. Beyond the bug-spattered windshield, she saw the old man's body flying backwards, a blossom of red imprinted on his chest. Over and over, like a radar loop. She closed her eyes but it didn't stop.

She had killed a man.

And she didn't even regret it.

Everything inside of her had gone numb. *Don't over-think it. If you hadn't shot him, he'd have killed you, and Thelma, too.*

Thelma's farmhouse appeared from the semi-darkness, and Chantalene saw a cluster of vehicles beneath the sentry light near the barn. Thelma saw them, too—three police cars, a rescue unit and an unmarked pickup, nosed together like marble-shooters in a schoolyard. Thelma turned the old truck slowly into the driveway, with the dappled gelding clopping alongside, just as the sun breached the horizon and the sentry light winked off.

The lawmen standing near the cars looked up in openmouthed silence at the weird tableau appearing out of the dawn. Even the crickets were silent as they rolled to a stop and Thelma cut the engine.

One of the men was wearing red suspenders. Chantalene heard a familiar, gravelly voice.

"Holy jalapeños. Will you look at this."

Retired Chief Watson Wilson swept off his wide-brimmed hat and held it over his heart.

THIRTY-TWO

SUNNY RAY Patterson Diehl sat at Thelma's kitchen table and took her coffee black. She lit her cigarette with a see-through lighter filled with tiny, plastic seahorses.

"You were right," she told Thelma through a stream of smoke. "He wasn't your husband. But he *was* Billy Ray. You were married to Donnie Ray."

Chantalene saw Sunny's eyes shift again toward the brass urn that sat on the sideboard along with Sheriff Justin's ten-gallon hat. The funeral home had presented Billy Ray's ashes to Thelma, as the deceased's wife, but Thelma agreed to release his remains to the surviving sister.

Sunny nodded toward Watson Wilson, seated beside Thelma at the table. "The Chief here had it figured out by the time he located me."

"The print on Thelma's letter didn't match the ones from San Juan prison," Watson said. He tactfully didn't mention the bloody prints Chantalene had taken from the cowboy. Sheriff Justin would never have to know. But those prints did prove the cowboy's prison time and also convinced Watson that the brothers had switched identities.

"So I was married to an imposter from the beginning," Thelma said. Her freckled hands lay motionless on the table beside her coffee mug, red rope burns braceleting her wrists.

Sunny Ray's eyes looked as if they'd seen everything humans could do, and forgiven it. "Only in name, honey. Donnie Ray really loved you. That's why he lit out so fast and never told you about the bingo hall money. He was scared the Kingman family would come after you if they found out there was any connection.''

Sunny Ray's face was thin and weathered, the resemblance to her handsome brothers faded by the years. She worked as a hair stylist in Tulsa, and her honey-blonde color concealed most of the gray. Chantalene handed her a saucer for an ash tray and opened the kitchen door for ventilation. Nobody here was going to deny the surviving sister her smokes.

Sunlight and the scent of lilacs drifted through the screen. Chantalene sat at the table with her tea bag and mug of hot water and listened to Sunny Ray's low-pitched, sandy voice. The kind of voice with stories to tell.

"The summer you met Donnie," Sunny Ray said, "he'd run off and joined that combine crew to avoid a scrape with the law. And he lifted Billy Ray's I.D. to take with him, just in case. It was no big deal to Billy; they used to trade I.D.'s all the time, just for a prank. But once Donnie told you he was Billy Ray and married you under that name, he didn't see how he could change his story without getting in a bunch more trouble." She shook her head. "Donnie was a sweet kid, but he was a little short on logic."

Chantalene dangled her tea bag in the hot water and watched its color deepen. Late yesterday, she had watched while a crime scene team recovered the charred body of Oswald "Songdog" Jones. They'd also removed the bones of Lydia Sue Raintree from the cistern, and a canvas bag filled with bricks of dirty money. Her senses—along with her muscles, her eyeballs, her skin—felt strafed.

She glanced at Thelma, whose chin was lifted, her eyes clear behind the bruises. Watson Wilson was watching her, too, with open admiration.

"Donnie was killed in that car wreck in New Mexico," Sheriff Justin said.

Sunny Ray nodded. "I didn't find out about it for a long

time. Finally Billy Ray called me from California, and he was really messed up about Donnie's death. But prison sobered him up and he came out changed. When he took to cowboying, he'd send me a card every so often to let me know where he was. So when somebody started asking around Tulsa for him, I let him know.''

She took another long drag on the cigarette and tactfully aimed her exhale at the ceiling. "The day before he came here, he stopped by my house and we sat up half the night talking. Those lonely months on the range, Billy spent a lot of time remembering the stories Donnie had told him about Thelma and the farm, and their life together in Tetumka.'' She smiled, smoke trailing up from her fingers. "Donnie had described everything in Tetumka to the finest detail. Every neighbor and all the livestock. Billy said he liked the happiness in Donnie's voice when he talked. Pretty soon Billy'd memorized all those people and places as if he'd been there himself. All over Nevada, Montana, and Wyoming, he thought about that farm in Tetumka that had his name on the deed as joint owner. But he never intended to come here. Not until I wrote that Thelma's lawyer had been looking for him.''

Chantalene thought of Billy Ray's lonely years on the range dreaming somebody else's dream, and of Thelma's lost hopes for a family. A sudden image of lazy, pajamaed mornings spent with Drew at his kitchen table popped up in her mind. She wondered if he was having breakfast with Emily in New York today, and her breath caught in her chest.

Maybe she was destined to be alone, like Thelma and Billy Ray.

Sunny touched the lipstick stain on her cup with a white fingernail. "I wish now I'd never told him. We both thought Thelma might have passed away and left him the farm. He never even thought about the bingo money. He figured Songdog had got that and spent it years ago.''

"Until Henry Carl Hill showed up," Watson said.

"Right. The last time Billy Ray phoned me, he said some-body was still looking for the money, and he thought it might be hidden on Thelma's farm. He knew Donnie and Songdog had buried it under a pear tree somewhere. He hadn't located it yet, but I think he was looking."

"Songdog must have recognized him before he figured it out," Chantalene said.

Sheriff Justin shook his head. "It was Hill that killed Patterson, not Jones."

"It was Hill, all right." Thelma's face turned hard. "He bragged about it. But he made the mistake of going out for cigarettes, and the old hermit was waiting outside the door. He grabbed Hill from behind and dragged him back into the room and snapped his neck like a matchstick. Never said a word. I didn't know if he was going to rescue me or kill me."

Watson Wilson patted Thelma's hand on the table.

"But who was Lydia Sue Raintree?" Chantalene asked. "And how did she end up in that cistern?" All night long she had dreamed the smell of stale earth and wrestled dark fingers that squeezed the air from her lungs. She hoped Liddy was already dead when she was dumped in there.

"Lydia Sue was the gal who hooked up with Songdog Jones after the bingo robbery," Sheriff Justin said. "Her mother posted those flyers about ten years ago when her common-law husband left and she got a guilty conscience about her runaway daughter. She had heard the girl was around here somewhere. Apparently the two of them lived with Songdog when Lydia was small, but he wasn't her father."

Sunny Ray lit up again, the tiny seahorses rocking in their combustible sea. She expelled smoke and turned the lighter end over end in her hand. "I'll bet she didn't show up at that El Paso truck stop by accident, and she was in on the robbery from the beginning."

"We'll never know that for sure," Watson said. "But I'd lay odds she got tired of her older man and planned to take off with the money. That's what got her killed and pitched in the cistern.''

Sheriff Justin nodded. ''The mother died a couple years ago, so at least she won't have to know what happened to her daughter.''

''So,'' Thelma said, and heaved a sigh. ''My husband wasn't who I thought he was, there was no oil company interested in leasing my land, and the old hermit I felt sorry for was a murderer. I feel like the world's biggest jughead.''

''Good-hearted people have a hard time predicting the bad motives of others,'' Chief Wilson said, his leathery brow creasing. ''You don't have a thing to regret.''

Thelma looked wistful. ''Anybody our age has some regrets, I imagine. But if I had to live it over, I'd probably do the same darned things.''

Chief Wilson grinned. ''Good for you.''

That was all the warm-fuzzy Sheriff Justin could stand. His chair scraped backwards. ''Ms. Diehl, are we ready to go?'' The sheriff had brought her out from El Rio, where Sunny had left her car.

''Almost.'' Sunny took a last swallow of coffee and pushed the mug away. ''There's one more thing. Out in California, Billy got a young woman pregnant, a waitress at one of the clubs where he drank and shot pool. About a year after he got sent up, the gal showed up at my house with a baby in her arms. She was crying, said she couldn't look after a baby, that she wasn't a fit mother. Before I knew it, I was holding the baby and she was gone.''

Thelma's mouth dropped open. ''You raised his child?''

''I had a little boy and girl of my own, so I just raised them all together.'' Sunny stubbed out her cigarette. ''I never told Billy Ray that Anna was his daughter. It was selfish, maybe, but I figured they were both better off. I'd been cleaning up after my brothers for twenty years, and I was sick of it. Anna Lee thinks she's adopted.''

"Anna Lee," Thelma said.

"She's twenty-six now, a fine young woman. She got married a few years ago, and she's expecting a baby in July. Maybe you'd like to meet her some time."

"Good heavens," Thelma said, and wiped her eyes. "I'm going to need some more yarn."

Sunny Ray dug in a faux reptile handbag and came out with a slightly worn business card and a pen. She wrote something on the back and placed the card on the table in front of Thelma. "My home number's on the back. You come up to Tulsa any time and I'll do your hair for free."

"I just might take you up on that. I'll bring Chantalene with me."

Sunny Ray winked at Thelma. "Please do. I'd love to get my hands on *that* head of hair."

"Hey!" Chantalene said. "This look scares the vandals away from my house on Halloween."

Sunny and the sheriff stood up but Chief Wilson motioned Thelma to stay seated. "You better stay off that sprained ankle," he said. "I'll see them out."

Sunny Ray picked up the urn that held her brother's ashes and cradled it in both arms as they filed through the living room to Thelma's front door. Chantalene followed, trying to imagine what it would be like to have a brother, let alone lose two of them to violent death. It had to feel damned lonely.

She stood with Chief Wilson on the porch while the sheriff's car drove away, Sunny Ray riding shotgun with Billy Ray on her lap. The blue morning was cloudless with just enough breeze to stir Thelma's collection of wind chimes suspended from the porch beams. They watched the county car recede toward the horizon, thinking their own long thoughts. In the hours since she'd escaped from the certain knowledge of death, the world had changed, in ways both larger and smaller than the simple advent of spring.

"I guess you'll be heading back to New Mexico," Chantalene said.

"Probably so." Wilson studied the white chickens scattered around the farmyard looking for bugs. "Unless I could be of some use in helping Thelma clear things up around here."

Chantalene smiled. Maybe one good thing would come out of all this yet.

An approaching vehicle slowed and turned into Thelma's driveway. Chantalene made an involuntary sound that caused Wilson to look at her, then at the red pickup as it parked by the gate.

"Is something wrong?"

"It's Drew," she whispered, her eyes riveted to the truck. "I thought he was in New York."

Wilson glanced at her face again. "I'll go inside and check on Thelma," he said, but she was already off the porch.

THIRTY-THREE

SHE DIDN'T ASK questions. Not now.

Drew flinched when he saw her swollen eye and bruised cheek, but she didn't give him time for questions, either. She hugged him until her sore shoulder hurt, unashamed of the moisture that came to her eyes when she felt him hugging back.

"Drive me home?"

"Your place or mine?"

Thelma and Wilson came out of the house, Thelma leaning on Wilson's arm while she hobbled to the porch swing.

"Hey, Drew," Thelma called. "About time my lawyer showed up around here."

Chantalene made introductions, and Wilson eyed Drew with an assessing look worthy of any grandfather. Then they said goodbye, leaving Whippoorwill to graze contentedly on fresh rye grass in Thelma's barnyard. Chantalene could ride him home tomorrow.

Drew rolled down the windows and let the April morning whip around them. He rested his hand over hers on the seat.

Bones hopped and wagged at first sight of them. It felt so normal, driving up with Drew to the house where she was born, where the rooms held familiar things and her dog was glad to see her. The simple good fortune of it nearly blinded her.

Drew helped her out on his side of the cab and left the door standing open and the seat-belt bell pinging. He held her, stroked her hair, touched the bruise on her cheek. Beneath the gentleness she felt something fierce in the set of his spine. A lump the size of Dallas massed in her chest, partly relief that Drew was home, partly fatigue, partly gratitude for being safe again.

His voice by her ear made her shiver. "I'm sorry I left. I should have been here."

Yes, you should have.

But she didn't say it, because nobody could have predicted her encounter with a madman. Not her, and certainly not Drew. On the phone, she hadn't told him about Hill's note or his threatening call. She hadn't even told him about the missing items from her house, or her suspicion that she was being stalked. The many ways she had shut him out illuminated in her mind like tiny explosions. She began to understand how much that had hurt him. Except for his farm, it was a wonder he'd come back from New York at all.

She didn't say that either, just enjoyed the comfort of his familiar body against her. *That's the problem, you dummy. You're not saying any of it. You're shutting him out again.*

"Come inside," she said. "Let's get something to drink, and I'll tell you about it—" though the prospect of describing her ordeal scared the hell out of her, resurrecting the panic of those awful hours, "—and you tell me about New York."

She made coffee and poured two mugs. Drew accepted his cup and frowned at hers. "You don't like coffee."

"I'm going to learn."

They sat in the wooden rocking chairs on her front porch with Bones between them. Chantalene massaged the dog's neck and savored the feel of smooth fur slipping through her fingers.

She started from the beginning. She told him about the stalking incidents, waking to the strange odor in the house, how she'd thought she might be imagining things and had simply lost the missing items until she found the window left open in the spare bedroom. She told him about Billy Ray and Donnie Ray switching identities, some of which he already knew because he'd called Deputy Bobby Ethridge when he couldn't reach her by phone. She told him about Sunny Ray Patterson Diehl coming for her brother's ashes.

Then she told him about Songdog Jones, his madness, how he'd cast her into the cistern and let her climb back out again and how she'd fought him, about the cabin fire and Thelma's bruised face and finding the bones of Lydia Sue Raintree and the money.

She could talk about those things, because they were past.

What wasn't past was her abject terror in that earthen grave, when she knew for certain she was going to die and she had wept and wet herself and felt the fist of her sanity releasing its grip one finger at a time. The terror and humiliation of those hours was a living thing that loomed huge and dark at the edge of consciousness, breaking loose from its fragile tethers when she slept. She had no words to explain that terror, or the ways it had changed her. It would be a long time before she could talk about that, if she ever could.

Drew listened, his gaze narrowed and far away. He let her talk without asking questions, though she could sense the tension in his body. Perhaps he understood something of the things she couldn't say.

The sun arched westward and the shadow of the porch roof slowly reached out and covered their feet. Chantalene blew her nose and shifted her thoughts to safer ground.

"I don't envy Sheriff Justin when he notifies the Kingman family about Henry Carl Hill."

"Hill seemed to be the black sheep. Maybe they won't care," Drew said.

"Will the sheriff have to give the stolen money back to them?"

Drew shrugged. "How could they prove it was theirs? It'll probably end up in the indigent defense fund."

A good place for it. In memory of lost souls like Lydia Sue.

They rocked slowly, their heads leaned back against the

chairs. Bones had melted into a heap on the porch floor, snoring softly with each breath. Chantalene melted, too, fatigue heavy in her limbs. Maybe she'd just sit here forever, never move, never make another decision.

Fat chance.

"Your turn," she said finally. "Are you moving back to New York?"

He turned his face toward her and held her gaze for several beats before he answered. "I will if you want to go."

"Me?"

"William Bratten—he's chairman of the board for Emily's dad's company—made me an unbelievable job offer. We could get a nice apartment and live quite comfortably. See everything there is to see in the Big Apple."

She stopped rocking and frowned at him. "Do you want this job?"

He shrugged, looking out across the spiky asparagus field and Whippoorwill's empty corral. "I could live with it. I told William no, but then I got to thinking maybe this is the answer for us. At least for a year or two."

"But do you *want* this job? Do you really want to live back in New York?"

"I asked you first."

She shook her head and went back to rocking. "What about Emily?"

"What about her?"

"Is she the real reason you made the trip?"

He pulled an envelope from his shirt pocket and handed it to her. "I went for two reasons, and neither of them was Emily."

She opened the letter from William Bratten and read it silently. "Wow," she said softly. "That is quite an offer."

"What he doesn't say is that he's dying of cancer. Emily told me that. I have a lot of respect for William, even when we don't agree on things. I consider him a friend. And I don't have many."

Chantalene had thought about that before. She wasn't the only one with no friends her age except for Drew. Very few young people lived in Tetumka.

"What was your other reason?"

"That application you'd filled out for a museum internship in New Mexico this fall."

She'd forgotten about the internship. It was another of those things she had put off talking to Drew about.

"If you're moving on without me," he said, "I don't know that I could stay here."

"What about your farm?"

"There's not much to do now until the first of June when the wheat's ready to harvest, and I'll hire custom cutters. Next season I could rent the land. I can't picture selling the place, but as I told William, farming's not as noble as I remembered it. And it's a hell of a lot less profitable."

He'd never expressed any doubts about his farming operation before, and she found this unsettling. Drew was supposed to be unchanging; she counted on his constancy while her own ideas bounced all over the place.

"All things being equal," she said, "which means leaving other people out of the picture, would you be happier here, farming and practicing small-time law, or in the city with a challenging job and plenty of money?"

He rolled his head against the chair back. "Flawed question. All things are not equal, other people being you."

Chantalene closed her eyes and pictured the two of them in a Manhattan apartment, among the sights and sounds and smells of the fabled city. All she knew of New York was what she'd read in travel magazines or seen on Drew's TV— the Statue of Liberty, Central Park, Ground Zero. All that water, all those people. She'd love to see it in person. But whenever she'd yearned to live somewhere else, she always had pictured going West, where there was lots of space and she understood the people.

The job would undoubtedly require long hours for Drew.

She tried to picture herself negotiating the crowded streets alone, attending the theater, maybe, or shopping on Fifth Avenue. What in the world would she *wear?*

She felt a canyon of buildings rise around her, the sky no more than a window of light above her head, and her chest tightened. How could she breathe? What if somebody covered the window? She realized she was sweating.

Calm down. A city is not a dungeon with no way out.

"Anyway, you turned down the job." No decisions, please. Not right now.

"Not exactly. He gave me two weeks to think it over," Drew said.

Could she pull the fragments of herself together in two weeks? There was the internship, which she hadn't really considered or explored; and her college degree, so close to completion. There was the trip to see Gamma Rose. And what about Whippoorwill and Bones?

She'd said she wanted out of Tetumka; was it just a bluff? *Stop.*

In the pit of that cistern she'd learned some things, and chief among them was the absurdity of worrying about the future.

She closed her eyes and extended her bare toes into the sunlight, inhaling and exhaling until her pulse slowed. Right now she was sitting on her porch in the fragrance of spring, with her lazy dog at her feet and her best friend beside her, a man that she loved. Her heart expanded with the rightness of it.

This is it. Just today.

She smiled, her eyes still closed. "I can't think about that today, Rhett," she said in her best southern drawl. "Let's think about it tomorrow."

Drew's hand found hers and he resumed his rocking.

"No problem."